Isabell Valentin

DER PSYCHOPATH

und der Tag, an dem die Katze starb

Thriller

AF204543

Bibliografische Information der Deutschen Nationalbibliothek: Die Deutsche Nationalbibliothek verzeichnet diese Publikation in der Deutschen Nationalbibliografie; detaillierte bibliografische Daten sind im Internet über dnb.dnb.de abrufbar.

1. Auflage
© 2019 Isabell Valentin
Herstellung und Verlag: BoD – Books on Demand, Norderstedt
ISBN: 9783750404298

Umschlaggestaltung: Isabell Valentin
Illustration: Isabell Valentin
Autorenfoto: Barbara Hoffmann
Titelfoto: Bruce Mars von Pexels, Katze: gdakaska auf Pixabay
Schrift: Breakaway © by Vic Fieger, Josefin Sans © 2010 by Typemade (hi@typemade.mx). All rights reserved.

www.isabellvalentin.de

Kapitel 1

„Die Familienchronik derer von Falkensteins wurde mit Blut geschrieben."

Mit diesen düsteren Worten setzte sich Onkel Theo in den antiken Sessel und begann auf der alljährlichen Familienfeier seinen Vortrag. Nach einer dramatischen Pause, in der sich die Kinder und Erwachsenen um ihn scharten, hellte sich seine Miene wieder auf.

Cecilia hatte einen Platz in der vorderen Reihe ergattert und schaute gespannt zu ihrem Onkel. Natürlich wusste jeder, was nun folgte, denn Onkel Theos Familiengeschichten waren Tradition. Doch Cecilia hörte sie immer wieder gerne.

„Ihr habt es sicherlich schon tausendmal gehört, wenn nicht noch öfter: Wir von Falkensteins sind eine sehr, sehr alte Adelsfamilie. Unsere Vorfahren lassen sich zu den bedeutendsten Königshäusern zurückverfolgen. Und wir waren schon immer stolz darauf. Jeder von uns hat eine Ahnentafel im Haus hängen, oder etwa nicht?"

Die Kinder kicherten, die Erwachsenen verdrehten die Augen.

„Seht ihr! Ihr haltet das für Extrem? Nun, da habt ihr vollkommen recht! Aber unsere Familie war in grauer Vorzeit noch sehr viel schlimmer. Da musste darauf geachtet werden, dass man die Blutlinie nicht verunreinigt. Irgend so ein bürgerlicher Ehepartner kam da gar nicht in Frage. Es musste schon ein Spross aus einer ebenso angesehenen und alten Adelslinie sein. Angemessen eben. Da war die Auswahl nicht besonders groß. Es war keine Seltenheit, nein es gehörte sogar zum guten Ton, wenn man seine Cousine oder seinen Cousin heiratete. Die kamen immerhin aus einer verdammt guten Familie. Nämlich der unseren! Welche bessere Wahl sollte es da geben? Ja, und einer trieb das noch auf die Spitze: Ferdinand von Falkenstein heiratete seine Halbschwester Agathe. Könnt ihr euch so etwas vorstellen?"

Cecilia und die anderen Kinder ließen laute Ausrufe des gespielten Entsetzens hören.

„Das waren inzestuöse Verhältnisse und das blieb nicht ohne Folgen", fuhr Onkel Theo fort. „Bald häuften sich körperliche Missbildungen. Ludwina von Falkenstein wurde blind geboren, Mortimer hatte einen fürchterlichen Buckel und Cornelius drei Beine!"

Cecilia schrie vor Lachen. Die anderen Kinder taten es ihr gleich. Sogar die Erwachsenen lachten amüsiert.

„Nein, er hatte natürlich keine drei Beine", sagte Onkel Theo und zwinkerte verschwörerisch in die Runde. „Aber er hatte zwei Beine, die sehr unterschiedlich lang waren und die ihm das Gehen fast unmöglich machten. Das war zu einer Zeit, als die

Medizin noch in den Kinderschuhen steckte. Heute könnte man dem armen Cornelius helfen. Aber haltet euer Mitgefühl noch zurück, denn die wahrlich schweren Missbildungen findet ihr auf keinem Familienporträt. Man sah es den Betroffenen gar nicht direkt an. Sie waren ... wie sag ich es am besten?" Er führte seinen Zeigefinger an die Schläfe und zeichnete dort Kreise.

„Sie waren plemplem!", rief Cecilia wie jedes Jahr mit den anderen Kindern im Chor.

„Ja, so könnte man es ausdrücken", sagte Onkel Theo. „Ihr Geist war in Mitleidenschaft gezogen worden. Immer wieder wurden Kinder geboren, deren Intelligenz an Schwachsinn grenzte – oder sie waren schon einen Schritt weiter."

Onkel Theo rutschte in seinem Sessel nach vorne. „Aber das waren noch die besseren Fälle. Schaut euch all die Geschichten hinter den Namen auf euren schicken Ahnentafeln an. Da stehen euch die Haare zu Berge."

Und dann erzählte Onkel Theo immer, wer in der Familie von Falkenstein, schon wen umgebracht hatte. Eine erstaunlich lange Liste, selbst für eine so große und alte Familie.

„Aber am schlimmsten", sagte Onkel Theo, „am schlimmsten war Hendrick von Falkenstein, genannt der Schlächter. Er hatte den Wahn, er müsse jeden Monat im Blut einer jungen Frau baden, um so den

Alterungsprozess zu stoppen. Ganz nach dem Vorbild der Legende um die Blutgräfin Elisabeth Báthory. Auf diese Weise hatte er über zwanzig Frauen ermordet, bevor er für seine Taten hingerichtet wurde."

Cecilia hörte den Worten ihres Onkels mit offenen Mund zu. Diese Tragödien waren für die Falkensteins nicht nur eine Warnung, sondern sie verkamen mit der Zeit auch zu einer morbiden Familienbelustigung.

Vielleicht war es ja die Rache des Schicksals, dass ihnen allen heute das Lachen im Halse stecken geblieben war und niemand mehr es wagte, diese Geschichten zu erzählen. Nicht seit ...

Ein Geräusch von Stahl, der über Stahl rieb, gemischt mit einem Ratschen drang an ihr Ohr, zerrte ihr Bewusstsein aus dem Schlaf. Cecilia drehte sich auf die andere Seite und umklammerte ihr Kopfkissen. Sie wollte noch nicht aufwachen. In ihrer Traumwelt war sie unbeschwert und fröhlich. In ihrer Traumwelt war sie sicher.

Einmal ... zweimal. Irgendetwas war an ihrem Kopf, bewegte ihre Haare. Eine Katze maunzte.

Adrenalin schoss durch Cecilias Körper, als die altbekannte Angst sie in ihren Würgegriff nahm. Sie riss die Augen auf. Jemand hatte ihre Schreibtischlampe angeschaltet. Ihr Schein spiegelte sich in etwas Spitzem, Silbernem direkt vor ihrem Gesicht. Cecilia schrie, ihre Stimme überschlug sich. Von Panik getrieben presste sie sich gegen die Wand.

Die dämonisch glitzernden Augen ihres fünfjährigen Bruders Lennard sahen sie an. Seine Lippen waren zu einem kalten, bösen Lächeln verzogen. In der einen Hand hielt er eine Schere, in der anderen ein großes Büschel mit Cecilias braunen Haaren. Entsetzt fasste sie sich an den Kopf. Nur noch vereinzelte lange Strähnen konnte sie ertasten. Der Großteil der Haare war streichholzkurz abgeschnitten.

Wieder maunzte eine Katze. Cecilia sah Minkie neben Lennard sitzen. Sie betrachtete die Szene mit unergründlichen Bernsteinaugen.

Cecilia hasste diese Katze, obwohl ihr das Tier noch nie etwas zuleide getan hatte. Sie war kein Schmusetiger, sondern ein Freigeist. Nur, wenn jemand krank war, entdeckte sie ihre fürsorgliche Ader und verharrte bei dem Leidtragenden, bis dieser wieder vollkommen gesund war. Ihr Vater pflegte zu scherzen, dass Minkie in ihrem früheren Leben gewiss eine Ärztin oder Krankenschwester gewesen sei. Kurz nach Lennards drittem Geburtstag wich diese Krankenkatze ihrem Bruder nicht mehr von der Seite. Sie schlief in seinem Bett und folgte dem Jungen auf Schritt und Tritt. Ihre Mutter bekam Panik, schleppte ihren kleinen Sohn von Arzt zu Arzt. Immer hieß es, mit Lennard sei alles in Ordnung. Doch Minkie wusste es besser. Mit Lennard war gar nichts in Ordnung. Doch seine Krankheit konnte man auf keinem Röntgenbild und in keinem Blutbild erkennen. Sie steckte tiefer. In seiner Seele.

Die Zimmertür wurde aufgerissen.

„Cecilia! Was ist denn los?", rief ihre Mutter Klara von Falkenstein. Dann weiteten sich ihre Augen, als sie ihren Sohn mit der Schere in der einen Hand und den Haaren in der anderen entdeckte. Ihr Blick wanderte entsetzt zurück zu Cecilia.

„Oh mein Gott!", entfuhr es dem Vater.

Lennard hatte beim Eintreten der Eltern seinen dämonischen Gesichtsausdruck abgelegt. Ohne Anzeichen eines schlechten Gewissens sah er die beiden an.

„Cecilia hat heute das Fernsehprogramm umgeschaltet. Ich habe aber gerade Tom und Jerry geschaut!", sagte er, als würde das alles erklären.

Seine Mutter schnappte nach Luft. „Aber deswegen kannst du ihr doch nicht die Haare abschneiden, Lennard! Was ist nur los mit dir?"

„Ihr hättet sein Gesicht sehen sollen, als ich aufwachte und er mit erhobener Schere neben mir stand. Ganz böse hat er gegrinst. Er wollte mich umbringen, da bin ich mir sicher! Wenn ihr nicht reingekommen wärt, hätte er es getan!" Cecilias Worte wurden durch unkontrolliertes Schluchzen gestoppt. Ihre Eltern mussten endlich einsehen, was Lennard war. Er verkörperte nur äußerlich den süßen Jungen mit den goldbraunen Locken und dem Gesicht eines Engels. Innerlich war er durch und durch böse. Er hatte die Familienkrankheit, wie der Schlächter Hendrick von Falkenstein, und genauso würde er irgendwann mit dem Morden anfangen. Cecilia war überzeugt, sein erstes Opfer zu werden. Warum half ihr nur keiner? Sie wollte nicht sterben. Sie hoffte noch immer, dass man ihren kleinen Bruder endlich wegsperrte. In eine weit, weit entfernte Klinik, aus der er niemals herauskommen würde. Nur dann war sie sicher. Nur dann hatte sie eine Chance zu überleben.

„Nicht doch, Cecilia. Lennard hatte doch nicht die Absicht dich umzubringen!", sagte ihre Mutter.

Sie verstand es immer noch nicht. Sie wollte es nicht verstehen und Cecilias Körper wurde zu sehr von ihrem Schluchzen geschüttelt, als dass sie auch nur versuchen konnte, es ihr zu erklären. Doch tief in ihrem Inneren wusste sie, dass jedes Bemühen an Klaras unerschütterlicher Mutterliebe scheitern würde. Um ihre Tochter zu schützen, müsste sie sich von ihrem Sohn abwenden, und das würde sie niemals tun. Auch jetzt hörte sie die beherrschte Stimme ihrer Mutter, die wieder einmal versuchte, ihrem Sohn die Verwerflichkeit seines Handelns klarzumachen. Sie hatte Lennard die Schere aus der Hand genommen, sich vor ihn gekniet und redete auf den kleinen Jungen ein. Ihre Mutter sah Lennard dabei fest in die Augen und der Junge schaute unbeeindruckt und mit verschlossener Miene zurück, wobei es eher aussah, als würde er durch sie hindurchsehen. Ihre Anwesenheit und ihre Worte schienen ihm gleichgültig zu sein. Klara von Falkenstein hätte genausogut gegen eine Wand sprechen können. Das Ergebnis wäre dasselbe gewesen.

Cecilia sah flehend zu ihrem Vater. Roman von Falkenstein erwiderte stumm ihren Blick. Sie konnte sie sehen, die Angst. Er fürchtete sich vor seinem Sohn. Er hatte erkannt, was Lennard war. Doch die hängenden Schultern und kraftlosen Hände sprachen Bände. Er kam weder gegen Lennards Bosheit, noch gegen die Mutterliebe seiner Frau an. Er würde es nicht einmal versuchen.

Die Litanei ihrer Mutter hatte geendet. Klaras Augen tasteten Lennards Gesicht ab. Suchten nach Verstehen oder einem Funken Reue. Doch da war nichts.

Seufzend erhob sie sich. „Du hast eine Woche Hausarrest und Fernsehverbot."

Lennard reagierte gar nicht darauf.

„Und Nachtisch gibt es in dieser Zeit auch nicht für dich", versuchte sie weiter, ihn zu einer Reaktion zu bewegen. Irgendein Zeichen, dass die Strafe bei ihrem Sohn angekommen war, dass er daraus lernte. Cecilia wusste, dass da nichts kommen würde.

„Verdammt, Lennard! Überleg dir doch, ob du

wirklich so ein Mensch sein möchtest?"

Ihr Bruder legte den Kopf schief. „Was meinst du, Mami? Ich finde mich toll, so wie ich bin. Ich bin besser als die anderen Kinder!"

„Nein, das bist du nicht", kam es vom Vater. Fast ein Flüstern.

Lennard drehte den Kopf ruckartig zu ihm. Sein kindlich süßes Gesicht verzerrte sich im Zorn. Roman von Falkenstein wich einen Schritt zurück. Cecilia sah den Triumph in Lennards Augen.

Ihre Mutter seufzte. „Cecilia: Morgen früh gehen wir direkt zum Friseur. Der wird dir bestimmt einen schönen Haarschnitt zaubern können. Lasst uns jetzt alle wieder zu Bett gehen. Ich bin unendlich müde."

Sie hielt die Tür auf und ließ Lennard, gefolgt von Minkie, passieren. Er warf Cecilia noch ein letztes höhnisches Grinsen zu und verschwand mit der Katze in seinem Zimmer, direkt neben dem ihren. Auch ihre Mutter wandte sich zum Gehen. Cecilia hielt sie am Nachthemd fest.

„Mama, nein. Er wird mich umbringen! Vielleicht nicht heute oder morgen, aber irgendwann!"

„Cecilia, jetzt ist es aber gut. Dein Bruder ist doch kein Monster."

„Doch, Mama! Das ist er. Warum siehst du das denn nicht?"

Ihre Mutter schüttelte energisch den Kopf. „Nein! Das ist Unsinn. Lennard hat nur so eine Phase. Das wird schon wieder."

„Nein, das wird es nicht. Es wird nur noch schlimmer werden, je älter er wird. Bitte beschütze mich vor ihm!"

Ihre Mutter sah sie verzweifelt an. „Was soll ich denn machen? Er ist doch mein kleiner Junge. Ich werde ihn schon irgendwann erreichen. Ich darf ihn nur nicht aufgeben."

„Sperr ihn wenigstens nachts in seinem Zimmer ein. Ich habe Angst, Mama!"

„Soll ich ihm einen Eimer ins Zimmer stellen, falls er mal pinkeln muss? Nein, das werde ich bestimmt nicht tun!"

„Dann gib mir meinen Zimmerschlüssel, damit ich mich einsperren kann. Ich bekomme sonst kein Auge mehr zu."

„Auf gar keinen Fall! Was, wenn du nachts krank wirst? Dann stehen wir vor verschlossener Tür", beharrte ihre Mutter.

„Klara,", meldete sich zum ersten Mal ihr Vater zu Wort, „gib Cecilia den Schlüssel!"

„Aber Roman, was wenn ..."

„Gib ihr den verdammten Schlüssel!"

Wenigstens ist heute Samstag und damit keine Schule, dachte Cecilia, als sie am nächsten Morgen ihre verkorksten Haare unter einer Wollmütze verbarg. Sie sah sich in ihrem Zimmer um. Trotz abgeschlossener

Zimmertür hatte sie die ganze Nacht kaum Schlaf gefunden. Immer neue Horror-Szenarien spukten durch ihren Kopf. Irgendwann war sie mit geballten Fäusten aufgestanden. Sie konnte sich entweder für den Rest ihrer Kindheit und Jugend zitternd in einer Ecke verkriechen und um die Chance beten, erwachsen zu werden oder sie würde jetzt handeln und für ihr Überleben kämpfen. Als Erstes hatte sie zur weiteren Sicherheit eine Kommode vor die Tür geschoben. Die Gardinenstange war ihr in ihrem Kinderzimmer als beste Waffe in den Sinn gekommen. Sie hatte sie unter ihrem Kopfkissen deponiert. Das Bettlaken zu zerschneiden, um daraus eine Fluchtleine zu basteln, falls sie durch das Fenster flüchten musste, hatte sie sich nicht getraut. Ihre Mutter würde dafür kein Verständnis haben. Lange hatte sie überlegt, ob sie abhauen sollte. Doch wohin? Ihre Verwandten oder die Eltern ihrer Freunde würden sie wieder zuhause abliefern und auf der Straße zu leben, traute sich Cecilia nicht. Sie war noch ein Kind. Gerade mal neun Jahre alt. Doch sie musste jetzt aktiv werden, wenn sie überleben wollte.

Cecilia holte ihr Sparschwein aus dem Regal und sperrte es auf. Hastig leerte sie das Geld aus und begann es abzuzählen. Fünfunddreißig Euro und sechsundfünfzig Cent. Das müsste reichen. Sie brauchte ein Strick, dick genug um sich im daran abseilen zu können. Ihr Vater fuhr später noch in den

Baumarkt. Dort sollte sie so etwas finden. Gleich wollte sie ihn fragen, ob sie mitkommen dürfte. Bei dieser Gelegenheit konnte sie ihn auch bitten, sie in einen Kampfsportverein zu schicken. Heimlich natürlich. Sie wollte jeden Vorteil gegenüber ihrem Bruder nutzen. Die Gefahr wuchs, je älter und stärker er werden würde. Vor ihm konnte man behaupten, sie ginge zum Ballett. Doch bis sie richtig gelernt hatte, sich selbst zu verteidigen, brauchte sie eine bessere Waffe als die Gardinenstange. Aus der Küche würde sie ein Messer stibitzen. Hoffentlich fiel das ihrer Mutter nicht auf.

Sie ging zu dem Spiegel an ihrem Kleiderschrank und besah sich ihre entschlossene Gestalt.

„Ich werde nicht in Angst versinken. Ich werde mich nicht blind in mein Verderben ergeben. Nein! Ich werde für mein Überleben kämpfen! Mit allen Mitteln. Ich bin eine Falkenstein!"

Gut fühlte sich das an. Cecilia kam sich fast wie eine Superheldin vor.

Bis … ja bis ihre Mutter von unten rief und sie ihr Zimmer aufsperren und verlassen musste. Vor der Zimmertür lauerte die Angst. Verwandelte die Superheldin wieder in das kleine, hilflose Mädchen. Schnell rannte Cecilia die Treppen runter.

„Ich komme gleich, Mama. Ich muss nur noch kurz mit Papa sprechen."

Ihr Vater hatte den Rasentraktor aus dem Schup-

pen gefahren und schob noch ein paar große Blumenkübel zur Seite.

„Kann ich gleich mit dir zum Baumarkt fahren,
Papa?"

Ihr Vater sah sie verwundert an. Auch bei ihm
hatte die letzte Nacht dunkle Schatten unter den
Augen hinterlassen.

„Seit wann willst du mit zum Baumarkt?", fragte
er. Dann nickte er verstehend. „Alles ist wohl besser,
als hier mit deinem Bruder zu sein, nicht wahr?"

„Ja, so ungefähr. Ich möchte mir aber auch noch
etwas kaufen. Für ein Bastelprojekt", flunkerte sie.

„Ist gut, ich warte auf dich." Ihr Vater schob
einen weiteren Blumenkübel zur Seite. Schweißperlen
hatten sich auf seiner Stirn gebildet.

Cecilia überlegte. Sollte sie jetzt gleich fragen
oder erst ein wenig Sicherheitsabstand zu ihrem
Bastelobjekt wahren, das ihr Vater so kommentarlos
geschluckt hatte. Nein, sie durfte keine Zeit verlieren.

„Papa, ich würde gerne in einen Sportverein
gehen. Darf ich?"

„Klar, in welchen denn?"

„In einen Kampfsportverein."

Ihr Vater richtete sich ruckartig auf. „Nein,
kommt gar nicht in die Tüte. Ich brauche nicht noch
ein Kind, das Amok läuft!"

„So bin ich nicht, Papa. Das weißt du doch. Ich
möchte mich nur selbst verteidigen können. Das wäre

auch für alle Gefahren von außen gut. Wir sind ziemlich reich. Jemand könnte versuchen, mich zu entführen und wenn ich Selbstverteidigung kann, hätte ich wenigstens eine Chance und ihr müsstet euch nicht so viele Sorgen machen."

Cecilia hatte sich ihre Argumente sehr gut überlegt. Sie durfte nicht von der Gefahr innerhalb der Familie sprechen. Ihr Vater fürchtete eine weitere Eskalation der Situation. Aber eine Gefahr von außen, ein potentieller Entführer, war etwas, gegen das man sich stellen musste.

Er dachte eine Weile nach, bevor er erwiderte: „Nach dieser Argumentation müsste ich deinen Bruder auch in den Kampfsportverein schicken und wir wissen beide, wie fatal das wäre."

„Wer Lennard entführt, ist selber schuld!", konterte Cecilia.

Ihr Vater lachte schallend. Ein wunderbares Geräusch und wie sich sein sonst so ernstes Gesicht dabei veränderte. Er sah direkt zehn Jahre jünger aus. Wenn ihr Bruder doch nur endlich aus dieser Familie verschwinden könnte, dann hätten sie alle wieder ihr schönes Leben zurück.

„Tut mir leid, Ceci. Aber ich kann es schlecht dir erlauben und deinem Bruder verbieten. Das wäre unfair."

„Das habe ich auch schon bedacht, Papa. Wir sagen Lennard, dass ich zur Ballettstunde gehe. Dann will er davon nichts weiter wissen."

Ihr Vater sah sie zweifelnd an. „Ich weiß nicht, Ceci. Wir sollten uns in der Familie nicht belügen."

„Normalerweise stimme ich dir dabei vollkommen zu. Aber ich glaube, wir wissen beide, dass wir in dieser Angelegenheit keine andere Möglichkeit haben. Das ist wirklich unglaublich wichtig, Papa. Bitte erlaube es mir."

Ihr Vater schloss kurz die Augen.

„Gut", sagte er. „Du darfst in so einem Verein gehen. Ich erkundige mich, wo es das gibt, und klär das heute Abend mit deiner Mutter."

Cecilia fiel ihrem Vater um den Hals. „Danke, Papa!"

Vielleicht hatte sie ja doch eine Chance, das Ganze zu überleben.

Ihre Mutter rief sie erneut. Winkend verabschiedete sie sich von ihrem Vater und rannte zurück ins Haus.

Vor der Haustür verharrte sie wie angewurzelt. Dort stand ihr Bruder mit Schuhen und Jacke.

„Warum geht er mit? Er hat doch Hausarrest?", fragte sie aufgebracht.

Lennard warf ihr hinter dem Rücken der Mutter sein kaltes, boshaftes Lächeln zu.

„Euer Vater mäht draußen den Rasen. Du weißt, wie groß unser Garten ist. Das dauert. Ich kann ihn schlecht so lange alleine im Haus lassen. Er ist erst fünf Jahre alt", erklärte Klara im ruhigen Ton.

Fünf Jahre und extrem gestört. Vielleicht hatte ihre Mutter ja recht und es war besser, Lennard nicht unbeaufsichtigt im Haus zu lassen. Wer wusste schon, was ihr bescheuerter Bruder sonst anstellen würde. Sich Zutritt zu ihrem Zimmer verschaffen und all ihre Spielzeuge abfackeln oder gleich das ganze Haus. Konsequenzen fürchtete Lennard nicht. Ja, es war definitiv besser, ihn dabei und im Blick zu haben. Missmutig stapfte sie zum Auto, als hinter ihr die Hölle losbrach.

Reifen quietschten, ihre Mutter stieß einen schrillen Schrei aus und dann erscholl dieses grausige Kreischen. Unmenschlich und qualvoll. Ein weißer Mercedes war vor ihrer Einfahrt schlitternd zum Stehen gekommen. Die furchtbaren Laute kamen unter dem Auto hervor. Cecilia wollte zur Straße laufen, doch nach ein paar Schritten fing ihre Mutter sie ab.

„Cecilia, nicht! Bleib da, Kind", schluchzte sie.

Die Fahrertür der Mercedes wurde aufgerissen und ein Mann stolperte heraus. Leichenblass, mit weit aufgerissenen Augen.

„Oh nein, oh nein! Das wollte ich nicht. Ich konnte nicht mehr rechtzeitig bremsen. Ich konnte es nicht verhindern!", stammelte er, schlug die Hände über dem Kopf zusammen und starrte auf die Fahrbahn unter seinem Wagen.

Cecilia folgte seinem Blick und schrie entsetzt auf. Dort lag Minkie, ihre grau-weiße Familienkatze, halb unter dem Vorderreifen und stieß in einem fort diese schrecklichen Schreie aus, während sie dabei unkontrolliert zuckte. Cecilia spürte, wie die Beine unter ihr nachzugeben drohten und klammerte sich weinend an ihre Mutter. Lennard kam in ihr Sichtfeld. Er trat an das Auto heran und ließ sich vor der schreienden Katze in die Hocke sinken. Mit schief gelegten Kopf beobachtete er das zuckende Tier.

„Was soll ich nur tun?", schrie der Fahrer. „Mein Wagen steht auf dem armen Tier, aber wenn ich ein Stück zurückfahre, überroll ich sie noch mehr und reiße sie womöglich in Stücke, und wenn ich vorfahre, zerquetsche ich ihr den Schädel. Was soll ich nur tun?"

„Das spielt keine Rolle", sagte Lennard mit sachlicher Stimme. „Minkie ist eh hinüber. Egal was Sie jetzt machen: Sie wird sterben." Er zuckte mit den Schultern und betrachtete fasziniert das gepeinigte Tier.

Endlich erschlaffte Minkie und es wurde ruhig.

„Seht ihr? Jetzt ist sie tot!" Lennard erhob sich und stopfte seine Hände in die Hosentaschen. Cecilia wurde es eiskalt, als sie in das Gesicht ihres Bruders schaute, das gar keine Regung erkennen ließ. Lennard kannte Minkie sein ganzes Leben lang. Sie war sein engster Gefährte gewesen und doch blieb der Junge jetzt vollkommen unbeeindruckt von deren schrecklichem Ende. Am ganzen Körper zitternd sah sie in die kalten grau-blauen Augen ihres Bruders. Der Körper ihrer Mutter versteifte sich. Cecilia ließ sie los und trat einen Schritt zurück, um sie besser anschauen zu können. Das Gesicht von Klara von Falkenstein war weiß wie der Tod. Ihr Blick war auf die Straße geheftet. Doch ihre Mutter sah nicht auf die tote Katze. Nein, was sie so sehr schockierte, war der Anblick ihres Sohnes. Cecilia wusste, dass ihre Mutter in diesem Moment zum ersten Mal richtig begriff, was Lennard wirklich war. Dies war keine Phase von ihm, die vorüber ging. Dies war sein Wesen. Gefühlskalt und böse. Dieses Kind empfand keine Liebe – außer für sich selbst.

Kapitel 2

Siebenunddreißig Jahre später

Kriminaloberkommissarin Dana Lange betrat das Gebäude des Schlachthofs. Reflexartig hielt sie die Luft an. Hier roch es penetrant nach rohem Fleisch und Blut. Ähnlich den Gerüchen, welche bei einer Obduktion entstanden, nur tausendmal intensiver. Trotz der frühen Morgenstunden war sie auf dem Weg Richtung Tatort schon erstaunlich vielen Menschen begegnet.

„Da möchte man glatt zum Vegetarier werden", sagte Kriminalkommissar Charlie Potrowski und trat an ihre Seite. Die schmale Nase gerümpft, das ewig blasse Gesicht im Ekel verzogen.

„Allerdings. Hier bekomme ich eine Gänsehaut", stimmte ihm Dana zu.

Zahlreiches Muhen drang an ihre Ohren. Sie spürte die Angst in den tierischen Stimmen.

„Ziemlich viel los hier, für einen Mittwochmorgen. Wir haben erst sieben Uhr", bemerkte sie.

„Die Schicht fängt hier um sechs Uhr an. Kurz nach sechs wurde die Leiche von einem Mitarbeiter entdeckt", sagte Charlie und fuhr mit beiden Händen durch die ohnehin schon wirren blonden Haare.

Ein bulliger Mann im weißen Arbeitskittel der Metzger trat auf sie zu.

„Morgen. Mein Name ist Gerd Hager."

Bevor er weiter sprechen konnte, kam ein junger Mann auf ihn zugestürmt. „Chef, der zweite Tiertransporter ist vorgefahren. Was sollen wir jetzt tun?"

Herr Hager sah Dana fragend an. „Ich möchte sie wirklich nicht hetzen. Ihre Ermittlung ist wichtig, aber was mache ich mit den Tieren? Wir können sie hier kaum richtig versorgen und müssen so schnell wie möglich mit unserer Arbeit beginnen."

Dana schauderte bei dem Gedanken, was diese Arbeit war.

„Das wird vorerst nicht machbar sein, Herr Hager. Können Sie die Tiere nicht zu einem anderen Schlachthof schicken, bis wir hier mit der Spurensicherung fertig sind?"

„Ich kann mich auch auf den Balkon stellen und Geld in die Menge schmeißen. Beides werde ich nicht tun", sagte Hager, die Stimme gepresst. „Hören Sie: Seit 2010 die neuen EU-Vorschriften eingeführt wurden, sind zahlreiche kleinere Betriebe, wie wir einer sind, kaputtgegangen. Von uns wurden die gleichen Standards verlangt wie von der Großindustrie. Das konnten viele finanziell nicht stemmen. Wir haben es geschafft. Gerade so. Aber wir können uns keine Umsatzeinbußen leisten. Ist es Ihnen möglich, mir eine Prognose zu geben, wann wir hier wieder loslegen können?"

Dana zuckte mit den Schultern. „Lassen Sie mich

erst einmal den Tatort begutachten. Dann sehen wir weiter. Aber es wird noch eine ganze Weile dauern." Sie folgte Charlie durch eine stählerne Feuerschutztür.

„Du findest es bis hier hin schon schlimm? Dann warte erst, bis du unseren Tatort siehst. Wie eine Szene aus einem Horrorfilm, sag ich dir", warnte Charlie sie, als sie in die Overalls schlüpften, um den Tatort nicht zu verunreinigen. Er öffnete eine weitere Metalltür und sie betraten einen weiß gefliesten Raum. An der Decke waren über die ganze Länge des Raumes drei Schienenstränge angebracht. Von den äußeren Strängen hingen unzählige Schweinehälften. Die Kadaver waren mit einen Fleischerhaken aufgehängt, der durch den Schweinehuf gerammt war. Die mittlere Schiene war frei. Bis auf die Leiche der Frau, die ebenfalls kopfüber von der Decke hing. Ihre Beine waren mit einem dicken Seil gefesselt, das durch einen Fleischerhaken gehalten wurde. Der Boden darunter war mit Blut verschmiert. Das meiste davon war in die Abflussschiene gelaufen, die sich unter jeder Reihe befand. Der Körper war mit Hämatomen übersät.

„Ach du Scheiße!", entfuhr es Dana. „Das ist so was von krank. Gab es ein Bekennerschreiben? Waren das Tierschutzaktivisten?"

„Es liegt tatsächlich ein Bekennerschreiben vor. Allerdings eher in Form einer Unterschrift. Das lag auf dem Boden." Charlie zeigte Dana ein A4 großes Papier in einer Beweismitteltüte. Auf dem Papier stand in roten Buchstaben: *„Der Psychopath"*.

Dana betrachtete sich die Botschaft genauer.

„Der Psychopath? Sonst nichts?"

Charlie schüttelte den Kopf.

„Na, jedenfalls weiß der Kerl, dass er ein krankes Schwein ist", meinte Dana. Dann sah sie sich schuldbewusst im Raum um.

„Nichts für ungut", murmelte sie zu den Schweinehälften.

„Ist das mit Blut geschrieben?", fragte sie Charlie.

„Sieht fast so aus. Ich wette, es ist sogar das Blut unseres Opfers. Wir lassen das später testen."

Dana sah zu der toten Frau zurück. Die dunkel verkrusteten Haare waren wohl einmal blond gewesen, die milchig-glasigen Augen hatten ursprünglich einen warmen Braunton. Sie schien noch recht jung zu sein. Anfang zwanzig, schätzte Dana.

„Sie hat noch ihre Unterwäsche an. Vielleicht blieb ihr zumindest eine Vergewaltigung erspart. Warten wir den Bericht des Gerichtsmediziners ab. Auf sie scheint mit einem stumpfen Gegenstand eingeprügelt worden zu sein und in der Leiste befindet sich ein tiefer Einschnitt. Wenn ich mir die Blutspuren am und um das Opfer betrachte, muss hier eine Hauptschlagader durchtrennt worden sein."

„Wie man es mit den Tieren bei der Schlachtung

macht. Vielleicht doch ein Aktivist", sagte Charlie.

„Oder etwas Persönliches. Wird eine Mitarbeiterin vermisst? Möglicherweise war die Frau hier angestellt", überlegte Dana.

Charlie schüttelte den Kopf. „Wer da sein sollte, ist da. Ich frage mal, ob es noch weitere Mitarbeiter gibt, die in einer anderen Schicht oder an anderen Tagen kommen."

„Mach das!", stimmte Dana ihm zu. „Hat Herr Hager die Tote gesehen? Er ist doch hier der Chef und müsste seine Mitarbeiter kennen."

„Ja, hat er. Er konnte den Anblick jedoch nicht lange ertragen und hat nur einen recht flüchtigen Blick auf das Opfer geworfen. Er denkt, dass er sie nicht kennt, aber der Tod kann das Äußere eines Menschen ganz schön verändern. Wir sollten dennoch die anderen Schichten abklappern. Nur zur Sicherheit", meinte Charly.

„Was ist mit der restlichen Kleidung? Konnte sie gefunden werden?", fragte Dana.

Ihr Kollege schüttelte den Kopf. „Nein, keine Kleidung, keine Tasche, keine Ausweispapiere. Was die Identität der Toten angeht, tappen wir bisher völlig im Dunkeln."

Dana ging in die Hocke und sah in die starren Augen der jungen Frau.

„Du wirst vermisst werden. Wir finden heraus, wer du bist und auch, wer dir das angetan hat. Versprochen!"

„Du erwartest jetzt aber nicht, dass sie dir antwortet", lästerte Charlie.

Dana sah ihn ärgerlich an. „Natürlich nicht. Aber dieses Mädchen wurde in den letzten Stunden ihres kurzen Lebens so grausam behandelt, da hat sie jetzt nicht nur unsere Professionalität, sondern auch unser Mitgefühl und unsere Achtung verdient. Sie wurde vom Mörder wie ein Ding behandelt. Da muss sie für uns mehr als nur ein Fall sein. So sehe ich das. So komme ich mit dem Job und seinen alltäglichen Abgründen zurecht. Indem ich meine ganze Menschlichkeit dem entgegensetze."

„Wenn du diese Dinge zu nah an dich heranlässt, brennst du irgendwann aus. Und damit hilfst du dann niemanden", meinte Charlie.

Dana schüttelte den Kopf. „Nein, wenn ich einmal so abgestumpft bin, dass ich beim Anblick solch eines Tatorts mir Gedanken darüber mache, was ich mir heute Mittag zum Essen holen werde, dann hat mich der Job kaputt gemacht. So lange mich so etwas noch tief berührt, ist alles in Ordnung!"

Kapitel 3

Professor Dr. Lennard von Falkenstein betrat den Hörsaal. Sofort verstummten die Gespräche. Eine erwartungsvolle Stille trat ein. Er sortierte die Papiere, war sich dabei all der Blicke bewusst, die jede seiner Bewegungen verfolgten. Dann sah er auf, unzähligen Augenpaaren entgegen. Er lächelte. Dies war sein Reich. All diese Studenten waren gekommen, um seiner Vorlesung zu lauschen, um an seinem enormen Wissen teilzuhaben. Ein geiles Gefühl.

„Wie oft bekommt man zu hören: *Ganz wie die Mutter* oder *ganz wie der Vater*. Die hässlich-markante Nase, das feuerrote Haar, die Sommersprossen. Schon lange bevor man wusste, was ein Chromosom oder was Gene sind, ist dem Menschen eine Ähnlichkeit zwischen Eltern und Kindern aufgefallen. Ob im Aussehen oder auch im Charakter. Doch was ist vererbt und was wird erlernt? Immerhin wissen wir heute, dass die Umwelt für unsere Entwicklung eine entscheidende Rolle spielt.

Ein Chromosom besteht aus einem langen DNA-Faden, der in einer Doppelhelix fein verdrillt im Zellkern liegt. 1953 haben James Watson und Francis Crick als Erste diese Struktur der DNA eines Chromosomes aufgeschlüsselt. Dabei waren sie alles andere als angesehen. Sie galten als Chaoten. Doch sie haben die richtigen Schlüsse gezogen. Basierend auf den Experimenten und Daten anderer. Dafür haben sie den Nobelpreis erhalten."

Lennard sah in die Runde. Seine Studenten hingen an seinen Lippen. Nur Ellen Decker widmete ihre Aufmerksamkeit ihrem Handy. Lennard beschloss, dies zu ignorieren, warf aber einen warnenden Blick in ihre Richtung.

„Heute weiß man viel mehr und die Forschung an diesem Thema ist noch lange nicht beendet. Jedes Elternteil gibt dreiundzwanzig Chromosomen an das Kind weiter. Dies bestimmt in gewisser Weise, was aus uns wird. Es bestimmt unser Aussehen, es steuert Stoffwechselvorgänge in unserem Körper und einiges mehr. Doch was mehr? Seit jeher wollen die Genetiker mehr über die Aufgaben und Funktionen einzelner Gene wissen. Was kann noch genetisch vererbt werden, außer Körpergröße, Augenfarbe, Haarfarbe und so weiter?"

Mehrere Hände schossen in die Höhe. „Ja – Frau Schmidt, die dritte?"

Es gab gleich mehrere Studenten mit diesem geläufigen Nachnamen. Lennard war dazu übergegangen, ihnen Nummern zuzuteilen.

„Geistige … äh … Besonderheiten, wie zum Beispiel die Psychopathie", antwortete die junge Frau. Ihre Wangen färbten sich rot. Lennard schenkte ihr ein wölfisches Lächeln.

„Ich danke Ihnen für die kreative Vermeidung des Wortes *Krankheiten*. Ja, auch diese Dinge sind vererbbar. Sollte ich einmal in die Verlegenheit kommen, mich fortpflanzen zu wollen, werden meine Kinder ein erhöhtes Risiko oder eine erhöhte Chance haben, ganz wie man es betrachten möchte, ebenfalls psychopathische Wesenszüge zu entwickeln."

Lennard sah sich im Hörsaal um. Die Spannung hatte greifbare Züge angenommen, wie immer, wenn dieses Thema zur Sprache kam. Ganz so, als erwartete man, dass er sich plötzlich die Maske des beliebtesten Professors herunterreißen und den blutrünstigen Killer entblößen würde.

Gut erinnerte er sich noch an das Gespräch mit Dekan Sanders, als das Videointerview, welches er einem kleinen, unbedeutenden Blogger gegeben hatte, plötzlich zu einem Internethit avancierte, das alle Welt gesehen hatte. Wie sich herausstellte, war alleine der Titel: „Ich bin ein Psychopath und das ist auch gut so" ein riesiger Zuschauermagnet. Plötzlich wusste jeder Bescheid. Keine zwei Tage später auch der Dekan.

„Lennard. Ich habe dieses Interview gesehen. Ist das Ihr ernst? Sind Sie wirklich ein Psychopath?"

Lennard bemerkte, dass Dekan Sanders darauf bedacht schien, dass sich der große Schreibtisch zwischen ihnen befand. Hatte sein alter Freund plötzlich Angst vor ihm? Damit waren die Parameter ihrer

Beziehung ganz anders zu beurteilen. Mal sehen, in welche Richtung sich das entwickelte.

„So wurde es mir bescheinigt. Wenn die Psychologen auch diesen Begriff vermeiden und ihn mit vielen unnötigen Worten blumig umschreiben. Ich sehe das aber gar nicht als Nachteil oder Krankheit. In unserer heutigen Zeit ist das eine ganz natürliche Anpassung des Menschen an seine Lebensumstände."

„Jaja, die nächste Stufe der Evolution. Ich habe das Video gesehen. Aber Lennard, ich kann wohl kaum einen Psychopathen an meiner Uni forschen oder gar unterrichten lassen!"

So lag die Sache also. Dekan Sanders wollte ihn, jetzt wo die Wahrheit heraus war, abservieren. Doch nicht mit ihm.

Lennard setzte ein boshaftes Lächeln auf. Damit hatte er schon immer seine Schwester in Angst und Schrecken versetzt. Mal sehen, ob es sich Dekan Sanders mit einem Psychopathen verscherzen wollte. Er senkte langsam den Kopf und schaute seinem Gegenüber mit starrem Blick ins Gesicht. Kein Blinzeln lockerte den Druck, den er auf den Mann aufbaute.

„Aber Dekan Sanders. Mein alter Freund. Sie wollen sich doch nicht wirklich weigern, meine Forschung mit den nötigen Geldern zu unterstützen oder mich gar versetzen? Wegen eines Zustandes, der schon die ganze Zeit bestand und mich nie daran gehindert hat ein guter Forscher und Professor zu sein. So etwas würde ich wirklich … wirklich sehr persönlich nehmen", sagte Lennard mit leiser Stimme.

Befriedigt bemerkte er den Schweiß, der sich auf Sanders Gesicht gebildet hatte. Nervös fuhr der Dekan mit seiner Zunge über die blutleeren Lippen.

„Aber nein, nein! Es geht hier ja auch nicht um mich! Ich hätte kein Problem damit, Sie weiter zu beschäftigen. Ich denke nur an Ihre Kollegen, die Studenten und die Familien der Studenten. Ein Sturm der Entrüstung wird über uns hereinbrechen. Die Studenten werden ausbleiben. Wir können nur überleben, wenn wir immer wieder neue Einschreibungen bei uns verzeichnen können. Sie verstehen?"

Ja, Lennard verstand. Er verstand, dass er Sanders genau zu dem Punkt gebracht hatte, wo er ihn haben wollte. Wie leicht waren die normalen Menschen doch zu lenken. Manchmal fühlte er sich wie ein Puppenspieler mit seinen Marionetten.

Lennard blinzelte, lehnte sich entspannt in seinem Stuhl zurück und setzte eine liebenswürdige Maske auf.

„Aber ja, mein Freund. Dann sind wir uns also einig!"

Lennard stand auf, genoss die verwirrte Miene des Dekans.

„Äh, ja. Einig?", fragte Sanders.

„Ja. Wir warten ab, wie die Studentenzahlen auf diese Enthüllung reagieren. Wir sprechen uns dann nach dem nächsten Semester wieder", verkündete Lennard und ging.

Es kam zu keinem Einbruch der Studentenzahlen. Ganz im Gegenteil. Plötzlich konnte sich die Uni vor Bewerbungen nicht mehr retten. Der Psycho-Professor, wie er oftmals genannt wurde, war nicht nur als Video ein Magnet. Nein, jeder wollte in seine Vorlesungen. Sie beinhalteten dieses spezielle Extra, ein aufregendes Kribbeln in der Magengegend, ein garantiertes Gesprächsthema auf jeder Party. Sein Forschungsauftrag wurde verlängert und seine Versetzung stand außer Diskussion.

Das war nun schon fünf Jahre her. Die Studenten, welche gerade vor ihm saßen, hatten sich mit dem Wissen, dass ein Psychopath ihr Professor werden würde, an dieser Uni beworben. Oder gerade darum. Lennard sah in die Runde. Ja wahrscheinlich gerade darum. Hier in der Uni war er der Star. In seiner Vorlesung döste niemand weg. Hier saßen die Studenten gespannt auf ihren Stühlen, hingen an seinen Lippen. Kein Wunder, dass so manch ein Kollege vor Neid auf Abstand ging oder sich sogar erdreistete, für seine Versetzung zu plädieren. Wehe dem, der das versuchte!

„Aber ich habe gelesen, dass es keine Beweise für eine Vererbbarkeit der Psychopathie gibt. Dass vor allem traumatische Kindheitserlebnisse dafür verantwortlich seien", meldete sich ein Student zu Wort.

„Das ist Unsinn! Natürlich können Traumata, Vernachlässigung et cetera Psychopathie auslösen. Das ist eine unbestrittene Tatsache. Aber es gibt auch konkrete Hinweise auf die Vererbung. Das zeigt auch die seltsame Häufung dieses Phänomens in manchen Familien. Ich selber hatte unter Garantie kein traumatisches Kindheitserlebnis in irgendeiner Form. Ich hatte führsorgliche Eltern, eine nervige Schwester, eben alles, was das Herz begehrt. Aber auch eine besorgniserregende Häufung an Verbrechern und Mördern in unserer ach so aristokratischen Familie von Falkenstein. Ich bin so geboren und meine behütete Kindheit hat dazu beigetragen, dass ich heute ein erfolgreiches Individuum unserer Gesellschaft bin, dass ich hier mit meinen geistreichen Vorlesungen vor Ihnen stehe und nicht mit dem Messer hinter Ihnen."

Seine Studenten lachten über diesen Scherz, aber er konnte auch eine gewisse Nervosität heraushören. Gut. So blieben sie aufmerksam.

„Forscher haben eine Variante eines Gens entdeckt, das weniger von dem Enzym namens MAO-A produziert, das Kriegergen. Dieses geht mit Anomalien im präfrontalen Kortex einher. Betroffene Hirnareale unterscheiden sich in Größe, Zellstruktur und Verknüpfungen von normalen Gehirnen. Monoamine, wie das Serotonin, haben nicht so viele Rezeptoren, an denen sie anknüpfen können. Serotonin kann man unter anderem bildlich gesehen als das Gute-Laune-Hormon und Ausschalter für Ärger und Wut sehen. Es bewirkt, dass wir dazu in der Lage sind, uns relativ schnell wieder zu beruhigen, wenn uns etwas geärgert hat oder wir in Wut geraten sind. Fehlen uns allerdings durch dieses Kriegergen im Hirn die ausreichende Menge an Serotoninrezeptoren, können diese Emotionen nicht, wie bei einem normalen Menschen, kontrolliert werden. Oder wir nehmen das Gen, welches das Hormon zur Freisetzung von Corticotropin, einem Stresshormon, erzeugt. Bei Menschen mit geringeren Allelen dieses Gens wirken sich Stress und Angst weniger aus als bei normalen Menschen. Wäre das nicht ein großer Vorteil? Wenn Sie den Herausforderungen des Lebens wie Prüfungen, Reden vor vielen Leuten oder dem Entschärfen einer Bombe gelassen entgegentreten könnten, weil sie keine oder kaum Angst verspüren? Das macht einen Menschen sehr viel effizienter! Hier sieht man auch, dass es nicht *das* psychopathische Gehirn gibt. Jedes ist in unterschiedlichem Maße von den verschiedensten Genen beeinflusst. Und es gibt eine Menge Gene, die dabei eine Rolle spielen und die aktiviert werden müssen. Einige kennen wir, wie die eben genannten, oder die Gene zur Regulierung der Empathie, welche die Funktion der Hormone Oxytocin und Vasopressin im

Gehirn regeln und Ähnlichem. Andere sind uns noch unbekannt. Aber erst, wenn sich alle Schalter in der richtigen Position befinden, kommt als Ergebnis ein Psychopath in den unterschiedlichsten Abstufungen dabei heraus. Das ist zum Beispiel ein Grund, warum weder meine Mutter, eine geborene Falkenstein, noch meine Schwester davon betroffen sind. Überhaupt sind weibliche Psychopathen eher selten. Während etwa zwei Prozent unserer Bevölkerung Psychopathen sind, ist nur jeder vierte davon eine Frau."

„Warum sind Frauen seltener betroffen?", fragte wieder Schmidt die Dritte. Sie schien das Thema ganz besonders zu interessieren. Ganz im Gegensatz zu ihrer Kommilitonin Decker, welche schon wieder an ihrem Handy herumspielte. Dieses respektlose Verhalten ihm gegenüber begann ihn zu irritieren. Er starrte Decker scharf an, während er Schmidts Frage beantwortete.

„Absolut kann man das nicht beantworten. Wie ich schon sagte, wird das Verhalten eines Menschen nicht nur durch ein Gen beeinflusst, sondern durch Dutzende. Das sogenannte Kriegergen wirkt sich bei Männern besonders aus, weil dieses Gen auf etwa dreißig Prozent aller X-Chromosomen vorhanden ist. Wenn ein Mann, welcher die Chromosomen-Kombination XY hat, ein solches X-Chromosom besitzt, wird er davon beeinträchtigt. Tritt dieses X-Chromosom hingegen bei einer Frau auf, hat diese ein zweites

X-Chromosom, das übernehmen kann, weil das MAO-A produzierende Gen weniger aktiv ist. Frauen sind daher nur betroffen, wenn beide X-Chromosomen das Kriegergen haben, also sowohl das von der Mutter, als auch das vom Vater. Wieder eine fantastische Forschungsmöglichkeit. Wie sieht es aus, Decker? Sie scheinen ja auch schon in eine Forschung vertieft zu sein. Verraten Sie uns doch bitte, worum es dabei geht?"

Ellen Decker legte hastig ihr Handy beiseite.

„Entschuldigen Sie, Professor", murmelte sie. Ihre Gesichtsfarbe wechselte zu einem leuchtenden Rot, während sie plötzlich im Fokus der allgemeinen Aufmerksamkeit stand. Doch so einfach, hatte Lennard nicht vor, sie vom Haken zu lassen. Wenn er sprach, hatten seine Studenten zuzuhören. An ihre Handys konnten sie noch nach seinen Vorlesungen genug Lebenszeit verschwenden.

„Nun? Was ist so wichtig, dass es nicht Zeit bis nach der Vorlesung hat? Amüsieren Sie mich!"

Verunsichert blickte Decker in die Runde. Lennard sah ihr an, dass sie am liebsten im Erdboden versunken wäre. Er kniff die Augen zusammen. „Nun?"

„Es geht um meine Mitbewohnerin, Janine. Janine Renner. Ich habe sie seit gestern Nachmittag nicht mehr gesehen und kann sie auch nicht auf ihrem Handy erreichen. Sie war auch heute Nacht nicht im Studentenwohnheim. Ich mache mir wirklich Sorgen, dass etwas Furchtbares geschehen ist. Hat sie jemand von euch gesehen?" Decker sah sich unter ihren Kommilitonen um, doch niemand schien etwas zu wissen.

Lennard winkte ab. „Sie ist Studentin. Sie wird den Jungen getroffen haben, der für die nächsten drei Wochen die Liebe ihres Lebens sein wird, und die Nacht bei ihm verbracht haben."

„Ja, so etwas habe ich mir auch überlegt. Nur weniger zynisch. Aber dann wäre sie jetzt hier in diesem Raum. Sie würde niemals eine Vorlesung von Ihnen schwänzen!", widersprach Decker, die tatsächlich mehr Courage besaß, als er ihr zugetraut hatte.

Wo sich Janine Renner herumtrieb, interessierte ihn zwar nicht die Bohne und er machte sich nicht wirklich Sorgen um ihr Wohlergehen, aber mit seinem analytischen Verstand war er bekannt als Problemlöser. Er musste eine Lösung für Decker finden, damit die ungeteilte Aufmerksamkeit seiner Studenten wieder ihm galt.

„Also gut, ich schlage vor, Sie fragen bei Janine Renners Eltern nach und wenn Sie bis heute Nachmittag noch immer nichts von ihrer Mitbewohnerin gehört haben, informieren Sie die Polizei. Die starten eine Vermisstenmeldung eh erst vierundzwanzig Stunden nach dem Verschwinden einer Person. Suchen Sie bis dahin ein Foto von Frau Renner, möglichst neueren Datums, und schreiben Sie alles über sie heraus, was Sie wissen. Vor allem: Was hatte ihre Mitbewohnerin an, als Sie sie das letzte Mal gesehen haben."

Janine nickte, offensichtlich erleichtert, Anleitung bekommen zu haben.

Die Normalen suchten immer nach Führung. Was wäre die Welt nur ohne Psychopathen, die diese Aufgabe nur allzu gerne übernahmen? Sie würde im Chaos versinken. 7,6 Milliarden Menschen, die in wilder Panik wie die Lemminge über die nächste Klippe springen würden, weil niemand ihnen den Weg zeigte.

Kapitel 4

Das Wetter war zu schön, um es drinnen auszuhalten. Trotz der frühen Morgenstunden herrschten schon angenehme Temperaturen. Lennard hatte sich seinen Laptop geschnappt und saß auf seinem Lieblingsplatz, einer halbrunden Steinbank direkt unter einem schattenspendenden alten Baum. Hier konnte er am besten an seiner Forschung arbeiten. Keine Wände und Decken, die den Geist einengten. Alles war hier im Fluss. Während er die verschiedenen DNA Stränge auf dem Computermonitor miteinander verglich, sah er aus den Augenwinkel eine Bewegung. Dekan Sanders schritt mit gesenkten Kopf und verschränkten Armen den Kiesweg entlang. Er blickte auf und bemerkte Lennard. Einen Moment stand er unschlüssig am Wegesrand, dann trat er auf Lennard zu. Mit einem Seufzen ließ er sich neben ihm auf die Steinbank sinken.

„Wie kommt es, dass Sie heute die Aura eines hundertjährigen Mannes ausstrahlen?", fragte Lennard.

„Haben Sie es schon gehört?"

Lennard runzelte verwirrt die Stirn. „Was soll ich schon gehört haben?"

„Die Sache mit Ihrer Studentin. Janine Renner", sagte Sanders.

Lennard wandte seine Aufmerksamkeit wieder

dem Monitor zu. Warum sollte ihn das interessieren? Das war abermals so eine typische Energieverschwendung der Normalmenschen, die sich emotional dermaßen in fremde Angelegenheiten verstrickten, bis sie darin zu versumpfen drohten. Oder wie in Dekan Sanders Fall, mit sorgenvoller Trauermine über den Campus schlichen.

„Ich hörte, sie hat sich eine Weile nicht blicken lassen", antwortete er dennoch dem Dekan. Es war wichtig, dass man interessiert tat.

„Es ist mehr als das. Sie ist tot! Sie wurde bestialisch ermordet", sagte Sanders mit rauer Stimme.

Lennard bemerkte den prüfenden Blick des Dekans auf sich. Er sollte jetzt betroffen tun. Normale Menschen erwarteten so etwas als Reaktion auf eine Todesnachricht. Pflichtbewusst schaute Lennard von seiner Arbeit auf.

„Ermordet? Das ist furchtbar! Weiß man schon, wer es getan hat?"

Dekan Sanders schüttelte den Kopf. „Nein, die Polizei hat mit ihren Ermittlungen erst angefangen. Sie geben natürlich keine Einzelheiten heraus. Das Einzige, das ich weiß ist, dass sie vorgestern Nacht ermordet wurde. Also kurz nach ihrem Verschwinden."

Wieder dieser prüfende Blick. Mein Gott, er hatte doch schon seine Betroffenheit geheuchelt. Was wollte Sanders denn noch? Sollte er in Tränen ausbrechen, wegen des Schicksals eines Mädchens, dass ihm nichts bedeutet hatte?

„Ich hoffe, sie finden schnell den Täter. Die Studenten werden sich sonst kaum auf ihre Arbeit konzentrieren können", fügte Lennard darum hinzu. Es war erstaunlich, wie ineffizient die Normalen waren. Wie sehr ihre Arbeitsmoral von ihren Emotionen beeinträchtigt wurde.

Sanders starrte ihn an, als käme er von einem anderen Stern. „Ja, das war auch das Erste, was ich gedacht habe, als ich vom Tod dieses Mädchens gehört habe. Wie sehr das die Konzentration unserer Studenten stören wird!"

Lennard klappte entnervt seinen Laptop zu. „Höre ich da einen leichten Sarkasmus aus Ihren Worten heraus, Sanders?"

„Nein, einen Starken! Eine Ihrer Studentinnen wurde ermordet, Lennard. Vorgestern saß sie noch in Ihrer Vorlesung. Berührt Sie das denn gar nicht?"

Nein, ich bin ein Psychopath, Du Vollpfosten! Langsam solltest Du kapiert haben, dass ich mich mit solchen Ineffizienzen nicht herumschlage, dachte Lennard. Laut sagte er: „Wir trauern alle auf unsere Weise, Sanders. Ich bedauere wirklich, was diesem armen Mädchen zugestoßen ist. Aber ich kann nichts daran ändern, indem ich mit Trauermiene durch die Gegend laufe. Dadurch wird sie nicht wieder lebendig."

„Natürlich nicht", lenkte Sanders ein. Er schien

noch etwas sagen zu wollen. Er öffnete den Mund, schloss ihn wieder, schaute verlegen zur Seite. Lennard rollte genervt mit den Augen und klappte seinen Laptop auf.

„Falkenstein … Sie haben nicht … ich meine … Sie wissen nicht … Sie sind doch nicht …", stammelte der Dekan.

Lennard sah ihn mit hochgezogenen Augenbrauen an. Sanders wollte ihn doch hoffentlich nicht gerade fragen, was er vermutete.

„Ach, nichts!", lenkte der Dekan ein und stand auf. „Ich habe wegen dieser Tragödie eine Konferenz für alle Lehrkräfte einberufen. Heute Nachmittag, sechzehn Uhr. Ein dementsprechendes Memo befindet sich in Ihrem Mail-Ordner. Versuchen Sie, bis dahin ein wenig einfühlsam zu Ihren Studenten zu sein. Sie sind geschockt und verängstigt. Der Täter läuft noch frei herum. Diese jungen Leute können nicht so übergangslos zum Alltag zurückkehren wie Sie."

„Was soll ich tun? Gruppenumarmung, Händchenhalten?", fragte Lennard sarkastisch. Er gab es ungern zu, aber diese Situation begann ihn zu überfordern. Warum konnten nicht alle Menschen Psychopathen sein. Das Leben wäre so viel einfacher.

„Lassen Sie sie darüber reden. Und verkneifen Sie sich möglichst alle Kommentare. Tun Sie, als wären Sie betroffen", sagte Sanders.

Na, das versuchte er doch schon die ganze Zeit,

aber Sanders kaufte ihm das offensichtlich nicht ab. Er nickte dem Dekan zu, der auf eine Bestätigung zu warten schien.

„Gut", sagte dieser und setzte seinen Weg fort.

Lennard sah ihm nachdenklich hinterher. Hatte Sanders eben tatsächlich fragen wollen, ob er etwas mit dem Mord zu tun hatte? Der Tod seiner Studentin betraf ihn möglicherweise doch mehr, als ihm bewusst gewesen war. Diese Situation konnte ihm gefährlich werden!

Als er zwei Stunden später den Hörsaal betrat, wusste er noch immer nicht recht, wie er mit seinen Studenten über den Tod ihrer Kommilitonin sprechen sollte. Da gab es wenig zu bereden. Sie war tot, wurde ermordet in einer Schlachterei aufgefunden. Diese Infos besaß hier inzwischen bestimmt schon jeder und mehr war nicht bekannt. Was also bereden? Lennard hoffte einfach, dass seine Studenten das Reden übernehmen würden und er nach einer halben Stunde oder so mit der eigentlichen Lesung fortfahren konnte.

Lennard ging ganz in Gedanken bis zu seinem Platz. Es war wie eine Bühne für einen Theaterschauspieler. Hier war seine Arena und halbkreisförmig darum, stufenweise immer höher steigend, formierten sich die Sitzplätze. Das Kolosseum fiel ihm ein. Seine geliebte Bühne mit genügend Platz für seinen

Charme, sein enormes Wissen und sein Ego. Er schaute auf.

Die ersten zwei Reihen waren leer. Sie waren noch niemals leer gewesen!

Manchmal waren seine Vorlesungen so voll besetzt, dass die Studenten sich noch auf den Stufen einen Sitzplatz suchen mussten. Aber heute waren die Reihen deutlich gelichtet. Irritiert sah er in die Runde. Niemand schien ihm zu nahe kommen zu wollen. Die Studenten in der dritten Reihe sahen sich immer wieder um. Unglücklich mit ihrem Platz an forderster Front. Er konnte die Angst in diesem großen Saal riechen. Die Angst vor ihm!

„Wie Sie alle schon gehört haben, ist Janine Renner gestorben. Sie wurde ermordet. Wir sind alle zutiefst geschockt über diese Nachricht. Wie Sie alle, so hoffe auch ich, dass der Täter schnell gefasst wird. Ich glaube, erst dann können wir aufatmen und uns aufs Neue sicher fühlen."

Sein Blick glitt bei den letzten Satz über die leeren ersten beiden Reihen.

„Ich möchte nicht direkt wieder zum Alltag übergehen, als wäre nichts geschehen, sondern Ihnen den Raum geben, darüber zu sprechen. Hat jemand von Ihnen den Wunsch, etwas zu sagen?"

Er blickte in die Runde. Blicke senkten sich, niemand schien ihm in die Augen sehen zu wollen. Sein Plan ging nur bis hier. Wenn nun seine Studenten nicht das Reden übernahmen, stand er dumm da. Die Stille in dem Saal war so erdrückend, dass er aus ihm am liebsten direkt geflohen wäre.

Ich bin nicht der Täter! Ich bin kein Mörder, wollte er wütend in die Menge schreien. Nur mit Mühe beherrschte er sich.

„Also gut. Beenden wir die Schweigeminute für Janine Renner und gehen zu unserem eigentlichen Thema über."

Ja, der Tod der Studentin hatte eindeutig Spuren in seinem Alltag hinterlassen. Lennard hoffte auf den nächsten Sturm, der diese Spuren wieder ausradieren würde.

Kapitel 5

Eilig wurde eine Besprechung einberufen. Die Mitarbeiter der MoKo Psychopath fanden sich in dem großen Raum ein. Eine Videobotschaft des Mörders war eingegangen. Kriminalhauptkommissar Philipp Lutz stand auf. Sofort verstummten alle Gespräche.

„Wie ihr sicher alle gehört habt, haben wir ein Bekennervideo des Psychopathen bekommen. Ich habe es bereits gesehen und ich muss euch vorwarnen: Was ihr euch hier gleich anschauen müsst, ist furchtbar. Es zeigt unter anderem die letzten Minuten von Janine Renner, einer zweiundzwanzigjährigen Studentin aus Saarbrücken. Und noch jede Menge weiteren kranken Kram. Also, ich hoffe, keiner von euch kommt gerade vom Essen, denn hierfür braucht ihr einen stabile Magen."

Damit schaltete er das Video an.

„Schauen Sie mein Werk an und heucheln Sie Betroffenheit!", ertönte eine kalte, verzerrt wirkende Stimme. Die Kamera zeigte die junge Frau, wie sie mit schweren Stricken an den Füßen kopfüber von der Decke hing. Mit angstgeweiteten Augen schaute sie in die Kamera, wimmerte verzweifelt: „Bitte nicht! Bitte lassen Sie mich gehen. Ich habe Ihnen doch nichts getan."

Eine Gestalt trat in das Bild. Man sah nur die Rückansicht. Der Kopf war unter einer Kapuze verborgen. Er hatte einen dicken Holzknüppel in den Händen und schlug immer wieder brutal auf die wehrlose Frau ein. Schließlich hielt er schwer atmend inne und betrachtete sich sein Werk, zog ein Messer und durchtrennte die Hauptschlagader in der Leiste.

„Ich kann Ihre Ausrufe hören: Oh, mein Gott! Wie kann jemand nur so grausam, so unmenschlich sein!", sagte die Gestalt. „Dabei verhält sich jeder von Ihnen genauso oder nimmt so ein Verhalten zumindest billigend in Kauf. Für möglichst billige Lebensmittel, billige Eier, billige Milch, billiges Fleisch. Das Tier steht evolutionsmäßig unter dem Menschen und so wird es nicht als lebendes, fühlendes Wesen behandelt, sondern als reines Produkt. Schauen Sie sich diese Bilder aus einem Ferkelaufzuchtbetrieb an."

Aufnahmen, offensichtlich heimlich bei einer Nacht- und Nebelaktion gedreht, wurden eingespielt.

„Hier in Deutschland gibt es ungefähr Zehntausende davon, mit rund zwei Millionen Zuchtsauen. Sehen Sie die Bilder der totgeborenen Ferkel und der Ferkel, die kurz nach der Geburt in ihrer Eihülle erstickten, weil die Muttertiere bewegungsunfähig in Boxen eingepfercht wurden, die teilweise kleiner sind, als die ausgewachsenen Tiere selber. Und so konnten sie ihren Neugeborenen nicht zur Hilfe kommen. Die Jungtiere vegetieren in Dreck, Unrat und den Leichen ihrer Brüder und Schwestern. Sie werden misshandelt, tragen tiefe Wunden davon, können sich kaum mehr auf den Beinen halten, werden unsachgemäß getötet, indem man sie an den Hinterläufen packt und sie auf den Betonboden schlägt. Das muss man sich auf der Zunge zergehen lassen: Unsachgemäß getötet! Alleine mit diesem Begriff erklärt man sie zu einem Gegenstand, einem Produkt und nicht zu einem fühlenden Wesen. Teilweise werden diese kleinen Babytiere noch lebendig im Müll entsorgt, begraben unter den Leichen ihrer Artgenossen. Den Zuchtsauen geht es nicht besser. Sie werden als kurzlebige Produktionstiere benutzt, die in ihrem kurzen, qualvollen Leben möglichst viele Ferkel gebären sollen, bevor sie selber auf der Schlachtbank enden. Jetzt verrate ich Ihnen ein Geheimnis: Sie wurden von der Evolution überholt. Sie sind nicht mehr an der Spitze der Nahrungskette. Es gibt uns. Die verbesserten Menschen. Die nächste Stufe der Evolution. Der Homo psychopathos! Die Zeit der Jäger und Sammler, in der Ihre Genprogrammierung gebraucht wurde, ist vorbei. Nun ist unsere Zeit angebrochen. Sie nennen uns schaudernd Psychopathen. Ich nenne uns Übermenschen. Sie nehmen sich das Recht heraus, die unter ihnen stehenden Lebewesen grausam und mitleidlos zu behandeln. Ich beanspruche für mich das gleiche Recht. Was die Nutzschweine für Sie sind, war dieses Mädchen für mich. Nur ein Ding, an dem ich meine Grausamkeit ausleben konnte. Ich habe meinen Trieb gestillt. Die Lust zu quälen und zu töten.

Fürs Erste …"

Hier endete der Film, und die grausigen Bilder der geschundenen Tiere. Es war still im Raum. Totenstill. Dana blickte in die bleichen Gesichter ihrer Kollegen.

„Er wird es wieder tun. Das war erst der Anfang", sagte sie mit belegter Stimme.

Philipp zog ein Blatt hervor. „Hier ist eine Liste der Menschen hier aus dem Saarland, die bereits mit dem Gesetz in Konflikt geraten sind und denen in diesem Zuge eine Psychopathie bescheinigt wurde. Arbeitet die ab. Vielleicht ist unser Täter ja darunter."

„Und wenn er noch nicht polizeilich in Erscheinung getreten ist?", fragte ein Kollege zu Danas Linken.

„Dann haben wir ein echtes Problem, weil er dann vollkommen unerkannt unter uns weilt. Es könnte euer netter Nachbar sein, oder der Lehrer eurer Kinder. Wer weiß das schon."

„Ein gruseliger Gedanke. Ich glaube, ich werde paranoid", sagte ein anderer Kollege.

„Schaut euch nur dieses kranke Zeug auf dem Video an. Ich glaube nicht, dass ein solches Monster unerkannt unter uns lebt, ohne bisher mit dem Gesetz in Konflikt geraten zu sein. So jemand nagelt doch schon in seiner Kindheit Katzen an den Baum und war bestimmt auch schon wegen Körperverletzung dran", ereiferte sich Charlie.

„Wir brauchen einen Fachmann. Der Kerl ist ganz in seiner abgedrehten Welt gefangen. Wir sollten uns jemanden mit ins Boot holen, der sich in dieser Welt auskennt", schlug Dana vor.

„Einen anderen Psychopathen?", fragte Philipp entsetzt.

„Quatsch! Einen Psychologen, der sich darauf spezialisiert hat", erklärte Dana.

Philipp tippte auf der Tastatur seines Computers herum. Für einen Moment war dieses wilde Klappern das einzige Geräusch im Raum.

„Hier ist so jemand. Dr. M. Pabst. Quasi der Spezialist der Spezialisten in Deutschland." Erneut hämmerte er auf seine Tastatur ein. „Er hat seine Praxis hier in Saarbrücken!"

„Charlie und ich werden ihm einen Besuch abstatten", sagte Dana.

Philipp nickte. „Ich schicke euch die Adresse auf eure Handys. Ihr anderen geht die Listen unserer bekannten Psychopathen durch. Überprüft jedes einzelne Alibi, das sie euch auftischen."

Kapitel 6

Dana und Charlie stiegen aus ihrem Dienstwagen aus.

„Hier sind wir richtig", sagte Dana und deutete auf ein Schild an einem Einfamilienhaus.

„Dr. Maximilian Pabst", stand dort geschrieben. Charlie sah an dem Haus vorbei.

„Nicht schlecht", sagte er. „Mit direktem Blick auf die Saar, aber hoch genug gelegen, um nicht bei jedem Hochwasser nasse Füße zu bekommen."

Sie traten an den Eingang und wollten gerade Klingeln, als die Tür von innen geöffnet wurde und ein Mann mit rot geränderten Augen und fettigen Haaren aus der Tür trat.

„Entschuldigen Sie", nuschelte er und trat an ihnen vorbei ins Freie. Das Sonnenlicht schien ihn zu schmerzen. Er stöhnte, kniff die Augen zusammen, bis er eine Sonnenbrille aus seiner Jackentasche befreit hatte und sie sich aufsetzte. Mit hängenden Schultern ging er langsam des Weges.

„Ich hoffe mal, das war nicht unser Dr. Pabst", sagte Charlie.

Dana trat an die offene Haustür.

„Wohl kaum. Sonst hätte er nicht die Tür aufgelassen. Hallo!", rief sie, um auf sich aufmerksam zu machen.

Ein kleiner Mann erschien auf den oberen Stufen der Treppe, welche in den ersten Stock führte. Verwirrt sah er sie an.

„Entschuldigen Sie, dass wir so plötzlich in Ihrer Tür stehen. Der Mann, der gerade gegangen ist, hat sie uns offengelassen. Mein Name ist Lange, Kriminaloberkommissarin Dana Lange und das ist mein Kollege Kriminalkommissar Potrowski. Dürfen wir rein kommen?"

„Ja, bitte kommen Sie doch nach oben."

Dana und Charlie schlossen die Tür und stiegen die Treppen hoch. Der Mann reichte Ihnen die Hand.

„Dr. Maximilian Pabst. Wie kann ich Ihnen helfen?"

Nun, da er direkt vor ihr stand, sah Dana, dass dieser Mann wirklich kleinwüchsig war. Sie schätzte ihn auf etwa 1,30 m, doch hatte alles an ihm die richtigen Proportionen. Er war eben nur klein gewachsen. Sein rundliches Gesicht ließ ihn sehr jung erscheinen. Jünger, als er seinem Titel nach sein dürfte.

„Dr. Pabst, wir würden Sie gerne um Ihre Mithilfe in einem unserer Fälle bitten. Ihr Expertenwissen wäre uns sehr hilfreich", sagte Dana.

„Lassen Sie uns in mein Sprechzimmer gehen." Er führte sie durch eine Tür in einen großen, hellen Raum.

„Bitte nehmen Sie doch Platz", sagte der Psychologe und deutete auf eine hellgraue Couch. Nachdem die beiden sich gesetzt hatten, fragte er: „Worum geht es in Ihrem Fall?"

„Haben Sie von dem Mord an der Saarbrücker Studentin gehört?", tastete sich Dana vor.

Dr. Pabst nickte. „Ja, ganz furchtbar. Sie arbeiten also an diesem Fall." Eine Feststellung, keine Frage.

„Ja", antwortete Dana dennoch. Sie biss sich kurz auf die Lippen. Wie sollte sie ihr Anliegen am besten vorbringen?

„Ich würde Ihnen gerne ein Video zeigen. Es ist sehr schlimm. Kaum zu ertragen, um ganz ehrlich zu sein. Aber danach wissen Sie genau Bescheid, warum wir um Ihre Expertise bitten."

Dr. Pabst zögerte einen Augenblick. Dann nickte er. Dana holte ihren Laptop aus der Tasche und fuhr ihn hoch. Sie startete das Video. Dana ersparte es sich, die schrecklichen Bilder noch einmal zu sehen. Der Ton reichte schon vollkommen, um das flaue Gefühl in ihrem Magen zurückzubringen. Stattdessen betrachtete sie das Gesicht des Doktors. Sie konnte dort das Grauen und den Abscheu sehen, den auch sie beim Anblick des Filmmaterials empfunden hatte. Schon nach den ersten Bildern drückte er die Fingerspitzen seiner rechten Hand gegen die Stirn. Es sah so aus, als müsse er sich sehr beherrschen, sich mit dieser Hand nicht die Augen zu verdecken.

Als der Mörder zu seiner großen Finalrede anstimmte, indem er sich als Psychopath zu erkennen gab und seine Evolutionstheorie verbreitete, setzte sich Dr. Pabst plötzlich kerzengerade auf. Aus seinem

Gesicht war alle Farbe gewichen. Dana warf Charlie einen Blick zu. Ihr Partner nickte. Er hatte es auch bemerkt. Dann war das Video zu Ende. Dana sah den Psychologen erwartungsvoll an. Dieser begegnete kurz ihrem Blick, sprang auf und tigerte durch den Raum. Abrupt blieb er stehen.

„Warum sind Sie damit zu mir gekommen?", fragte er.

„Wir benötigen Ihr Fachwissen über diese Menschen, über Psychopathen. Sie sind DER Experte auf diesem Gebiet", sagte Dana.

„Erstes: Kein seriöser Psychologe würde eine Diagnose wie Psychopathie stellen. Es handelt sich hierbei um eine dissoziale Persönlichkeitsstörung in den verschiedensten Ausprägungen. Zweitens: Sie haben den falschen Dr. Pabst! Meine Mutter Dr. Magaret Pabst war die führende Expertin in Sachen dissozialen Persönlichkeitsstörungen in Deutschland. Ich bin der Spezialist für Suchttherapie."

„Verdammt", entfuhr es Dana. „Und Ihre Mutter …?"

„Ist seit drei Jahren tot."

„Das tut mir sehr leid, Dr. Pabst. Dennoch habe ich das Gefühl, Ihnen ist etwas aufgefallen, als Sie das Video betrachteten", sagte Dana.

Dr. Pabst drehte sich um, ging zu dem großen Fenster, das fast die gesamte Front der Außenwand einnahm, und starrte auf die Saar, die unter ihnen dahinfloss. Dana ließ ihm Zeit. Manchmal war die beste Strategie abzuwarten und die Menschen erzählen lassen.

„Ich habe viel von der Arbeit meiner Mutter mitbekommen. Sie war wirklich eine brillante Frau. Wir tauschten uns oft auf fachlicher Ebene aus. So kommt es, dass auch ich einen sehr viel tieferen Einblick in das Gebiet der dissozialen Persönlichkeitsstörungen habe", begann Dr. Pabst. Er knetete seine Hände, hielt den Blick weiter von ihnen abgewendet.

„Was ist Ihnen aufgefallen, Doktor?", bohrte Dana mit leiser Stimme.

„Dieses Weltbild von sich, das Ihr Mörder beschreibt, ist unter Menschen mit dieser Art von dissozialen Persönlichkeitsstörungen recht verbreitet."

„Benutzen wir doch der Einfachheit halber weiter den Laienbegriff der Psychopathie", unterbrach Charlie.

Dr. Pabst nickte abwesend und fuhr fort: „Die wenigsten haben das Gefühl, dass sie Hilfe brauchen. Sie sehen die sogenannte Psychopathie auch nicht als Krankheit, sondern als Vorteil gegenüber uns normalen Menschen. So kommt es auch, dass kaum ein Psychopath nach psychologischer Hilfe sucht. Die meisten Patienten meiner Mutter befanden sich im Strafvollzug. Das ist jedoch nur der Bodensatz der Psychopathen, jene, bei denen zu der dissozialen Persönlichkeitsstörung noch eine Tendenz zu gewalttätigem Verhalten, Sadismus usw. auftritt. Einen intelligenten, sozial angepassten Psychopathen, werden die wenigsten als solchen erkennen. Er verbirgt sich hinter einer Maske aus Charme, Witz und Wortgewandtheit. Doch dahinter steht ein rücksichts- und kompromissloser Mensch, der nur seine eigenen Ziele und Bedürfnisse im Blick hat. Sie lieben es, andere Menschen auszunutzen, zu manipulieren, zu beherrschen. Solche Leute sitzen oft an der Spitze der Gesellschaft, in Banken, Großkonzernen oder der Politik. Erschreckend, nicht wahr?"

Dana nickte. Das war wirklich ein gruseliger Gedanke.

„Ihre Sicht auf diesen Täter hilft uns wirklich sehr, Dr. Pabst. Auch wenn Ihre Mutter uns als die Expertin schlechthin nicht mehr zur Verfügung steht, wären wir für Ihre Hilfe sehr dankbar."

Dr. Pabst nickte abwesend. „Natürlich helfe ich Ihnen gerne."

„Gut zu wissen, denn Sie haben uns noch immer nicht verraten, was Ihnen bei dem Video aufgefallen ist", beharrte Dana.

Dr. Pabst schritt durch den Raum. Hin und her. Dana hatte genug von seinen Ausflüchten.

„Er wird nicht aufhören! Das war erst der Anfang. Wenn wir ihn nicht schnellstens fassen, dann wird ihm schon bald der nächste Mensch zum Opfer fallen. Sie wissen, dass dessen Tod nicht weniger grausam ausfallen wird. Solche Täter steigern sich in der Regel noch. Sie versuchen, sich bei jeder folgenden Tat zu übertreffen. Warum halten Sie uns eine Information zurück?", setzte sie den Mann unter Druck.

Dr. Pabst blieb unvermittelt stehen und drehte sich ruckartig zu ihnen um.

„Diese Formulierung, dass wir, die normalen Menschen, von der Evolution überholt wurden, dass die Zeit der Jäger und Sammler vorbei ist und nun die verbesserten Menschen, die Psychopathen, an der Spitze der Nahrungskette stehen, habe ich so schon einmal gehört. In ziemlich den exakten Worten, wie sie im Video zu hören sind", sagte Dr. Pabst schließlich.

Dana merkte, dass er dabei jedes Wort mit Bedacht wählte. Ihr Herz begann schneller zu schlagen. „Sie wissen, wer unser Psychopath ist. Die Stimme ist verfremdet, man kann das Gesicht nicht sehen, aber Sie haben die Worte erkannt!"

„Nein, nein." Dr. Pabst hob abwehrend die Hände. „Jemand hat nur diese Formulierung verwendet. Ich glaube wirklich nicht, dass es sich dabei um denselben Mann handelt."

„Wie viele Menschenleben wollen Sie darauf verwetten?", schaltete sich Charlie ein.

Die Gesichtszüge des Doktors verhärteten sich.

„Selbst wenn ich wollte: Dieser Mann ist mein Patient. Ich unterstehe der ärztlichen Schweigepflicht.

Ich darf Ihnen gar nichts sagen!"

„Die ärztliche Schweigepflicht greift nicht, wenn durch Ihren Patienten eine Gefahr für Leib und Leben anderer Menschen ausgeht", argumentierte Dana.

„Das stimmt. Aber ich bin davon überzeugt, dass besagter Patient von mir, nicht der Täter ist. Rein aufgrund seiner Erkrankung und einer geäußerten These, wie sie fast alle Psychopathen vertreten, werde ich diese Schweigepflicht nicht brechen. Da müssen Sie mir schon mehr Beweise liefern!", argumentierte der Psychologe.

„Aber wie sollen wir Ihnen entsprechende Beweise liefern, wenn wir keine Ahnung haben, um wen es sich handelt", sagte Dana.

„Tut mir leid. Nichts, was Sie mir bisher vorgelegt haben, entbindet mich von meiner Schweigepflicht. Ich würde mich strafbar machen, könnte dafür sogar ins Gefängnis kommen, wenn ich Ihnen die Identität des Mannes preisgeben würde", beharrte Dr. Pabst.

„Ich dachte, Sie sind ein Spezialist für Suchttherapie und so. Wie kommt dann ein Psychopath in ihren Patientenkreis?", fragte Charlie.

Dana konnte an seiner aggressiven Stimme hören, dass er sich kaum beherrschen konnte. Da hatten sie ihren möglichen Täter direkt vor der Nase und dieser Psychologe berief sich auf die ärztliche Schweigepflicht.

Dr. Pabst zuckte mit den Achseln. „Nur, weil ich auf einem Gebiet sehr gut bin, heißt das nicht, dass ich nicht auch andere psychischen Leiden behandeln kann. Meine Spezialisierung mindert nicht das Wissen, welches ich auf den anderen Gebieten besitze. Er war ein Patient meiner Mutter und bat mich, ihn weiter zu beraten."

„Zu beraten?", fragte Dana.

Dr. Pabst lächelte. „Wie ich schon sagte: Ein Psychopath wird seine Krankheit niemals als solche ansehen und so benötigt er in seinen Augen auch keine Behandlung. Dass er eine *Beratung* in gewissen Fragen in Betracht zieht, ist ein großes Glück für die normale Welt."

Charlie trat ganz dicht vor Dr. Pabst und starrte auf den Mann hinunter. „Sagen Sie das Janine Renner, der zweiundzwanzigjährigen Studentin auf dem Video. Ich kann Ihnen gerne einen Termin mit ihr in der Rechtsmedizin geben."

Dr. Pabst sah sehr ruhig zurück und verschränkte die Arme vor der Brust.

„Wie Ihnen gewiss schon aufgefallen ist, bin ich nicht besonders groß. Ich arbeite zuweilen mit sehr unangenehmen Zeitgenossen zusammen. Drogenabhängige, Gewaltverbrecher oder einfach nur Menschen, die glauben, ich müsste Angst vor ihnen haben, weil ich ihnen nur bis zur Brust reiche." Bei diesen Worten sah er Charlie von oben bis unten an. „Aber ich lasse mich nicht einschüchtern. Auch von Ihnen nicht, Herr Potrowski, also tun Sie mir einen Gefallen und treten bitte einen Schritt zurück. Und wenn Sie sich dann schon in Bewegung befinden, können Sie auch gleich den restlichen Weg zu Tür hinaus in Angriff nehmen."

Charlie trat drei Schritte zurück und senkte den Kopf.

„Entschuldigen Sie, Dr. Pabst. Ich wollte Sie nicht bedrohen. Mir gehen nur diese Bilder und die flehende Stimme des Opfers nicht aus dem Kopf. Dass Sie den Täter möglicherweise kennen und uns seinen Namen nicht verraten, macht mich schier wahnsinnig!", lenkte er ein.

Dieser Psychologe war die heißeste Spur zu ihrem Täter. Es wäre unklug, ihn gegen sie aufzubringen. Sie mussten ihn zu einer Zusammenarbeit überreden.

„Ich kenne diesen Mann ziemlich gut. Seine Persönlichkeitsstörung ist als narzisstisch, dissozial, emotional instabil und zwanghaft akzentuiert einzuordnen. Ich glaube wirklich nicht, dass es sich hierbei um Ihren Mörder handelt, selbst wenn dieser die gleiche These vertritt. Er neigt nämlich nicht zu gewalttätigem Verhalten oder ist gar sadistisch veranlagt wie offensichtlich der Täter auf dem Video. Aber ich werde der Sache nachgehen. Sollte ich zu der Überzeugung gelangen, dass es sich bei ihm tatsächlich um

Ihren gesuchten Mörder handelt, werde ich Ihnen die gewünschte Auskunft erteilen", sagte der Psychologe.

„Das sollten Sie tunlichst unterlassen, Dr. Pabst!", sagte Dana. „Wenn Sie sich irren und Ihr Patient doch der Mörder sein sollte, dann werden Sie zu seinem nächsten Opfer. Bitte versprechen Sie mir, keine eigenen Ermittlungen durchzuführen. Überlassen Sie so etwas der Polizei."

Dr. Pabst sah sie eine Weile nachdenklich an. Schließlich nickte er.

„Er ist nicht der Mörder", beharrte er dennoch.

Als sie wieder in ihren Dienstwagen einstiegen, fluchte Charlie lautstark.

„Wir stehen so kurz vor der Auflösung des Falles. Wir könnten ein zweites Opfer verhindern. Aber dieser beschissene Psycho-Doc verweigert uns die Aussage. Ich könnte kotzen!"

Dana umklammerte das Lenkrad. Sie war genauso frustriert wie Charlie.

„Wir werden diesen Pabst überwachen. Früher oder später wird er uns zu dem Psychopathen führen", sagte sie.

„Früher oder später wird er uns zu jedem seiner Patienten führen. Selbst wenn wir die Genehmigung für so eine Überwachung bekommen, woher sollen wir wissen, wer von den Bekloppten der Psychopath ist?", warf Charlie ein.

„Wenn mich mein Instinkt nicht täuscht, wird der Psychopath nicht zu Dr. Pabst kommen, sondern Pabst wird ihn aufsuchen. Wir haben den guten Doktor zwar vor den fatalen Konsequenzen gewarnt, sollte er seine eigenen Ermittlungen anstellen, aber wenn ich den Mann richtig einschätze, wird er es dennoch nicht lassen können."

Kapitel 7

Dr. Maximilian Pabst goss sich eine extra große Tasse Kaffee ein. Den Rest füllte er in eine Thermoskanne. Kalt schmeckte dieses Zeug einfach widerlich. Sein letzter Patient für heute war schon eine Weile weg. Er hatte seine Praxisräume im ersten Stock verlassen und war nach unten in seine Wohnung gegangen. Gedankenverloren sah er aus dem Küchenfenster hinaus die Straße entlang, entdeckte den schwarzen Mercedes mit den getönten Scheiben. Halb entrüstet, halb belustigt schüttelte er den Kopf. Diese Polizisten waren so berechenbar! Sie gaben sich noch nicht einmal Mühe, unentdeckt zu bleiben, oder glaubten sie wirklich, dass er nicht mit einer Überwachung seiner Person rechnete?

Es dämmerte schon. Noch eine Stunde und alles lag im Dunkeln. Dann würde er ihn aufsuchen, seinen Psychopathen. Er konnte sich nicht vorstellen, dass dieser Mann, den er nun schon so lange kannte, den er als seinen Freund betrachtete, zu einer solchen Tat fähig sei.

Falsch, korrigierte er sich selbst. Fähig wäre er dazu gewiss, ohne eine Spur von Gewissensbissen. Doch er glaubte nicht, dass er so etwas tun würde. Aus welchem Grund sollte er plötzlich gewalttätig werden? Nein, dafür gab es absolut keinen Anhaltspunkt. Aber er musste sich vergewissern. Sollte er sich irren und Menschen würden darum so grausam zu Tode kommen, so etwas könnte er nicht verkraften.

Solltest du dich irren, dann bist du der Nächste, der einen grauenvollen Tod sterben wird. Willst du das wirklich riskieren?, dachte er.

„Er ist mein Freund", sagte er laut.

Das stimmte, doch diese penetrante innere Stimme seiner beruflichen Erfahrung flüsterte ihm unaufhörlich zu, dass der Psychopath vielleicht sein Freund war, aber er nicht der Freund des Psychopathen. Nicht wirklich. Nicht so, wie normale Menschen es definieren würden.

Die ruhige Stimme seiner Mutter kam ihm in den Sinn, die versuchte, ihrem kleinen Sohn in kindgerechten Worten das begreiflich zu machen, was für normale Menschen so unbegreiflich war. Seine Gedanken trifteten in die Vergangenheit:

Maximilian war fünf Jahre alt. Er öffnete die Tür zu den Praxisräumen seiner Mutter. Er wusste, sie mochte es nicht, wenn er sich hier aufhielt. Sie hatte es ihm erklärt, dass sie als Psychologin mit Menschen arbeitete, die zu sehr schlimmen Dingen fähig seien. Doch jetzt brauchte er sie ganz dringend. Er fuhr sich mit beiden Händen über das Gesicht, versuchte, die Tränen wegzuwischen, doch es waren zu viele. Vorsichtig schaute er in das Wartezimmer. Leer. Erleichtert nahm Maximilian dort Platz. Er hörte gedämpfte

Stimmen hinter der Tür des Behandlungsraumes. Da war eine Frau. Sie klang verzweifelt und schien kurz darauf zu weinen. Maximilian konnte auch einen Mann hören und die immer ruhige Stimme seiner Mutter, die scheinbar niemals die Fassung verlor.

Die Tür des Behandlungsraumes wurde geöffnet und ein Junge, etwa in seinem Alter trat hinaus, schloss die Tür wieder hinter sich und setzte sich Maximilian gegenüber. Er schien von der Aufregung im Inneren des Behandlungsraumes völlig unbeeindruckt. Neugierig starrte er Maximilian an. Verlegen wischte sich dieser abermals mit den Händen über das Gesicht, um die verräterischen Tränen zu entfernen.

„Du hast geweint", stellte der andere Junge dennoch fest. Er hatte faszinierende Augen. Ein helles Grau-Blau das von einem dünnen dunkelblauen Ring umrandet wurde. Wie das Gletschereis in dem Film mit den Pinguinen. Maximilian hätte auch gerne solche Augen gehabt, obwohl sie recht kühl wirkten.

„Ich wurde von den anderen Kindern geärgert, weil ich so klein bin", sagte er.

Der fremde Junge zuckte mit den Schultern. „Du wirst wachsen."

„Ja, aber ich bin kleiner als alle anderen in meinem Alter! Mama sagt, dass ich wahrscheinlich immer kleiner sein werde."

Wieder zuckte der Junge ihm gegenüber mit den

Schultern.

„Na und? Ist doch egal, wie groß du bist. Ich würde mir eher Gedanken machen, warum die anderen Kinder über so etwas reden. Scheinen mir ziemliche Langweiler zu sein, wenn sie nichts Besseres zu tun haben."

Maximilian lachte. „Ja, da hast du recht!"

Der Junge machte eine wegwerfende Handbewegung. „Wer braucht solche Langweiler schon? Niemand! Die sollten dir sowas von egal sein."

„Sowas!", bekräftigte Maximilian. Er stand auf und setzte sich neben den Jungen. Er mochte seine Art, so furchtlos und abgebrüht. Ihn brachte mit Sicherheit niemand so schnell zum Weinen.

„Ich bin Maxi und du?"

„Lennard."

Maximilian zog ein Kartenspiel aus der Tasche. Ob Lennard wohl schon Karten spielen konnte?

„Kannst du Mau-Mau?"

Lennard nickte. „Ich darf diesen Sommer schon in die Schule. Da sind die Regeln für ein doofes Kinderspiel Pipifax", sagte der Junge.

Maximilian strahlte. „Cool. Ich darf auch schon in die Schule. Ich bin ein Kann-Kind und will nicht noch ein Jahr auf meine Einschulung warten. Vielleicht kommen wir ja in eine Klasse."

Der Junge sah ihn nun mit deutlichen Interesse an.

„Hab doch gleich gemerkt, dass du nicht so ein

Doofkopf wie die anderen Kinder bist", sagte er.

Maximilian nickte, obwohl er es schon ein wenig gemein fand, die anderen Doofkopf zu nennen. Die beiden begannen mit dem Kartenspiel. Erfreut stellte Maximilian fest, dass er endlich einen Gegenspieler gefunden hatte, den er nicht so leicht besiegen konnte. Sonst hatte er dafür immer mit seinen Eltern spielen müssen. Mitten im dritten Spiel öffnete sich die Tür des Behandlungsraumes. Seine Mutter und noch zwei Erwachsene traten nach draußen. Waren das Lennards Eltern? Die elegant aussehende Frau mit den hochgesteckten Haaren hatte noch immer ganz rote Augen vom Weinen. Er schaute auf seine Mutter. Warum sah sie ihn so komisch an?

„Hallo, Mama. Das ist Lennard. Wir sind Freunde!", sagte er. Nun schien seine Mutter wirklich mit der Fassung zu ringen.

„Warum bist du hier, Maxi? Du weißt doch, dass ich es nicht mag, wenn du in meine Praxisräume kommst."

„Ich brauchte dich, weil die anderen Kinder mich wieder so geärgert hatten. Aber jetzt habe ich schon mit Lennard gesprochen. Alles ist wieder gut."

Die Erwachsenen sahen sich verwundert an. Die elegante Frau lächelte und betrachtete den anderen Jungen ganz liebevoll. Ja, das waren ganz sicher Lennards Eltern. Dieser Blick war so ein Mutterblick. Das sah man direkt.

„Na, dann sag mal Tschüss zu Lennard. Er muss jetzt mit seinen Eltern nach Hause fahren", sagte Magaret Pabst. Ihre Stimme lachte, ihre Augen nicht!

Als Lennard mit seinen Eltern fort war, ging seine Mutter vor ihm in die Knie.

„Er ist nicht dein Freund, Maxi. Er möchte sich mit dir treffen und spielt mit dir, weil du ihn gut unterhältst, er sich dir überlegen fühlen kann oder aus ähnlichen Gründen. Nicht weil er dich mag. Er ist sehr, sehr krank. Sein Gehirn funktioniert anders. Umgangssprachlich nennt man diese Menschen Psychopathen. Sie können für niemanden Liebe empfinden, außer für sich selbst. Nicht einmal so richtig für ihre Mami oder ihren Papi. Verstehst du?"

„Nein! Er ist mein Freund. Es ist ihm sogar egal, dass ich klein bin. Er sagt, die anderen Kinder sind doof, wenn ihnen so etwas wichtig ist", beharrte Maximilian.

„Schluss jetzt! Du weißt nicht, auf was du dich da einlässt. Von Psychopathen hält man sich fern", sagte seine Mutter.

„Hast du das auch seinen Eltern gesagt? Hat seine Mami darum so geweint?", fragte Maximilian. Er wusste, dass er gerade frech wurde, aber es war ihm gleich. Endlich hatte er jemanden getroffen, dem es egal war, dass er anders war. Er würde sich nicht von Lennard abwenden, nur weil er ein Psychopath war, was auch immer das bedeutete. Dann waren sie halt beide anders!

„Natürlich habe ich das nicht zu seiner Familie gesagt. Für Lennard ist es jetzt unglaublich wichtig, dass er in einem stabilen, familiären Umfeld aufwächst, damit er die Chance hat, sich in unsere Gesellschaft zu integrieren."

„Dann werde ich ihm auch dabei helfen", ließ sich Maximilian nicht beirren.

„Er ist gefährlich, Maxi. Ich habe den Eltern von Lennard eben gesagt, dass sie dafür sorgen sollen, dass Lennard nie mit seiner Schwester unbeaufsichtigt bleibt, weil ich nicht ausschließen kann, dass er sie verletzen oder Schlimmeres tun wird. Ich dürfte dir das gar nicht sagen, aber ich möchte, dass du verstehst, dass du dich von diesem Jungen fernhalten musst. Er hätte auch keine Probleme damit, dir etwas anzutun, wenn er sich über dich ärgert, oder einfach nur, um zu beobachten, was passiert."

„Lennard ist nicht böse. Er hält zu mir", sagte Maximilian.

Seine Mutter seufzte und ließ das Thema fallen. Sie hoffte wohl einfach, dass ihr Sohn diesen Lennard niemals wieder sehen würde. Doch die beiden kamen tatsächlich in eine Klasse und niemand konnte ihre Freundschaft mehr verhindern.

Mit den Jahren verstand Maximilian immer besser, was diese Krankheit bedeutete. Wie anders

Lennard manchmal dachte und fühlte. Doch damit konnte er umgehen. Dafür hatte er, der kleine Nerd, der Streber, einen großen Beschützer. Mit Lennard wollte es sich niemand verscherzen und so ließ man auch ihn in Ruhe.

Maximilian Pabst schaute wieder aus dem Fenster. Es war inzwischen dunkel. Jetzt oder nie! Wenn er sich täuschte, war er morgen früh tot.

Er löschte das Licht und öffnete die Terrassentür. Leise trat er ins Freie und zog die große Schiebetür hinter sich zu. Er ging durch den Garten. Da das Haus höher lag, musste er im Dunkeln einige Stufe steigen, doch er kannte sich hier aus, wusste, wo die Stolperfallen zu finden waren. Schließlich kletterte er über den Zaun und ging am Saarufer entlang. Immer weiter weg von seinem Zuhause. Immer weiter weg von der Polizei. Endlich wagte er, sich ein Taxi zu rufen.

Kapitel 8

Sorgfältig schnitt er den Zeitungsartikel aus und klebte ihn in sein Buch. Noch waren nur wenige Seiten belegt, doch schon bald würde sich dieses Buch füllen. Er würde es mit seinen Taten füllen, bis keine einzige Seite mehr übrig wäre. Ein Kompendium des Schreckens.

Sein Blick glitt an der Überschrift des Artikels entlang.

„Der Schlachthofmörder"

Ärgerlich schnalzte er mit der Zunge. Das war nicht die entscheidende Info. Der Schlachthof war nur die passende Kulisse für sein Werk gewesen. Im Grunde waren ihm die Tiere, und wie mit ihnen umgegangen wurde, vollkommen egal. Sollten die Menschen doch so viele Tiere misshandeln und umbringen wie sie wollten und dabei in ihrer Scheinheiligkeit ertrinken. Die entscheidende Info war, dass er der Psychopath war! Doch davon stand in dem ganzen verdammten Artikel kein Wort. Die Polizei hielt diese Informationen zurück.

Also gut, das nächste Mal würde er dafür sorgen, dass die Presse die richtigen Informationen bekam. Er schaltete den Computer ein. Es wurde Zeit, den zweiten Akt vorzubereiten. Das letzte Thema, die Ferkelaufzuchtbetriebe, war ein gelungener Auftakt gewesen. Diesen galt es jetzt zu übertreffen. Eine

Herausforderung! Doch die möglichen Themen waren breit gefächert. Er musste sich nur eines der vielen Beispiele menschlicher Grausamkeit herauspicken und es für seine Zwecke verwenden.

Sein Blick blieb an einem Artikel hängen. Perfekt! Nun brauchte er nur noch entsprechendes Videomaterial für sein Projekt. Und die passende Kulisse. Beides zu finden, war im Zeitalter des Internets kein Problem. Wer sollte nun sein Opfer werden?

Die junge Studentin hatte er nicht durch Zufall auserkoren. Er hatte sich Zeit gelassen, sie zu erwählen. Er hatte alles bedacht. Und sie hatte diese Rolle so gut ausfüllen können! Einfach genial. Man würde noch ihre besondere Bedeutung herausfinden, da war er sich sicher.

Sein nächstes Opfer musste genauso sorgfältig ausgewählt werden. Es musste nicht nur seinen Zweck erfüllen, es musste auch diesen persönlichen Bezug haben. Wie die Studentin. Er breitete vier Fotografien vor sich aus. Seine rechte Hand glitt über die Bilder.

„Ene, mene, muh und tot bist du!"

Kapitel 9

Maximilian Pabst hob die Hand zum Klingelknopf. Er zögerte. War er wirklich bereit, sein Leben zu riskieren, nur um zu erfahren, ob Lennard der Mörder war oder nicht? Was würde er damit gewinnen? Falls er der Mörder war, würde Maximilian ein grausiger Tod bevorstehen und falls nicht, hatte er mit dieser Verdächtigung vielleicht ihre Freundschaft für immer zerstört.

Aber er verdächtigte ihn ja nicht. Er glaubte an Lennards Unschuld und musste sich nur vergewissern, dass dieser Glaube richtig war. Nur so konnte er Lennards Geheimnis weiterhin mit gutem Gewissen vor der Polizei wahren. Auch sollte er seinen Freund vorwarnen, denn da rollten gewaltige Schwierigkeiten auf ihn zu.

Noch immer schwebte seine Hand vor dem Klingelknopf. Ihn zu drücken, fiel ihm schwerer als gedacht. Je näher seine Finger ihrem Ziel kamen, desto mehr zitterten sie.

Maximilian schloss die Augen, atmete noch einmal tief durch.

„Nun bin ich schon hierhergekommen", murmelte er und drückte den Knopf.

Er hörte es klingeln und fühlte, wie sich sein Herzschlag beschleunigte. Was tat er da? Warum ging er abends alleine zu Lennard, der vielleicht der

Psychopathenmörder war, anstatt sich wenigstens unter Menschen, an einem öffentlichen Ort, mit ihm zu treffen? Noch war Zeit zu verschwinden. Wenn er jetzt direkt auf dem Absatz kehrtmachte und in der Dunkelheit verschwand ...

Er hörte Schritte aus dem Haus. Schnell stopfte er seine zitternden Hände in die Hosentaschen. Die Tür wurde geöffnet.

„Max?"

„Hallo, Lennard. Wie geht es dir?"

„Gut. Komm doch rein, mein Freund."

Lennard führte ihn in sein Wohnzimmer. Ein behaglich eingerichteter Raum. Die hintere Wand wurde komplett von einem Bücherregal eingenommen, welches bis zur Decke reichte. Davor standen ein großer Sessel und ein runder Beistelltisch, auf dem eine Tasse Tee neben einem aufgeschlagenen Buch stand.

„Du hast gerade gelesen?", fragte Maximilian.

Lennard nickte nur und bot ihm einen Platz auf der Couch im vorderen Teil des großen Raumes an.

„Was darf ich dir zum Trinken anbieten? Wasser, Tee oder einen Wein?"

„Weißwein wäre gut. Ich bin sowieso mit dem Taxi gekommen."

Lennard lachte. „Mit dem Taxi? Bist du also mit dem Vorsatz gekommen, heute ordentlich zu bechern? Gibt es etwas zu feiern? Moment – nein, dein Geburtstag ist heute nicht!"

„Nein, ich habe mich nur aus meinem eigenen Haus geschlichen. Da musste der Wagen stehenbleiben."

Lennard wurde ernst. „Warum musstest du dich aus deinem Haus schleichen? Macht dir einer deiner Patienten Schwierigkeiten?"

Maximilian schüttelte den Kopf. „Nein, das ist es nicht. Eine lange Geschichte. Ich erklär es dir später. Lass uns erst einmal was trinken."

Der Wein, den Lennard ihnen einschenkte, war ausgezeichnet. Schön fruchtig, ohne dabei süß zu sein. Maximilian genoss ihn drei langsame Schlucke, bevor er zu seinem Freund schaute, der ihm gegenüber Platz genommen hatte und ihn aus seinen klaren, blaugrauen Gletscheraugen musterte.

„Ich habe in der Zeitung von dem Mord an dieser Studentin gelesen", tastete sich Maximilian vorsichtig an das Thema heran.

„Ja, eine äußerst bedauerliche Sache." Lennard nippte an seinem Getränk.

„Hast du sie gekannt?", fragte Maximilian möglichst beiläufig.

Lennard nickte und sah ihn über den Rand seines Weinglases an. „Sie hat den Tag zuvor noch in meiner Vorlesung gesessen."

„Sie war deine Studentin? Scheiße!", entfuhr es

Maximilian. Das war übel! Er sprang auf, tigerte zweimal durch den Raum, bevor er wieder Platz nahm. So weit zum Thema unauffällig. Er schaute zu Lennard. Dieser saß augenscheinlich ganz entspannt. Doch Maximilian sah den lauernden Blick mit dem Lennard ihn fixierte. Unnachgiebig bohrte er sich in ihn. Maximilian wurde es kalt. Da starrte es ihm entgegen. Das gefährliche Raubtier, mit dem Psychopathen gerne verglichen wurden.

„Du glaubst doch nicht etwa auch, dass ich für ihren Tod verantwortlich bin?", fragte Lennard mit leiser Stimme, die viel bedrohlicher wirkte, als wenn er die Frage laut heraus geschrien hätte.

Maximilian stutzte. „Auch?"

Lennard machte eine wegwerfende Handbewegung.

„Der Dekan! Offensichtlich bin ich die Nummer eins auf seiner Verdächtigenliste. Seit er von meiner Psychopathie weiß, möchte er mich loswerden. Ich mache ihm Angst." Lennard lächelte böse, schaute dabei noch immer Maximilian unverwandt an.

„Lennard, du bist in mächtigen Schwierigkeiten! Die Polizei wird alle Personen überprüfen, mit denen die tote Studentin Kontakt hatte, also auch dich. Selbst wenn sie nicht von alleine auf dein Psychopathen-Outing stoßen, das sicher noch immer im Netz kursiert, es wird sie bestimmt jemand darauf aufmerksam machen. Allen voran der Dekan."

Lennard nickte. „Ja, soweit habe ich mir das auch

schon zusammengereimt. Aber ich kann wohl kaum etwas dagegen unternehmen", sagte er gereizt. Er nahm mit der linken Hand seine Brille ab und massierte mit Daumen und Zeigefinger der rechten Hand die Nasenwurzel, bevor er die Brille wieder aufsetzte. „Wer weiß: Vielleicht hat die Polizei ja auch schon einen Hinweis, der auf eine Beziehungstat oder so etwas hindeutet. Es ist unsinnig, sich jetzt darüber den Kopf zu zerbrechen."

„Die Polizei hat tatsächlich schon einen Hinweis. Der Täter hat seine Tat mit *„Der Psychopath"* signiert", sagte Maximilian.

„Du meinst, die Tat sieht nach dem Werk eines Psychopathen aus?", fragte Lennard.

„Nein. Ich meine das ganz wörtlich. Der Mörder hat das auf einen Zettel geschrieben, und in einem Video zur Tat gibt er sich nochmals als Psychopathen zu erkennen."

Lennard wurde blass. „Das ist, als würde jemand mit einem großen Leuchtreklamepfeil auf mich deuten. Es ist nur noch eine Frage der Zeit, bis die Polizei ihre Schlüsse gezogen hat und mich verhaftet!"

Maximilian schluckte. Was sollte er darauf antworten? Es stimmte.

Lennards Augen starrten ins Leere. Irrten hin und her. Suchten nach einer Lösung.

„Es kommt noch schlimmer", sagte Maximilian.

„Der Mörder zitiert dich in seinem Bekennervideo. Er verwendet deine Worte, wie du sie in dem Interview benutzt hast. Dass wir von der Evolution überholt wurden. Dass die Psychopathie die nächste Stufe der Evolution ist und die Zeit der Jäger und Sammler-Programmierung vorbei ist." Maximilians Stimme erstarb. Lennard sah ihn an und zum ersten Mal, seit sie sich kannten, sah Max Hilflosigkeit in seinem Blick.

Plötzlich legte Lennard den Kopf schief.

„Jemand ermordet eine Studentin, *meine* Studentin und gibt sich als Psychopath zu erkennen, benutzt *meine* Worte, um seine Tat zu rechtfertigen, und du kommst nachts alleine zu mir nach Hause, um mir das zu sagen? Hast du auch nur einen Moment daran gedacht, dass ich der Mörder sein könnte?", fragte Lennard mit rauer Stimme.

Maximilan schluckte. „Einen Moment schon. Aber ich habe an dich geglaubt. Daran, dass du so etwas nicht machen würdest."

„Und wenn du dich geirrt hättest?"

„Dann hätte ich wohl nicht besonders lange Zeit gehabt, das zu bereuen. Dann wäre ich tot."

Lennard sah ihn sprachlos an. Nach einigen Minuten schüttelte er den Kopf, wie um ihn frei zu bekommen.

„Warum? Warum riskierst du so etwas?", fragte er.

„Weil du mein Freund bist, Lennard."

Dieser schaute ihn noch eine Weile an, dann senkte sich sein Blick auf sein Weinglas.

„Manchmal komme ich mir vor, wie ein Alien, das nicht begreifen kann, was für die anderen so offensichtlich ist", murmelte er.

Ein seltenes Eingeständnis, wusste Maximilian und es zeigte, wie verletzlich sich Lennard im Moment fühlte.

„Warum musstest du dich aus deinem eigenen Haus schleichen?", fragte Lennard unvermittelt.

„Weil die Polizei mich überwacht. Sie haben an meiner Reaktion gemerkt, dass mir etwas bei dem Bekennervideo aufgefallen ist. Ich musste zugeben, dass ich diese Worte schon einmal gehört hatte. Sie wollten natürlich sofort deinen Namen wissen, aber ich habe mich auf die ärztliche Schweigepflicht berufen. Tut mir leid, Lennard. Du solltest dich in den nächsten Tagen am besten von mir fernhalten."

„Zumindest, bis sie von alleine auf mich stoßen. Das dürfte wohl nicht so lange dauern", sagte Lennard und schenkte sich ein zweites Glas ein. Maximilian trank seines schnell aus und schenkte sich ebenfalls nach.

„Vielleicht sollten wir versuchen herauszufinden, wer deine Studentin ermordet hat", schlug er vor.

Lennard sah ihn entsetzt an. „Warum sollte einer von uns so etwas unglaublich Dummes tun?"

Maximilian nahm einen weiteren Schluck. „Um

deinen Arsch zu retten, mein Freund."

Lennard leerte den Rest seines zweiten Glases auf ex.

„Ich glaube, so viel Wein kann ich gar nicht trinken, um diese Idee gut zu finden."

„Aber irgendetwas müssen wir doch tun!"

Lennard beugte sich nach vorne. Eindringlich sah er seinen Gegenüber an.

„Max, hör mir gut zu. Steck deine Nase nicht da rein. Ich meine das ganz ernst. Wenn da ein Psychopath am Werke ist, solltest du dessen Aufmerksamkeit unter gar keinen Umständen auf dich lenken. Wenn du ihm mit deinen Nachforschungen auch nur ansatzweise nahekommst, ach was sag ich, wenn er auch nur von deinen privaten Ermittlungen erfährt, egal, wie meilenweit du noch von einer Erkenntnis entfernt bist, dann bringt er dich um. Ohne mit der Wimper zu zucken. Hast du das verstanden?"

Maximilian stellte sein Glas auf den Tisch, damit Lennard nicht das leichte Zittern sah. „Hey, ich bin der Experte. Ich weiß das!"

„Dann mach ja nichts Dummes. Du bist mein bester Freund. Es dürfte mir ziemlich schwerfallen Ersatz zu finden, der dieselben Parameter erfüllt wie du", sagte Lennard.

Maximilian verzog das Gesicht. „Danke – schätze ich. Das sollte doch gerade ein Kompliment sein, oder?"

„Ja, das sollte es." Lennard griff lächelnd nach

der Flasche. „Ich schenke uns noch nach. Lass sie uns leeren. Wer weiß, was morgen alles über uns hereinbricht. Vielleicht haben wir ja nie wieder die Möglichkeit, zusammen zu trinken."

Kapitel 10

Die Frühlingssonne hatte die Menschen ins Freie getrieben. Obwohl noch nicht direkt warm, fühlte sich die Temperatur sehr angenehm an. Sämtliche Tische der Eisdiele auf der Berliner Promenade waren besetzt. Dana Lange sah sich um. Der Dekan hatte ihnen den Tipp gegeben, dass sie ihr Zielobjekt hier finden würden.

„Ich sehe ihn! Der Tisch rechts außen", flüsterte Charlie.

Dana folgte seinem Blick. Ja, da war er. Den beigen Mantel trug er offen über einem schwarzen Rollkragenpullover. Eine Brille mit schwarzem Gestell vervollständigte das Klischee, welches Dana vom Aussehen eines jungen Professors vor Augen hatte.

Unauffällig schlenderten sie näher. Er saß alleine am Tisch, schrieb emsig in ein Notizbuch. Ganz klassisch mit Stift auf Papier. Das Eis auf seinem Tisch schmolz langsam dahin.

„Guten Tag. Dürfen wir uns setzen?", fragte Dana und deutete lächelnd auf zwei freie Stühle am Tisch.

Der Professor hob kurz den Blick. Gletschergraue Augen, mit einem dünnen dunkelblauen Ring musterten Charlie und Dana. Der Mann nickte kurz und widmete sich wieder seinem Notizbuch. Der Kugelschreiber raste kratzend über das Papier. Als sie und Charlie sich setzten, überlegte Dana, wie sie das

Gespräch am besten beginnen sollte, doch der Professor kam ihnen zuvor.

„Wie kann ich der Polizei behilflich sein?", fragte er. Er hatte eine erstaunlich sanfte und wohlklingende Stimme, stellte Dana fest. Sie hatte eher erwartet, dass sie kalt und tot klingen würde. Überhaupt hatte sie sich unter einem Psychopathen etwas anderes vorgestellt.

„Wie kommen Sie darauf, dass wir von der Polizei sind? Wir haben nichts dergleichen gesagt", wunderte sich Dana.

„Das war auch nicht notwendig", sagte der Professor ohne mit dem Schreiben aufzuhören.

„Warum?", fragte Dana. Wieder traf sie ein Blick aus diesen klaren Augen. Sie waren irgendwie wunderschön und doch eisig kalt.

„Ich habe es Ihnen direkt angesehen. So wie Sie hier rumlaufen, könnten Sie es sich genausogut direkt auf die Stirn tätowieren."

Dana wechselte mit Charlie einen verblüfften Blick.

„Also gut. Reden wir Klartext: Mein Name ist Kriminaloberkommissarin Lange und das ist mein Kollege Kriminalkommissar Potrowski. Sie sind Professor Dr. Lennard von Falkenstein."

Der Stift des Professors flog weiter über das Papier. Das einzige Zeichen, dass er ihre Worte gehört hatte, war ein versonnenes Lächeln.

„Meinen Informationen nach sind Sie ebenfalls der Professor der ermordeten Studentin Janine Renner und ein bekennender Psychopath!", sagte Dana. Sie wollte jetzt endlich eine Reaktion von diesem Mann. Dieser klappte mit einer schnellen Bewegung sein Notizbuch zu und sah Dana mit einem warmen Lächeln an, während er Charlie bislang ignorierte.

„Ja, in der Tat", bestätigte er ihre Worte. „Was mich zu meiner ursprünglichen Frage zurückführt: Wie kann ich der Polizei behilflich sein?"

Dana sah ihn verblüfft an. „Ernsthaft? Da sehen Sie keinen Zusammenhang?"

Falkenstein lachte leise und zwinkerte.

„Ich sehe vieles. Vor allem ihre Vorurteile, Frau Kommissarin."

„Vorurteile? Sie meinen, weil Sie ein Psychopath sind und ich Sie im Mordfall an Ihrer Studentin verdächtige, die – Achtung, wichtiger Hinweis – von einem Mann umgebracht wurde, der auf einem Zettel und auf einem Video, das er uns netterweise hat zukommen lassen, ganz klar zugibt, ein Psychopath zu sein. Sie meinen diese Vorurteile?"

Der Professor schlug seine Beine übereinander, während sein Lächeln strahlend wurde. „Ja, genau diese."

Dana verengte ihre Augen zu Schlitzen. „Sie scheinen nicht überrascht von der Information zu sein, dass der Mörder sich als Psychopath zu erkennen gegeben hat. Wie kommt das?"

Lennard von Falkenstein nahm einen Löffel von seinem Eis, bevor er antwortete: „Ich bitte Sie. Sie beide ermitteln schon den ganzen Tag auf dem Unigelände, haben zahlreiche Kollegen oder Studenten von mir befragt. Glauben Sie wirklich, dass mir da nichts zu Ohren gekommen ist? Sie beleidigen meine Intelligenz! Und wenn wir schon bei meiner Intelligenz sind, die wirklich ganz außergewöhnlich ist: Ich wäre niemals so selten dämlich, eine meiner Studentinnen zu ermorden und auf einem Bekennervideo lauthals zu verkünden, dass ich, der Mörder, ein Psychopath bin, wenn die ganze Uni, ach, was sage ich, die ganze Welt, dies über mich, Lennard von Falkenstein, weiß. Da könnte ich ja gleich meine Visitenkarte mit Name und Anschrift neben die Leiche legen. Ein wenig mehr Verstand sollten Sie mir schon zutrauen!"

Dana musste zugeben, dass das, was der Professor da sagte, durchaus Sinn ergab. Konnte jemand wirklich so dumm sein, eine so offensichtliche Spur zu legen?

„Hm, vielleicht halte ich Sie ja für überheblich genug, so etwas zu tun. Vielleicht glauben Sie ja, der ach so intelligente Professor Dr. von Falkenstein könne der Polizei quasi schon verraten, dass er der Mörder ist und er würde dennoch nicht überführt werden. Vielleicht haben Sie aber auch schlicht und einfach nicht über die Konsequenzen nachgedacht.

Ich habe gehört, damit soll ja Ihresgleichen so seine Probleme haben", sagte Dana und schenkte dem Professor nun ebenfalls ein liebeswürdiges Lächeln.

Falkenstein wurde blass vor Zorn. Er presste seine Lippen zusammen und starrte sie aus beißend kalten Augen an. Ja, da war das Monster, dass der Professor so gut hinter seiner kultivierten Maske verbergen konnte.

„Ich habe inzwischen Ihr Video gesehen", fuhr Dana triumphierend fort. „Also, ich meine das Video, indem Sie so frei von der Leber weg gestehen, ein Psychopath zu sein, nicht das Bekennervideo zum Mord."

„Das ist nicht von mir!", presste Falkenstein zwischen den Zähnen hervor.

„Wie auch immer", winkte Dana ab, und genoss es, den Psycho zur Weißglut zu treiben. Vielleicht ließ er sich ja zu etwas Dummen hinreißen. Sie musste ihn aus der Fassung bringen, damit er sich nicht hinter seiner charmanten Maske versteckte, sondern sein wahres Ich zeigte.

„Es ist schon erstaunlich, wie sehr sich die Wortwahl und die aufgestellten Thesen beider Videos gleichen."

Dana wartete ab.

„Das kann ich nicht beurteilen, da ich das Video des Mörders nicht kenne. Aber selbst wenn, mein Video hat neunhunderttausend Klicks alleine auf Youtube. Jeder kann es sich ansehen und Sätze daraus für sich verwenden. Damit habe ich dann aber nichts mehr zu tun!", sagte Falkenstein mit gepresster Stimme, die Hände zu Fäusten geballt.

„Sie kennen das Video des Mörders nicht? Dann kommen Sie doch zu uns ins Präsidium und schauen es sich an", sagte Charlie.

„Nein, danke!", knurrte Falkenstein.

„Das war eigentlich keine Bitte. Nur höflich formuliert", sagte Dana.

Falkenstein starrte sie mühsam beherrscht an. Schließlich verzog er das Gesicht und plötzlich, als hätte diese Unterhaltung nicht stattgefunden, schenkte er Dana wieder ein charmantes Lächeln. In seinen klaren Augen lag ein amüsiertes Glitzern.

„Wäre Ihnen heute um neunzehn Uhr recht? Ich arbeite gleich noch mit einigen Kollegen und Studenten an meinem Forschungsprojekt. Das kann ich so kurzfristig nicht verschieben."

Er lehnte sich entspannt in seinem Stuhl zurück und aß mit offensichtlichen Genuss noch einen Löffel Eis. Dana und Charlie starrten ihn mit offenem Mund an. Es war, als hätte man einen Schalter umgelegt. Von einer Persönlichkeit zur nächsten und wieder zurück.

„Äh … ja, kein Problem. Um neunzehn Uhr dann. Hier haben Sie meine Karte. Dort steht auch die Adresse des Präsidiums darauf."

Der Professor nahm ihre Karte entgegen, betrachtete sie in Ruhe und steckte sie in seine Manteltasche.

„Wenn Sie schon mal hier sind, sollten Sie sich unbedingt ein Eis bestellen. Es lohnt sich. Sie machen hier das beste Eis von ganz Saarbrücken. Jedenfalls soweit ich das beurteilen kann und die Aussicht ist grandios. Direkt an der Saar. Ich liebe diesen Fluss! Nur schade, dass sie ihn hier in Saarbrücken so zugebaut haben. Man hätte das wirklich hübscher gestalten können. Na ja, Städteplaner! Alles gesagt. Aber die Saar geigt ihnen schon in regelmäßigen Abständen die Meinung. Sie wissen ja, wie oft die Stadtautobahn wegen Überflutung teilweise geschlossen ist", sagte er und zwinkerte ihnen zu.

Er füllte einen weiteren Löffel mit Eis und ließ ihn im Mund verschwinden.

„Was hältst du von dem Typ?", fragte Dana, als sie sich mit Charlie auf den Weg zu ihrem Auto machten.

„Echt gruselig! Erst dachte ich, der Kerl sieht gar nicht aus wie ein Psychopath. Auch wenn ich nicht genau sagen kann, wie so ein Psychopath auszusehen hat. Aber eben nicht wie ein hipper Uni-Professor mit sympathischem Lächeln. Und dann wird er ganz plötzlich wütend. Ehrlich, in diesem Moment hätte es mich nicht gewundert, wenn er über den Tisch gesprungen wäre und versucht hätte, uns mit dem Eislöffel zu erstechen. Und von einem auf den anderen Moment ist da wieder der sympathische Professor, der uns in Plauderlaune das hiesige Eis empfiehlt und über die Saar spricht."

„Geht mir genauso. Aber ist er nur schräg oder ist er unser Mörder?", überlegte Dana.

„Zutrauen würde ich es ihm zweifelsohne, obwohl es schon stimmt, was er sagt. Jeder auf der Uni weiß, dass er ein Psychopath ist. Unter diesem Pseudonym einen Mord an einer seiner Studentinnen zu verüben, ist schon ganz schön dämlich. Aber bei diesen kranken Typen weiß man ja nie. Für mich steht er auf unserer Verdächtigenliste jedenfalls ganz oben", sagte Charlie.

„Was er wohl damit meinte, man sähe uns gleich an, dass wir von der Polizei sind?" Dana betrachtete im Vorbeigehen ihr Spiegelbild in einem Schaufenster. Die braunen, halblangen Haare hatte sie mit einer Spange hochgesteckt. Schwarze Schuhe, dunkelblaue Jeans, rostroter Wollpulli und eine schwarze Lederjacke, die sowohl schick aussah, als auch mit ihren vielen Taschen ungemein praktisch war.

„Keine Ahnung", meinte Charlie. „Ich sehe an uns nichts Auffälliges."

Kapitel 11

Dr. Pabst ging in das Institut für Genetik im Campus der Universität des Saarlandes. Während die Mensa im Stil der 60er Jahre errichtet worden war, war alles in diesem Gebäude ultramodern, mit viel Stahl und glänzenden weißen Flächen.

Er fragte sich zu Lennard durch. Eine Studentin war so freundlich, ihn zu einem der Forschungsräume zu begleiten, wo sich der Professor aufhielt. Dort standen auf einem langgezogenen Tisch etliche Mikroskope. Eines war gerade mit einem Monitor verbunden. Maximilian sah etwas, das er für mehrere DNA-Stränge hielt. Lennard und seine Kollegen, alle in weiße Kittel gekleidet, waren in ein Gespräch darüber vertieft. Als Lennards Blick auf ihn fiel, entschuldigte er sich und kam zu ihm herüber.

„Max? Hierher hast du dich ja noch nie verirrt!", begrüßte er ihn.

Maximilian sah sich um. „Sieht beeindruckend aus. Der Kittel steht dir. Damit siehst du wie ein richtiger Forscher aus."

Lennard schmunzelte. „Ich bin ein richtiger Forscher!"

Maximilian lachte kurz auf, bevor seine Miene wieder ernst wurde. „Hättest du ein paar Minuten? Ich müsste dringend mit dir reden."

Lennard nickte und führte ihn in einen leeren Raum.

„Worum geht es?"

Maximilian stopfte seine Hände in die Taschen und starrte einen Moment auf den Boden.

„Sie wollen dir heute Abend das Video zeigen und dich befragen", begann er.

„Ich weiß. Um neunzehn Uhr", sagte Lennard. Er sah vollkommen unbekümmert dabei aus.

„Wie ich dir schon erzählt habe, soll ich die Polizei in diesem Fall beraten. Sie wollen, dass ich auch heute Abend dabei bin."

„Das ist doch gut, oder? Dann ist dort wenigstens einer auf meiner Seite", sagte Lennard.

Maximilian nickte. „Ja, so ist es. Ich dachte nur, du solltest das wissen."

„Ok. Wissen sie, dass du mein Psychologe bist?", fragte Lennard.

„Sie können es sich denken. Ich werde ihnen diesen Verdacht bestätigen. So können sie mich nicht zu dir ausfragen. Aber sie werden allgemeine Fragen stellen und sie werden meine Antworten gegen dich verwenden", gab Maximilian zu bedenken.

Lennard überlegte. „Und wenn ich dir die Erlaubnis gebe, mit ihnen über mich zu sprechen? Wäre das nicht hilfreich, um meine Unschuld zu untermauern?"

Maximilian wanderte durch den Raum. Hin – zurück – hin – zurück. Es half ihm, beim Denken in Bewegung zu sein.

„Das sollten wir nicht tun. Was, wenn sie mich fragen, ob ich dich grundsätzlich für fähig halte, einen Mord zu begehen?"

„Grundsätzlich ist jeder Mensch, Psychopath oder nicht, dazu fähig, einen Mord zu begehen. Das weißt du genauso gut wie ich. Aber ich hatte bisher dazu noch keine Veranlassung und kann mir auch nicht vorstellen, dass ich in Zukunft dazu eine Veranlassung haben werde", sagte Lennard mit gepresster Stimme und zusammengezogenen Augenbrauen.

Maximilian raufte sich die Haare, während er sich einmal um seine eigene Achse drehte.

„Siehst du! Das ist genau das, was ich meine. Du hattest bisher noch *keine Veranlassung* für einen Mord. Jeder andere würde sagten: Ich kann mir nicht vorstellen, zu so etwas in der Lage zu sein. Aber du, Lennard, stellst es nur als eine Sache der richtigen Motivation dar!"

„Das ist doch Haarspalterei, Max! Wie ich es auch ausdrücke, gefühlsduselig, wie ihr Normalen, oder sachlich, wie wir Psychopathen: Ich denke nicht, dass ich einer höheren Wahrscheinlichkeit unterliege als du, einmal einen Menschen zu töten. Es kommt immer auf die Umstände an. Was? – warum siehst du mich so kritisch an?", wütete Lennard.

„Weil ich mir nicht sicher bin, ob ich deine Ansicht über die Wahrscheinlichkeit teile", sagte Maximilian leise. Er sollte Lennard beruhigen. Sein

Freund verlor völlig die Fassung, aber er musste jetzt auch Klartext mit ihm sprechen. Heute Abend musste jeder wissen, was er vom anderen zu erwarten hatte und welche Strategie sie anwenden sollten.

„Was?", explodierte Lennard. „Du glaubst tatsächlich, von mir geht eine erhöhte Wahrscheinlichkeit aus, dass ich einmal zum Mörder werde? Ich bin kein aggressiver Mensch!"

„Schreit Lennard von Falkenstein mit hochrotem Gesicht, geballten Fäusten und einem Blick, bei dem so manch ein herzschwacher Mensch sofort aus den Latschen kippen würde", sagte Maximilian sehr ruhig.

Lennard schnappte nach Luft, wie um zu einer Erwiderung anzusetzen. Stattdessen verschränkte er die Arme vor seiner Brust und schloss die Augen. So stand er eine Weile. Maximilian konnte sehen, wie sich Lennards heftige Atmung wieder beruhigte und sein Körper sich langsam entspannte.

Als er seine Augen öffnete, war er ganz ruhig.

„Hast du manchmal Angst vor mir, Max? Befürchtest du, ich könnte dich irgendwann in meiner Wut umbringen?"

Maximilian wünschte sich nicht zum ersten Mal, er könne seinen Freund einfach von dieser Krankheit heilen und ihm ein normales Leben ermöglichen. Aber für die Psychopathie gab es keine Heilung.

„Nein, Lennard. Würde ich das befürchten, dann

würde ich mich fern von dir halten. Siehst du meine Hände ..." Maximilian streckte sie etwa hüfthoch aus. „Sie sind ganz ruhig. Ich habe keine Angst vor dir."

„Die Psychopathie ist ein Segen und kein Fluch, wie ihr Normalen alle glaubt", sagte Lennard, als habe er Maximilians Gedanken gelesen. „Gepaart mit dem nötigen Maß an Intelligenz macht sie einen Menschen durchsetzungsfähiger, zielorientierter, erfolgreicher! Übergebe einem Psychopathen die Führung eines großen Unternehmens und die Effizienz in der Firma wird steigen und es werden höhere Gewinne eingefahren werden. Darum sind wir so oft an der Spitze der Gesellschaft anzutreffen."

Maximilian schwieg. Was nützte es schon, wenn er Lennard entgegenhielt, dass die Adjektive, welche ihm dazu einfielen eher: Egoistisch, rücksichtslos und manipulativ waren? Im Ergebnis hatte Lennard recht. Diese Menschen waren erfolgreich und brachten die Firma weiter. Doch andere zahlten dafür den Preis. Die Menschen, die unter solchen Psychopathen arbeiten mussten.

„Gefährlich wird es dann, wenn zu der Psychopathie noch ein Mangel an Intelligenz, ein Hang zu Sadismus oder das völlige Fehlen der Impulskontrolle dazukommt. Dann hat man das perfekte Monster. Aber da gehöre ich nicht dazu, Max. Möglicherweise, und das gebe ich unumwunden zu, habe ich das deiner Mutter zu verdanken, die mich lehrte, einige meiner weniger schönen Impulse zu unterdrücken. Sie hat mir einen Regelkatalog aufgestellt, an den ich mich halte."

„Natürlich, das weiß ich, mein Freund. Aber an deiner Impulskontrolle solltest du weiterhin arbeiten. So einen Ausraster, wie eben vor mir, darfst du dir vor der Polizei nicht leisten. Ich weiß, wie ich dich dann zu nehmen habe: Dass ich mich von deinen Worten in diesem Moment nicht beleidigen oder verletzen lassen darf. Die Polizei wirst du damit nur umso mehr von deiner Schuld überzeugen."

„Ich werde mein Bestes geben. Ich habe schon das letzte Mal versucht, mich von denen nicht aus dem Konzept bringen zu lassen. Aber sie haben so ein Talent, mich zu provozieren. *Meinesgleichen* hätte doch erwiesenermaßen Schwierigkeiten sich über Konsequenzen, die eine Tat nach sich zieht, Gedanken zu machen. Idioten!"

„Na ja, aber du machst dir ja auch nicht gerade vorher einen Kopf, bevor du etwas tust. Zum Beispiel, sich in einem Videointerview als Psychopath zu outen, war nicht gerade gut durchdacht", meinte Maximilian und musste kichern.

Lennard wischte seinen Einwand mit einer wegwerfenden Handbewegung beiseite. „Ach, was kümmert mich die Meinung anderer Menschen. Aber ich bin nicht blöd. Ich begehe keinen Mord und schreie dann laut meine Identität hinaus."

„Sie werden dich mit diesem Vorwurf immer wieder konfrontieren. Sie wollen dich aus der Fassung bringen, damit du dich in Widersprüche verwickelst, um dir so etwas nachweisen zu können. Bleib bei der Wahrheit. Keine Ausschmückungen. Versuche, ruhig und besonnen zu antworten. Wenn du merkst, dass deine Wut Oberhand gewinnt, mache es wie eben. Schließe die Augen, atme tief durch und zähle bis zehn."

Lennard seufzte theatralisch. „Ich versuche es. Auch wenn es mir schwerfallen wird. Ich reagiere auf einen Mangel an Intelligenz sehr allergisch, und wenn mir jemand immer wieder dieselbe Frage stellt, ist das ein eindeutiges Zeichen für einen solchen Mangel."

„Und du solltest versuchen, nicht die Intelligenz der Polizei infrage zu stellen", fügte Maximilian mit einem Augenrollen hinzu.

Lennard verzog das Gesicht. „Jetzt werden deine Forderungen aber ziemlich unrealistisch. Wie soll ich das denn hinbekommen?", scherzte er und strich sich grinsend sein Haar zurück.

Maximilian lachte halbherzig. Er wollte es sich nicht anmerken lassen, aber sein Magen hatte sich inzwischen zu einem großen, schweren Klumpen verhärtet. Das konnte heute Abend nur schief gehen. Unschuldig oder nicht. Lennard konnte vom Glück sagen, wenn er nicht schon gleich nach dem Gespräch mit der Polizei verhaftet wurde.

„Samstag Nachmittag ist in Trier der psychologische Kongress. Soll ich unseren gemeinsamen Vortrag absagen? Dir steht im Moment bestimmt nicht der Kopf danach", fragte Max.

Lennard winkte ab. „Nein, das kriege ich schon hin. Kein Problem."

„Also gut. Du weißt, das ist sehr wichtig für mich und ich haben den gesamten Vortrag auf uns beide aufgebaut. Alleine kann ich ihn so nicht halten. Dort trifft sich alles, was in meinem Metier Rang und Namen hat. Es ist eine große Ehre dort sprechen zu dürfen. Aber wenn dir das im Moment zu viel ist …"

„Ich habe doch schon gesagt: Kein Problem. Für mich ist das kein Ding, vor Leuten zu sprechen. Auch wenn sie noch so wichtig sind. Eine meiner leichtesten Übungen."

„Danke, Lennard. Für mich ist das schon ein Ding. Ich bin ganz aufgeregt."

Kapitel 12

Als sich Lennard um Punkt neunzehn Uhr an der Eingangspforte des Präsidiums anmeldete, wurde er von zwei Polizisten empfangen. Einem bulligen Muskelprotz ohne Hals und einer attraktiven Brünetten mit Pferdeschwanz.

Er schenkte der Brünetten ein charmantes Lächeln und registrierte mit Genugtuung, dass die Frau zurücklächelte und leicht errötete.

„Wir untersuchen Sie kurz mit unserem Metalldetektor nach Waffen", informierte ihn der Bullige.

„Warum? Glauben Sie, ich komme hierher, um ein Massaker anzurichten?", fragte Lennard genervt.

Der Bullige ließ sich nicht aus dem Konzept bringen. „Sagen Sie's mir. Sie sind der Psychopath."

Lennard brummte unwirsch.

„Lass dich nicht zu unnötigen Diskussionen hinreißen", hatte Max ihn noch ermahnt, bevor er sich verabschiedet hatte. Dieser Vorsatz hatte nicht lange gehalten, musste Lennard sich eingestehen. Also gut: Durchatmen und noch einmal auf Anfang. Lächeln an!

„Sie haben ja recht. Gerade in Ihrem Beruf weiß man ja nie, mit was für Typen man es zu tun bekommt. Da ist eine gewisse Vorsicht wohl angebracht. Also fummeln Sie ruhig mit Ihrem Metalldetektor vor mir rum. Ich habe nichts zu verbergen", sagte Lennard und zwinkerte der Frau zu. Ja, sie wurde wieder rot. Wie oft er das wohl heute Abend hinbekommen würde? Sie setzte die Schwierigkeitslatte ja nicht gerade hoch.

Er wurde in einen engen Raum geführt. Die Polizisten Lange und Potrowski waren anwesend, genauso wie Max. Sein Freund sah besorgt aus. Sie hatten beschlossen, ihre Freundschaft den Polizisten nicht gerade auf die Nase zu binden. Es genügte, wenn sie wussten, dass Max sein Psychologe war.

„Bitte setzen Sie sich doch, Professor", sagte Oberkommissarin Lange und deutete auf einen der Stühle. Die beiden Polizisten setzten sich ihm gegenüber. Max nahm neben ihm Platz. Ohne große Umschweife schaltete sie mit einer Fernbedienung den Laptop an. Der Bildschirm erwachte zum Leben. Lennard merkte, wie Max neben ihm unruhig auf seinem Stuhl herumrutschte. Er warf ihm einen kurzen Blick zu. Sein Freund war blass. Er wollte das nicht sehen, so viel war klar.

Ein magerer junger Mann, mit zerzausten Haaren und offenem Karohemd über einem T-Shirt mit abgebildetem Ufo und der Aufschrift „We Are Not Alone", erschien im Bild. Er saß auf einem grünen Sessel, Lennard saß ihm schräg gegenüber.

„Heutzutage glauben wir nicht mehr an Vampire, Zombies oder Werwölfe. Wir lieben sie in Geschichten und Filmen, aber niemand würde glauben, dass sie wirklich existieren. Heute haben wir andere Monster.

Psychopathen, die hinter jeder Ecke lauern können, um uns gnadenlos abzumurksen, auszuweiden und zu verspeisen."

Lennard und Max sahen sich erstaunt an. Das war nicht das Bekennervideo des Mörders. Das war das Video, in dem er sich als Psychopath outete. Lennard drückte auf Pause.

„Das kenne ich schon! Ich war bei seiner Produktion anwesend, wie Sie unschwer sehen können."

Er deutete auf sein Bildschirm-Ich, welches mit missbilligend gekräuselten Lippen den schlaksigen Moderator mit Blicken durchbohrte.

„Ich weiß", sagte Oberkommissarin Lange. „Schauen wir es uns dennoch an. Sie werden gleich sehen, worauf ich hinaus will."

Na, das konnte ja heiter werden. Wenn diese Polizisten in diesem Tempo weitermachten, würde er noch die ganze Nacht hier sitzen. Er schaute genervt auf seine Armbanduhr.

Unter dem Tisch wurde er von Max mit dem Fuß angestoßen. Ja, genau. Er musste freundlich und höflich bleiben. Lennard lächelte die beiden Polizisten an.

„Ganz wie Sie wünschen", sagte er und schaltete das Video wieder an.

„Ich verstehe nicht ganz?", sagte sein Video-Ich. „Das hört sich ja so an, als seien Sadismus und Kanibalismus ein Merkmal der Psychopathie? Ich glaube, da werfen Sie gerade eine Menge durcheinander.

Eigentlich habe ich schon erwartet, dass Sie sich besser vorbereiten, wenn Sie mich zu einem Interview zu diesem Thema einladen. Immerhin bin ich ein vielbeschäftigter Wissenschaftler und Uni-Professor. Meine Zeit ist kostbar!"

Der junge Mann wurde knallrot im Gesicht. „Ja, nein … ich meine nur … es gibt aber jene Psychopathen, bei denen kommt das alles zusammen. Hannibal Lector zum Beispiel."

„Hannibal Lector ist eine Roman- bzw. Filmfigur und keine reale Person. Aber gut, lassen wir das. Es gibt tatsächlich Individuen, bei denen diese psychischen Krankheiten zu der Psychopathie dazukommen. Aber das sind doch eher die Ausnahmen."

„Nun ja, aber Sie werden doch zugeben, dass wir die Psychopathen durchaus als die Monster unserer Zeit bezeichnen können?", sagte der junge Mann.

„Nein, das werde ich keineswegs. Ich gehe sogar noch weiter: Sie würden einen Psychopathen noch nicht einmal erkennen, wenn Sie sich genau hier mit ihm zu einem netten Plausch zusammensetzten würden", beharrte Video-Lennard.

Der Blick des Mannes glitt verunsichert zwischen der Kamera und seinem Gesprächspartner hin und zurück. Video-Lennard bedachte ihn mit seinem berühmten wölfischen Lächeln. Der Mann wurde deutlich blasser.

Lennard lachte und drückte erneut die Pause-Taste.

„Jetzt kapiert der Trottel langsam! Ich gebe ja zu, das ist äußerst amüsant. Ich könnte mich jedes Mal wieder ausschütten vor Lachen, wenn ich das sehe, aber worauf wollen Sie hinaus?"

„Haben Sie noch ein wenig Geduld. Wie Sie wissen, kommen jetzt die entscheidenden Worte", sagte die Polizistin. Doch auch sie hatte ein amüsiertes Lächeln auf den Lippen. Lennard ließ das Video weiter laufen.

„Sie meinen doch nicht etwa … Sie wollen doch nicht andeuten …"

Video-Lennard lachte. „Doch, genau das will ich! Aber keine Sorge, ich bin keines Ihrer modernen Monster. Nur ein sozial angepasster, äußerst erfolgreicher Psychopath."

Der dürre Mann schluckte und starrte Video-Lennard aus weit aufgerissenen Augen an.

„Und Sie verspüren nicht das Verlangen zu töten?", fragte er mit zitternder Stimme.

„Aber, nein! Warum sollte ich auch? Das ist eben der Punkt. Sie und die meisten anderen setzen Psychopathie mit geistig kranken Menschen gleich, die nur durch ihre Boshaftigkeit und ihren Trieb zum Töten bestimmt werden."

„Nun ja. Aber die Psychopathie ist doch sehr wohl eine Krankheit. Ein Teil Ihres Gehirns ist verkümmert, oder so", sagte der junge Mann.

Lennard verzog das Gesicht. „Wohl eher *oder so.*

Wir haben weniger Verbindungen zwischen dem ventromedialen präfrontalen Cortex, also der Gehirnregion für Einfühlungsvermögen und Schuld und der Amygdala, der Region für Furcht und Angst. Unser Gehirn ist anders verdrahtet. Ein Fehler? Eine Krankheit? Ich sage: nein. Stellen Sie sich das Gehirn als einen Computer vor. Er wird entwickelt, gebaut und ist das Nonplusultra, wenn er auf den Markt kommt. Aber so gut er auch sein mag, irgendwann kommt ein neueres Model auf dem Markt. Eines, das besser und effizienter ist."

„Und sie glauben, die Psychopathie ist diese Verbesserung? Quasi der Mensch 2.0?", fragte der junge Mann nun eindeutig interessiert.

Video-Lennard lachte. „Und wie ich das glaube. Sehen Sie. Sie, der Homo sapiens, wie er bisher existierte, wurde als Jäger und Sammler in einer Welt programmiert, die voller Gefahren war. Hinter jedem Baum lauerte schon das nächste Raubtier, das in ihm die nächste Mahlzeit gesehen hat. Von daher war die Angst der wichtigste Faktor zum Überleben. Wenn dem Urzeitmenschen etwas ungewöhnlich vorkam, ein Geräusch, eine Bewegung, die er aus den Augenwinkeln wahrgenommen hatte, musste er sehr schnell reagieren. Die Angst jagte das nötige Adrenalin durch den Körper. Es ging nur um eine Frage: Bleibe ich stehen und kämpfe oder renne ich, so schnell ich kann. Für beides benötigte man das durch die Angst freigesetzte Adrenalin. Aber von wie vielen hungrigen Raubtieren wurden Sie in letzter Zeit bedroht?"

„Äh, von keinem."

„Ganz genau. Ihre Programmierung ist somit veraltet! Die Angst, die in der Urzeit Ihr größter Verbündeter war, ist nun Ihr Klotz am Bein. Sie hemmt Sie, macht Sie risikoscheu. Das ist vollkommen überholt in unserer heutigen Zeit. Ich habe dieses Hemmnis nicht. Damit bin ich der effizientere Mensch."

„Wollen Sie damit sagen, wir sind die Computer von gestern. Die Auslaufmodelle?", fragte der junge Mann.

„Exakt. Ihr wurdet von der Evolution überholt. Ihr seid nicht mehr an der Spitze der Nahrungskette. Es gibt uns. Die verbesserten Menschen. Die nächste Stufe der Evolution. Die Zeit der Jäger und Sammler, in der eure Genprogrammierung gebraucht wurde, ist vorbei. Nun ist unsere Zeit angebrochen. Die Zeit des Homo psychopathos", sagte Video-Lennard.

„Und was bedeutet das nun für uns, Professor von Falkenstein?"

Video-Lennard beugte sich in seinem Sessel nach vorne. „Wie vielen Neandertalern sind Sie in letzter Zeit begegnet?"

„Neandertalern … äh, keinem. Sie existieren nicht mehr."

„Ganz genau. Sie sind vor rund dreißigtausend Jahren ausgestorben, weil sich parallel zu ihnen eine bessere Art von Mensch entwickelt hatte. Der Homo sapiens."

„Heißt das …", der junge Mann fuhr sich nervös mit der Zunge über die Lippen. „Heißt das, Sie werden uns alle töten?"

Video-Lennard lachte. „Aber nein, das ist gar nicht nötig. Die Natur regelt das von ganz alleine. Wenn auch nicht sofort. Ich bin sogar davon überzeugt, dass es eine vollkommen unblutige Angelegenheit werden wird. Die psychopathischen Genmutationen werden sich immer weiter ausbreiten, bis es irgendwann keinen Menschen mehr auf der Welt gibt, der nicht diese Genkombinationen besitzt."

„Und wie schnell wird das Ihrer Meinung nach geschehen?", fragte der junge Mann.

„Es wird eine Sache von Jahrhunderten sein. Ich werde also noch eine Weile ein Exot bleiben. Aber was sind vierhundert, fünfhundert Jahre schon in der Geschichte der Menschheit. Ein Fingerschnippen, nicht mehr."

Oberkommissarin Lange drückte auf einen Knopf ihrer Fernbedienung. Der Bildschirm wurde schwarz.

„Eine interessante These, die Sie da vertreten, Professor von Falkenstein", sagte die Polizistin. „Was ist passiert? Hat Ihnen die natürliche Verdrängung von uns normalen Menschen dann doch zu lange gedauert?"

„Das ist doch vollkommener Unsinn. Als würde bei einer Weltbevölkerung von über 7,6 Milliarden Menschen der Tod einer einzelnen Studentin da irgendein Unterschied machen", sagte Lennard. Sein Amüsement war verschwunden. „Ich denke, dieses Video entlastet mich sogar. Weise ich nicht ausdrücklich darauf hin, dass ich an einen unblutigen Übergang zum höherentwickelten Menschen glaube?"

„Der höherentwickelte Mensch. Damit meinen Sie den Homo psychopathos?", hakte die Oberkommissarin nach.

„Natürlich." Lennard runzelte verärgert die Stirn. Warum mussten sie mit solchen dummen Nachfragen seine Zeit verschwenden!

„Eine interessante These von einem psychisch kranken Menschen", schaltete sich Potrowski ein. „Unter was fällt die Psychopathie? Unter dissoziale Persönlichkeitsstörung, nicht wahr? Das hört sich für mich nicht nach dem nächsten Schritt der Evolution an. Es hört sich eher an, als sei bei Ihnen da oben einfach nur etwas kaputt." Charlie tippte sich an die Schläfe.

Lennard spürte, wie ihm vor Ärger das Blut in die Wangen schoss. Unter dem Tisch trat Max leicht gegen sein Bein. Eine Warnung, nicht die Beherrschung zu verlieren. Er atmete tief durch, zählte bis zehn. Ja, er sollte auf so eine Provokation besser gar nicht eingehen. Stattdessen lächelte er den Polizisten freundlich an. Das irritierte Potrowski ganz offensichtlich. Sehr gut!

„Schauen Sie sich bitte das Bekennervideo des Mörders an. Ich denke, dann werden Sie verstehen, warum ich zuerst Ihr Video abgespielt habe", sagte Oberkommissarin Lange. Der Bildschirm erwachte wieder zum Leben.

„Schauen Sie sich mein Werk an und heucheln Sie Betroffenheit!", hörte Lennard die verzerrte Stimme des Mörders. Dann sah er seine Studentin, hörte, wie sie um ihr Leben bettelte und es anschließend so grausam verlor. Lennard warf Max einen kurzen Blick zu. Sein Freund war blass auf seinem Stuhl zusammengesunken. Er hielt die Fingerspitzen seiner linken Hand gegen die Stirn gepresst, schirmte damit seinen Blick vor den schrecklichen Bildern ab. Schnell konzentrierte sich Lennard wieder auf das Video.

Der Mörder rechtfertigte sein Handeln damit, dass die normalen Menschen genauso wenig Mitleid und Achtung mit den unter ihnen stehenden Tieren hatten.

„Jetzt verrate ich euch ein Geheimnis:", sagte die Stimme des Mörders. „Ihr wurdet von der Evolution überholt. Ihr seid nicht mehr an der Spitze der Nahrungskette. Es gibt uns. Die verbesserten Menschen. Die nächste Stufe der Evolution. Der Homo psychopathos! Die Zeit der Jäger und Sammler, in der eure Genprogrammierung gebraucht wurde, ist vorbei.

Nun ist unsere Zeit angebrochen."

Mit einer Andeutung, dass dies nicht sein letzter Mord sein würde, verstummte die Stimme des Mörders und der Bildschirm wurde schwarz.

Lennard hob den Blick, sah den beiden Polizisten ruhig und gefasst ins Gesicht.

„Das waren fast exakt Ihre Worte, Professor von Falkenstein", sagte die Oberkommissarin.

Lennard zuckte mit den Achseln. „Bis auf das Tierquälergeschwafel zwischendurch, ja."

„Sie verstehen sicherlich, dass Sie damit unser Hauptverdächtiger sind!", sagte die Polizistin.

Lennard lächelte und lehnte sich in seinem Stuhl zurück. „Ich und die neunhunderttausend Personen, die sich dieses Video bislang angesehen haben. Unten in der Leiste zu meinem Video können Sie sehen, wie oft es schon angeklickt wurde. Jeder einzelne von diesen Menschen könnte Ihr Mörder sein und meine Worte zitiert haben."

„Und wie viele von denen sind Psychopathen?", bohrte Potrowski nach.

„Ich bin kein Hellseher", konterte Lennard. „Immerhin zwei Prozent der Bevölkerung sind Psychopathen. Sie haben sich allerdings noch nicht alle persönlich bei mir vorgestellt. Wenn man die Statistik hier zugrunde legt, und verstärkende Faktoren, wie dass Psychopathen von Videos über Psychopathen angezogen werden, ignoriert ... nun dann sind etwa achtzehntausend dieser Zuschauer selber Psychopathen. Nicht gerade ein kleiner Verdächtigenkreis."

„Sie haben gerade gesehen, wie eine Ihrer Studentinnen vor der Kamera grausam ermordet wurde. Ich habe Sie beobachtet. Sie saßen ganz entspannt da. Ihr Schicksal war Ihnen völlig gleichgültig!", zischte Potrowski.

Lennard warf ihm einen abschätzigen Blick zu.

„Es ist wirklich schlimm, was dem Mädchen widerfahren ist. Aber dies ist eine Aufzeichnung! Ich wusste, wie die Sache für sie ausgehen würde, so sehr ich das auch bedauere. Irgendwelche Schreckensbekundungen helfen weder der bedauerlichen Frau Renner, noch mir. Ach ja, und Ihnen natürlich auch nicht. Also was soll das?" Lennard spürte einen erneuten Tritt von Max.

„Wissen Sie was?", zischte Potrowski. „Sie sind ein Psychopath, das auf dem Bekennervideo sind Ihre Worte und das ist Ihre Studentin. Für mich sind das ein wenig zu viele Treffer, als dass das noch als Zufall angesehen werden kann." Er war aufgesprungen und deutete bei jedem seiner Punkte auf Lennard, dessen Hände inzwischen zu Fäusten geballt waren. Max Fuß traf ihn dreimal hintereinander an seinem Bein, das wahrscheinlich nach dieser Vernehmung ganz blau sein würde. Eins, zwei, drei, vier … die Hände entspannten sich. Fünf, sechs, sieben, acht, neun, zehn …

ein freundliches Lächeln erhellte sein Gesicht.

„Vielleicht kennen Sie ja noch viel mehr frei herumlaufende Psychopathen als mich. Wussten Sie, dass Psychopathen auch vom Polizeiberuf angezogen werden?", sagte Lennard mit freundlicher Stimme.

„Was?", entfuhr es Potrowski.

„Ja, es ist die Macht und die Kontrolle, die man dort über andere Menschen hat, was uns Psychopathen so anmacht. Das Gehalt ist es ja offensichtlich nicht!"

Die zwei Polizisten starrten ihn an, während sich Max offensichtlich frustriert in seinem Sitz zurückwarf.

„Oh, großer Gott", stöhnte er. Lennard ließ sich dadurch nicht mehr bremsen.

„Überlegen Sie mal. Sie haben bestimmt auch so einen Kollegen. Er liebt es, andere Menschen mit seiner Uniform oder seiner Marke einzuschüchtern, ihnen zu sagen, wo es langgeht, sie zu verhören, zu fesseln …. Na? Wie viele Namen fallen Ihnen da auf Anhieb ein?", bohrte Lennard und sah, wie die Kiefermuskulatur bei Lange zu mahlen anfing.

„Hören Sie auf mit Ihren Spielchen!", fauchte sie.

Doch Lennard hatte nicht vor, aufzuhören. Nicht, wo es doch gerade anfing, Spaß zu machen.

„Ihrer Reaktion nach habe ich da voll ins Schwarze getroffen."

„Wollen Sie jetzt unterstellen, einer von unseren

Leuten wäre der Mörder?", brach es aus Potrowski heraus.

„Aber nicht doch!", erwiderte Lennard. „Ich stelle nur genauso richtige, wie für den Fall belanglose Fakten vor, wie Sie!"

„Hrrr, darf ich ihm eine reinhauen, Dana? Nur ausnahmsweise?", knurrte Potrowski.

Um Langes Mundwinkel zuckte es belustigt.

„Nein!", sagte sie bestimmt.

„Hach, schade. Das hätte so gutgetan", witzelte Potrowski und brachte damit die Kollegin zum Lachen.

So ein Mist! Lennard hatte Lange gerade da, wo er sie gedanklich haben wollte und dieser Polizeitrottel machte alles wieder zunichte.

„Ich finde das nicht witzig", schaltete sich Max ein. „Und ich bezweifle auch, dass es erlaubt ist. Man könnte es als Einschüchterungstaktik durch Gewaltandrohung sehen."

„Ihr Patient sieht nicht besonders eingeschüchtert aus", meinte Potrowski.

„Sie könnten ihm eine Waffe an den Kopf halten und er würde nicht eingeschüchtert aussehen", behauptete Max.

Lennard grinste bei diesem Gedanken. Dann wäre es zumindest wieder da. Dieses angenehme Kribbeln im Bauch, was die Normalen als Angst empfanden.

„Sie haben natürlich Recht. Entschuldigen Sie den schlechten Scherz meines Kollegen, Professor von Falkenstein", lenkte Oberkommissarin Lange ein.

Lennard ging gar nicht darauf ein. Er musste die Kommissarin wieder an den richtigen Ausgangspunkt bringen.

„Ich möchte nochmals auf die Psychopathen in Uniform zurückkommen. Diese Individuen, von denen ich eben gesprochen habe, wie es sie durchaus auch im Polizeiberuf gibt, sind zwar Psychopathen, aber keine Mörder. Sie ticken nur ein wenig anders als ihr Normalen. Dafür sind sie aber auch unglaublich effektiv und erfolgreich. Und dazu gehöre ich. Ich habe noch niemals einen Menschen getötet. Ich habe auch noch nie ein Tier getötet oder gequält. Ok, ich habe manchmal meine große Schwester geärgert, aber ich bezweifle, dass das so eine verwerfliche Tat ist. Das machen viele kleine Brüder. Das Einzige, was ich mir zu Schulden habe kommen lassen ist, dass ich als begeisterter Fleisch-, Eier- und Milchverzehrer in den Augen unseres Mörders durchaus zu den passiven Tierquälern und -mördern gehöre. Aber, wenn Sie nicht gerade Veganer sind, trifft das auch auf Sie zu."

„Überprüfen wir doch Ihr Alibi. Laut der Gerichtsmedizinerin liegt der Todeszeitpunkt von Janine Renner zwischen neunzehn und dreiundzwanzig Uhr am Dienstag. Wo waren Sie zu dieser Zeit?", fragte Lange.

Er hatte kein Alibi. Aber er könnte im Nu eine Geschichte zum Besten geben, die nach Alibi klang, aber niemals nachprüfbar wäre. Damit würde er die Polizei hoffentlich von seiner Spur abbringen. Lennard warf Max einen Blick zu.

„Bleibe immer bei der Wahrheit!", hatte Max ihn gestern Abend noch eindringlich gewarnt. Sollte er nun seinem Freund vertrauen oder lieber auf seine eigenen Instinkte hören? Er öffnete seinen Mund. Lügen fiel ihm leicht. Er hatte eine ungefähre Idee und würde seine Geschichte mit Leichtigkeit während des Sprechens ausbauen. Wieder traf ihn ein Tritt von Max. Lennard schloss den Mund wieder, hielt inne.

„Ich war zuhause und habe gelesen", sagte er schließlich und warf Max einen wütenden Blick zu. Schon während er diesen Satz aussprach, wurde ihm bewusst, wie dumm diese Entscheidung gewesen war. Warum hatte er nur nicht seinen eigenen Instinkten vertraut? Sie hatten ihn schon so weit gebracht.

„Gibt es dafür irgendwelche Zeugen? Ein Pizzabote, ein Freund oder eine Freundin?", fragte die Oberkommissarin.

Lennard schüttelte den Kopf. Er konnte förmlich spüren, wie sich die Schlinge immer fester um seinen Hals legte. Deutlich sah er den triumphierenden Blick, den dieser Potrowski seiner Kollegin zuwarf.

„Was können Sie uns über das Opfer erzählen?", bohrte Lange weiter.

Lennard überlegte: „Sie war eine gute Studentin. Ihre Noten lagen immer im oberen Bereich. Sie war auch sehr interessiert und ehrgeizig. Immer saß sie in der ersten Reihe und diese Plätze sind in meinen vollbesetzten Vorlesungen begehrt." Lennard zögerte kurz. „Jedenfalls waren sie das", setzte er kaum hörbar hinzu. Doch Lange hatte gute Ohren.

„Wie meinen Sie das?", hakte sie nach.

Lennard atmete tief durch. „Meine Studenten wissen, dass ich ein Psychopath bin. Die ganze Uni kennt dieses Video, in dem ich das zugebe. Viele von ihnen haben möglicherweise aus diesem Grund sich entschlossen, bei uns zu studieren. Ich bin sozusagen eine Attraktion! Doch seit dem Mord ..."

„Jetzt haben sie Angst vor Ihnen!", schlussfolgerte Lange. Lennard sah die Oberkommissarin an.

„Die ersten Reihen bleiben leer", gab er mit monotoner Stimme zu.

Unangenehmes Schweigen machte sich breit, so dass Lennard beinahe froh war, als Lange eine weitere Frage stellte.

„Was wissen Sie über Janine Renners Freundeskreis?"

Lennard zuckte die Achseln. „So etwas interessiert mich nicht. Ich weiß nicht einmal, ob sie einen hatte. Sie wohnte mit Ellen Decker, ebenfalls eine Studentin im gleichen Semester, zusammen. Ich glaube, sie waren auch befreundet."

„Wissen Sie von irgendwelchen Streitigkeiten?", fragte die Oberkommissarin. Lennard schüttelte den Kopf.

„Ist Ihnen sonst etwas aufgefallen?", bohrte Lange weiter.

Lennard stieß frustriert die Luft aus. „Nein! Ich interessiere mich auch nicht für das Privatleben meiner Studenten, außer sie kommen direkt zu mir."

„Jemand kommt freiwillig mit Problemen zu Ihnen?", fragte Potrowski.

„Ja, warum nicht?", setzte Lennard entgegen.

„Weil Sie ein gefühlskalter Ar… Mensch sind, zum Beispiel."

„Wo andere sich mit ihrer Gefühlsduselei selber im Wege stehen, gehe ich die Probleme ganz objektiv und praktisch an. Zum Beispiel kam eine Studentin zu mir, in Tränen aufgelöst, weil sie unerwartet schwanger geworden war und klar war, dass dieses Kind vor der Beendigung ihres Studiums auf die Welt kommen würde. Ich bin weder in Verzückung, noch in Verzweiflung ausgebrochen und mir wäre es auch niemals eingefallen, den moralischen Zeigefinger zu heben. Das wusste meine Studentin. Darum ist sie zu mir gekommen. In der Universität des Saarlandes haben wir da einige hervorragende Möglichkeiten, wie extra Lesekabinen für Studenten mit Kindern und so weiter. Ich habe mit ihr zusammen einen Plan ausgearbeitet, wie sie nach der Geburt, trotz des Babys, ihr Studium beenden konnte. Sie hat es mir gedankt, indem sie mit Bestnoten abgeschlossen hat."

„Sie sind also der Problemlöser Ihrer Studenten? Der Psychopath als Vertrauenslehrer?", meinte Potrowski sarkastisch.

„Natürlich nicht! Mit irgendwelchen gefühlsduseligen Sachen wie: Der hat mich geärgert, die mobben mich oder Ähnliches muss niemand zu mir kommen. Selber Schuld, wenn man so etwas an sich heranlässt. Da gibt es andere Kollegen, die da liebend gerne Händchen halten."

Potrowski schaute Lange an. „Was meinst du, Dana? Für mich ist er noch immer der Hauptverdächtige. Er konnte meinen Verdacht gegen ihn in keiner Weise entkräften."

Lennard verschränkte die Arme vor seiner Brust. Er fühlte sich ausgeliefert und er hasste dieses Gefühl. Würden sie ihn jetzt verhaften? Was für Möglichkeiten blieben ihm dann noch? In einer Zelle sitzen und darauf warten, dass irgendein Richter ihn für den Rest seines Lebens wegsperrte? Er würde vor Langeweile sterben.

Doch sie ließen ihn gehen. Vorläufig, wie Potrowski betonte. Beim Hinausgehen war er so in Gedanken, dass er beinahe vergessen hätte, der hübschen brünetten Polizistin noch einmal ein strahlendes Lächeln zu schenken. Sie errötete zum dritten Mal an diesem Tag.

Kapitel 13

Lennard warf seine Haustür ins Schloss. Erschöpft lehnte er sich gegen das dunkle Holz. Sein Blick reichte ins Nichts. Wie lange sie ihn wohl noch frei herumlaufen lassen würden? Warum hatte dieser verdammte Mörder auch unbedingt an seiner Uni zuschlagen müssen. Es gab so viele andere, weit weg von ihm und seinem schönen Leben. War das Zufall oder Absicht? Immerhin verwendete der Mörder auch seine Worte. Wollte er ihm etwas beweisen, ihm schaden oder ihn sogar vernichten? Alles war möglich.

Ohne sich zu bücken, streifte er mit den Füßen seine Schuhe ab und schleuderte sie achtlos unter den Heizkörper. Auf Strümpfen schlurfte er in sein Wohnzimmer. Max war auf dem Revier geblieben. Die Polizisten wollten noch mit ihm reden. Über ihn und die Vernehmung. War es klug, zuzulassen, dass sein Freund, der alles über ihn wusste, mit der Polizei sprach?

Der Anrufbeantworter blinkte. Er drückte auf den Abspielknopf.

„Hallo. Hier Sanders. Bitte rufen Sie mich doch umgehend zu Hause an. Egal, wie spät es wird. Es ist wichtig! Die Nummer haben Sie ja. Bis dann."

Lennard sah auf die Wohnzimmeruhr. Die Vernehmung hatte länger gedauert, als er gedacht hätte. Es war schon zweiundzwanzig Uhr. Er wählte unwillig Sanders Privatnummer. Er hatte keine Lust mehr auf Gespräche. Er wollte nur noch seine Ruhe.

„Sanders", meldete sich der Dekan. Seine Stimme klang angespannt, bemerkte Lennard.

„Hier Lennard von Falkenstein. Ich sollte Sie zurückrufen, Dekan Sanders?"

„Ah, Falkenstein. Ja, wie ich hörte, sind Sie heute von der Polizei befragt worden. Sie haben Sie also nicht verhaftet?"

„Natürlich nicht. Warum hätten sie mich denn verhaften sollen?", fragte er. Dieses Gespräch gefiel ihm schon jetzt nicht.

„Nun ja. Die Beweise gegen Sie sind doch sehr erdrückend", sagte Sanders.

„Was für Beweise? Es gibt keine Beweise gegen mich! Höchstens Indizien und die sind falsch."

„Wie auch immer", setzte Sanders hinzu. „Mir bleibt da leider gar keine Wahl."

Lennard knirschte mit den Zähnen. „Wie meinen Sie das?"

„Ich kann Sie leider nicht weiter auf Ihrem Lehrstuhl belassen", sagte Sanders.

„Was?"

„Es um die Sicherheit unserer Studenten. Sie werden mit sofortiger Wirkung beurlaubt."

Lennard raufte sich mit der rechten Hand die Haare, während die linke Hand sich um das Telefon verkrampfte.

„Das können Sie nicht machen, Sanders", schrie er.

„Tut mir leid, Falkenstein, aber das habe ich schon gemacht."

„Ich habe mit dem Mord nichts zu tun!"

„Sie verzeihen, wenn ich mich da nicht auf Ihre Aussage verlassen kann", sagte Sanders. Lennard glaubte Genugtuung in seiner Stimme zu hören.

„Nein, das verzeihe ich nicht!", zischte Lennard nun ganz leise. Er konnte Sanders krampfhaftes Schlucken durch das Telefon hören. Geschah dem Mann recht, wenn er es jetzt mit der Angst zu tun bekam.

„Ich weise Sie auch darauf hin, dass Sie das Unigelände nicht mehr betreten dürfen. Auch nicht das Institut der Neurowissenschaft."

„Und wie soll ich dann an meiner Forschung weiterarbeiten?", fragte Lennard.

„Nun – gar nicht! Ihre Forschungsgelder sind noch bis zum Ende des Semesters bewilligt. Solange dürfen Ihre Mitarbeiter noch weiterarbeiten. Danach sehen wir, wie sich die Situation entwickelt hat."

Lennard wollte schreien, den Hörer an der nächsten Wand zerschmettern oder irgendetwas zerstören, aber eine leise aber hartnäckige Stimme, die sich verdammt nach seinem Freund Max anhörte, warnte ihn. Er wollte diesen Job unbedingt wiederhaben. Also beherrschte er sich.

„Ich verstehe, Sanders. Ich werde Ihre Entscheidung akzeptieren." Lennard konnte Sanders aufatmen hören.

„Aber nur bis diese Angelegenheit geklärt ist. Danach bekomme ich meine Professorenstelle und meinen Forschungsplatz wieder. Ohne Diskussion!"

Sanders zögerte.

„Sie wollen also Spielchen mit mir spielen? Sie glauben, den Tod des Mädchens für Ihre Zwecke missbrauchen zu können? Alle Achtung, Sanders. Solch eine Niedertracht und Skrupellosigkeit habe ich Ihnen gar nicht zugetraut", sagte Lennard. „Sie sollten sich aber fragen, ob Sie dieses Spiel wirklich gegen *mich* spielen möchten. Wir Psychopathen sind wahre Meister darin. Ich würde Sie vernichten und das meine ich nicht im übertragenen Sinne."

„Drohen Sie mir etwa, Falkenstein?" Die Frage sollte empört klingen, aber Lennard konnte die Furcht darin ganz deutlich hören. Gut so!

„Aber nein, Sanders, mein alter Freund. Ich würde Ihnen niemals drohen. Ich weise Sie nur auf Tatsachen hin."

„Kein Grund garstig zu werden, *alter Freund*", knickte Sanders ein. „Natürlich werden Sie Ihre Professur und Ihren Forschungsplatz zurückbekommen, sobald sich die Sache geklärt hat und Ihre Unschuld bewiesen ist. Sie sind nur beurlaubt, nicht entlassen."

„Vergessen Sie das nicht!", sagte Lennard und

drückte das Gespräch weg.

Natürlich war er nicht entlassen. Sanders konnte ihn als Beamten gar nicht so einfach entlassen. Aber wo ein Wille war, da war auch ein Weg und seine Karriere ruinieren konnte er allemal. Lennard holte aus und warf das Telefon mit aller Wucht gegen die Wand, wo es in tausend Stücke zerbarst. Na, toll! Jetzt brauchte er auch noch ein neues Telefon. Aber das hatte jetzt sein müssen.

Kapitel 14

Lennard schlug die Augen auf, als der Wecker sich anschaltete. Stöhnend drehte er sich auf die andere Seite. Sein Ärger über das Verhalten seiner Studenten, der Polizei, des Dekans und der damit verbundene vorübergehende Verlust seines Arbeitsplatzes hatten ihn nicht schlafen lassen. Er spielte mit dem Gedanken, einfach liegen zu bleiben, aber für heute hatte er sich noch etwas ganz Besonderes vorgenommen.

Widerstrebend stand er auf, zog ein paar Socken über die nackten Füße und schlurfte in die Küche. Mit seinem Kaffeeautomaten bereitete er sich eine große Tasse Kaffee zu und drückte den Knopf, der die Rollläden im Haus automatisch hochfahren lassen würde.

Grelle Blitze blendeten ihn, so dass er die Hand zum Schutz seiner Augen hob. Verwirrt blinzelte er nach draußen. Was war das? Warum waren die Blitze so grell und wo war der Donner?

Endlich begriff er. Entsetzt taumelte er zurück. Dutzende Fotografen rangen in seinem Vorgarten um den besten Platz, um ein Foto von ihm zu schießen. Er hörte ihr Fluchen, sie riefen nach ihm. Lennard ließ die Rollläden schnell wieder herunter. Schwer atmend eilte er zu seinem Badezimmer, warf einen Blick in den Spiegel.

Abgerissen sah er aus. Dunkle Ringe unter seinen

Augen und eine fahle Haut zeugten vom schlechten Schlaf in der vergangenen Nacht. Seine Haare standen ungekämmt in sämtliche Richtungen ab und der gestreifte Pyjama erinnerte ihn mit einem Male an eine Strafgefangen-Kluft.

Verdammt! So hatte man Fotos von ihm gemacht! Das war die absolute Katastrophe. Lennard achtete immer, absolut immer, auf ein perfektes Erscheinungsbild in der Öffentlichkeit. So hatte er es von Kind auf gelernt. Immerhin war er ein von Falkenstein. Und nun das.

Er stützte beide Hände am Rand des Waschbeckens ab und ließ den Kopf hängen. Es war nicht mehr zu ändern.

Er verbrachte diesen Morgen besonders lange unter der Dusche, zog einen weinroten dünnen Wollpullover zu einer strapazierfähigen, dunkelblauen Jeans an, stutzte sorgsam den Drei-Tage Bart und schrubbte sich fünf Minuten lang die Zähne. Auf Frühstück hatte er keinen Appetit mehr. Mit einer Bürste kämmte er die Haare zurück, fixierte sie mit ein wenig Spray. Akribisch reinigte er seine Brille, bevor er sie aufsetzte. Prüfend betrachtete er sein Spiegelbild. Aus der Garderobe schnappte er sich noch einen dunkelblauen Schal, den er sich lässig um den Hals schlang, dann öffnete er die Haustür. Wieder wurde er von zahlreichen Blitzen geblendet. Lennard brauchte all seine Willenskraft, um nicht die geschundenen Augen zusammenzukneifen. Nein, dadurch würde er wütend und gefährlich aussehen. Er musste sein neutrales Gesicht wahren. Langsam holte er die Tageszeitung aus dem Zeitungsrohr, warf noch einen kalkulierten Blick in die Runde. Jeder sollte die Möglichkeit haben, ein gutes Foto von seinem aufgeräumten Ich zu bekommen. So würden die schrecklichen Bilder durch das Küchenfenster hoffentlich gar nicht erst abgedruckt werden. Fragen stürmten auf ihn ein.

„Warum haben Sie Ihre Studentin umgebracht?",

„Stimmt es, dass Sie eine Affäre mit dem Opfer hatten? Musste sie darum sterben?",

„Wird die Polizei Sie verhaften, jetzt da Sie Ihr eigener Arbeitgeber für schuldig hält?".

Lennard atmete tief durch. Nicht eine einzige der Fragen ließ einen Zweifel an seiner Schuld zu. In den Augen dieser Reporter war er ohne Frage der Täter.

„Ich bedaure zutiefst den Tod von Janine Renner. Der Mord an ihr erschüttert mich genauso wie Sie. Ich hoffe, der wahre Täter wird bald gefasst werden."

Damit schloss er die Tür.

War das klug, etwas zu sagen? Doch Schweigen hätte sich wie Zustimmung zu den absurden Anschuldigungen angefühlt. Lennard ging seine Worte in Gedanken noch einmal durch. Waren Sie für die Normalen emotional genug? Vielleicht hätte er nicht sagen sollen, er sei *genauso* erschüttert wie sie, sonder *noch viel mehr* erschüttert. Immerhin war die junge Frau seine Studentin gewesen. Nun ja, diese Feinheit war wohl vernachlässigbar.

Lennard blätterte die Tageszeitung durch. Der Mord an Janine Renner hatte es auf die erste Seite des Lokalteils geschafft. Ein großer Artikel, in dem noch nicht sein Name genannt wurde. Lennard schätzte, dass sich das bis zur Montagsausgabe ändern würde. Mit der flachen Hand schlug er die Zeitung zu. Das leise Klatschen brachte noch keine Befriedigung. Schnell griff er nach der Zeitung, zerknüllte sie und warf den Papierball gegen die nächste Wand. Schon besser.

Er stieg in seinen silbermetallischen Porsche 911 GT2 RS mit schwarzer Kühlerhaube und schwarzem Dach, die beide von einem ebenfalls silbermetallischen Zierstreifen durchbrochen wurden. Auf der Front des Wagens thronte stolz das Porschelogo. Die Garagentür fuhr hoch, während er den Motor schon bedrohlich aufheulen ließ. Kein Reporter sollte es wagen, sich ihm in den Weg zu stellen. Tatsächlich erreichte er mit nur wenigen Zwischenstopps die Straße und gab Gas. Eine Meute Reporter im Schlepptau. Er bog auf die nächste Autobahn ab und trat das Gaspedal durch. Die Reporter waren hartnäckig, aber seinem siebenhundert PS starkem Porsche nicht gewachsen. Schon bald hatte er auch den Letzten von ihnen abgehängt.

Der Wind säuselte leise in seinen Ohren. Er war ganz schwach. In der Stadt hatte er ihn gar nicht wahrnehmen können. Doch hier oben, auf der Plattform des riesigen Krans, hörte er ihn flüstern.

Lennards Herz machte einen Satz. Er nährte sich mit vorsichtigen, kleinen Schritten dem offenen Rand. Sein Herz schlug kräftiger und schneller weiter, als er in die Tiefe blickte. Siebzig Meter ging es hier hinunter. Unten erwartete ihn der harte Lehmboden, auf dem nur spärlich Gras wuchs und der von schroffen Gesteinsbrocken an zahlreichen Stellen durchbrochen wurde.

Spürte man noch etwas, wenn man dort aufschlug?

Er breitet die Arme aus. Das angenehme Kribbeln kehrte in seinen Bauch zurück. Wie sehr er dieses Gefühl liebte. Er wollte es auskosten, verharrte in diesem Moment zwischen Stehen und Fallen.

Wenn sie ihn einsperrten, würde er dieses Gefühl der Lebendigkeit für immer verlieren. Er wäre verdammt zu einem Leben in Monotonie und Langeweile. Das durfte er nicht zulassen! Lieber zertrümmerte er seinen Körper auf dem erbarmungslosen Boden unter ihm.

Er ging leicht in die Knie und stieß sich dann mit aller Kraft von der Plattform ab.

Er flog! Das Kribbeln wurde zu einem Heer aus tausend Schmetterlingen. Ein wunderbares Gefühl. Er lachte, als er in die Tiefe stürzte. Der Boden raste auf ihn zu! Ein Rucken ging durch seinen Körper, als das Bungeeseil Spannung bekam und seinen Fall abbremste. Doch es vermochte ihn noch nicht zu stoppen. Weiter und immer weiter dehnte es sich, bis Lennard jeden Grashalm auf dem Boden unter ihm ausmachen konnte, dann katapultierte es ihn wieder in die Höhe, damit er abermals in die Tiefe stürzen konnte. Sein Herz schlug Purzelbäume. Er fühlte sich so lebendig!

Kapitel 15

Lennard öffnete das Gartentor und trat zum Eingangsbereich des freistehenden Einfamilienhauses. Nahe an Saarbrücken, aber in einer ruhigen Vorortlage.

Es war nicht schwer, einen Menschen ausfindig zu machen, selbst wenn dieser versuchte, jeden Kontakt zu unterbinden. Cecilia von Falkenstein hatte versucht, ihn zu meiden. Wenn sie zu den Festtagen ihre Eltern besuchte, fragte sie zuvor, ob Lennard sich angekündigt hatte. Wenn er dort zu Besuch war, kam sie an einem anderen Tag. So hatte sie es erfolgreich geschafft, ihren Bruder seit zweiundzwanzig Jahren aus dem Weg zu gehen. Nicht, dass Lennard das kümmerte. Es war ihm reichlich egal. Doch jetzt brauchte er sie.

Von seiner Mutter wusste er, dass seine Schwester eine sehr erfolgreiche Strafverteidigerin war. Er hatte vergeblich versucht, sie dazu zu bringen, ihm die Adresse seiner Schwester zu nennen. Doch Klara von Falkenstein war standhaft geblieben.

„Ich musste es ihr schwören, Lennard. Ich musste ihr schwören, dir ihre Adresse niemals zu geben. Wenn du möchtest, gebe ich ihr deine Nummer und sage ihr, dass du sie dringend sprechen musst."

„Das hat doch kein Zweck, Mutter. Sie würde niemals anrufen!", hatte er zornig erwidert und war ohne ein weiteres Wort aus dem Haus seiner Eltern gestürmt.

Doch im Zeitalter des Internets hatte er keine halbe Stunde gebraucht, um die nötigen Informationen selber herauszufinden, und nun stand er vor ihrem Haus. Er klingelte.

Verwirrt sah er auf das junge Mädchen hinunter, welches die Tür öffnete. Sie sah aus wie Cecilia, aber das konnte doch nicht stimmen! Seine Schwester müsste sechsundvierzig Jahre alt sein. Dann erinnerte er sich daran, dass seine Mutter ihm voller Stolz davon berichtet hatte, dass sie Oma geworden war. Cecilia hatte ein Baby bekommen. Klara hatte viele Bilder gezeigt, die er gleichgültig zur Seite geschoben hatte. Was interessierten ihn die Kinder anderer Leute? Ja, das dürfte etwa zwölf Jahre her sein. Wie war noch ihr Name? Seine Mutter hatte ihn mehrmals erwähnt, aber er hatte ihrem glücklichen Gebrabbel nicht zugehört und konnte sich nun beim besten Willen nicht mehr daran erinnern. Er setzte ein charmantes Lächeln auf.

„Hallo, meine Liebe. Es ist höchste Zeit, dass wir uns kennenlernen. Du bist ja schon so groß! Ich bin dein Onkel Lennard. Ist deine Mutter da?"

Das Mädchen sah ihn verwirrt an. „Onkel? Was für ein Onkel?"

„Ich bin der jüngere Bruder deiner Mutter. Hat sie denn nichts von mir erzählt?"

Das Kind schüttelte den Kopf.

Das war wahrscheinlich auch besser so, dachte Lennard.

„Darf ich hereinkommen? Ich muss ganz dringend mit meiner Schwester reden", sagte er immer noch lächelnd.

Die Kleine überlegte. „Mama ist unter der Dusche, aber da du ihr Bruder bist, ist das bestimmt ok, wenn ich dich rein lasse."

Lennard nickte. „Ganz bestimmt."

Das Mädchen führte ihn in eine schön eingerichtete Wohnküche und setzte sich an den Esstisch. Vor ihr stand eine Tasse, die dem Geruch und Aussehen nach, Kakao enthielt. Lennard setzte sich ebenfalls.

„Wo ist denn dein Vater?"

„Der ist noch beim Golfen", antwortete das Kind.

Golf! Was für ein Sport für Langweiler. Wie konnte man seine Zeit nur so sinnlos verschwenden? Mehr musste er gar nicht über Cecilias Mann wissen. Er kannte noch immer nicht den Namen des Kindes, aber er konnte sie auch schlecht danach fragen. Immerhin sollte er so etwas als Onkel wissen.

„Warum habe ich dich noch nie gesehen? Hast du zu weit weg gewohnt?", fragte das Mädchen.

„Nein, eigentlich nicht. Ich war wohl zu beschäftigt. Weißt du, ich bin ein sehr angesehener Wissenschaftler. Ich unterrichte nicht nur Studenten auf dem Gebiet der Genetik, sondern auch Ärzte und Professoren. Meine Forschungen liefern bahnbrechende Erkenntnisse. Ich habe darüber auch schon Bücher geschrieben."

„Echt jetzt? Krass. Bedeutet das, du bist berühmt?"

Lennard lehnte sich geschmeichelt auf seinem Stuhl zurück. „Nun, auf meinem Fachgebiet durchaus, ja."

Die Küchentür ging auf und seine Schwester trat mit nassen Haaren ein. Sie war ganz eindeutig in die Jahre gekommen, auch wenn sie für ihr Alter noch durchaus attraktiv war. Natürlich. Immerhin teilten sie sich den gleichen Genpool. Als sie ihn entdeckte, blieb sie wie angewurzelt stehen und sah ihn entsetzt an.

„Hallo, Cecilia. Schon lange nicht mehr gesehen", sagte er. Seine Lippen verzogen sich zu diesem kalten Lächeln, von dem er wusste, dass es seiner Schwester eine Riesenangst einjagte. Er konnte einfach nicht widerstehen. Es machte ihm Spaß, sie zu ängstigen. Doch schnell besann er sich. Jetzt war nicht die Zeit, sich zu amüsieren. Er brauchte Cecilias Hilfe und damit ihr Wohlwollen. Es fiel ihm leicht, den inneren Schalter von gefährlich auf charmant zu stellen. Er entspannte seinen Körper, lehnte sich gemütlich auf dem Stuhl zurück und lachte leise.

„Ich ärgere dich nur ein bisschen, Schwesterchen. Du weißt, ich bin harmlos."

Cecilia kam zögernd näher. „Nein, das bist du nicht!"

„Komm schon. Wie heißt es in deinem Metier? Im Zweifel für den Angeklagten. Ich habe noch niemals etwas Schlimmes getan."

Seine Schwester atmete tief ein und aus. „Noch nicht."

„Warum also diese Angst vor mir?"

„Weil ich weiß, wozu du in der Lage bist. Ohne mit der Wimper zu zucken und ohne auch nur eine schlaflose Nacht deswegen zu riskieren", fügte sie hinzu.

„Mama? Was meinst du?", fragte das Mädchen und blickte unsicher von einem zum anderen.

„Ich erkläre es dir später, Hellen. Sei so gut, und geh auf dein Zimmer, damit ich kurz ungestört mit meinem Bruder sprechen kann. Es wird auch nicht lange dauern."

Lennard sah Hellen an, dass sie gerne widersprochen hätte, doch nach einem kurzen inneren Kampf stand das Mädchen auf und ging zur Küchentür.

„Bis bald, Onkel Lennard", sagte sie, bevor sie den Raum verließ.

Cecilia blickte Lennard direkt an. Er sah die unterdrückte Wut in ihren Augen.

„Was willst du, Lennard?"

„Wie lange ist es her, dass wir uns das letzte Mal sahen? Zweiundzwanzig Jahre? Ich habe dich vermisst."

„Blödsinn! Du vermisst niemanden, der nicht von unmittelbarem Nutzen für dich ist. Raus mit der Sprache: Was willst du von mir?"

Lennard ließ alle gespielte Fröhlichkeit fallen und wurde ernst. „Ich brauche deine Hilfe, Cecilia."

„Dachte ich es mir doch! Und wobei kann ich dem großen Lennard von Falkenstein helfen, wo du doch schon eine Evolutionsstufe über mir thronst?"

Sie hatte also das Video-Interview im Internet gesehen, in dem er seine Thesen zur Psychopathie dargelegt hatte. Interessant.

„Man beschuldigt mich des Mordes. Ich brauche die beste Strafverteidigerin und das bist nun mal du. Natürlich. Immerhin bist du eine Falkenstein. Wir sind bekannt für unseren Intellekt."

Cecilia atmete tief durch. „Dann ist es jetzt also so weit. Es ist geschehen."

Lennard legte den Kopf schief. „Was meinst du?"

„Ich habe nur auf den Moment gewartet, dass die Bestie in dir ausbricht und irgendeine arme Seele mit in den Abgrund reißt. Ich hatte nur erwartet, dass ich das erste Opfer sein würde."

Lennard blinzelte. „Herzlichen Dank für dein Vertrauen!", sagte er trocken. „Nur um es klarzustellen: Ich habe diese Frau nicht ermordet. Ich werde fälschlicherweise beschuldigt." Ein boshaftes Lächeln durchbrach sein Gesicht. „Es stehen dir also noch alle Chancen offen, zu meinem ersten Opfer zu werden."

Cecilia erbleichte und trat einen Schritt zurück.

Lennard seufzte. Ja, dieser Kommentar und die Reaktion seiner Schwester darauf hatten Spaß gemacht, waren aber wohl nicht sehr hilfreich in seinem Unterfangen, Cecilias Hilfe zu erbitten.

„Ganz im Ernst. Ich habe niemanden ermordet. Weder dieses Mal, noch zu einem anderen Zeitpunkt. Ich benötige deine Hilfe, um es zu beweisen."

Cecilia sah ihm eine Weile schweigend in sein Gesicht. Dann schüttelte sie entschlossen den Kopf.

„Nein, Lennard. Ich lasse mich von dir nicht wieder in diese kranke Welt hineinziehen. Du musst dir einen anderen Strafverteidiger suchen. Bitte respektiere meinen Wunsch und halte dich von mir fern."

„Ich brauche dich, Cecilia! Ich brauche dich, wie noch nie zuvor. Es geht hier um alles, was ich mir aufgebaut habe. Es geht um meine Zukunft, mein Leben. Die Polizei, die Presse: Sie alle haben mich schon vorverurteilt. Sie suchen gar nicht nach dem wahren Mörder, sondern nur nach etwas, mit dem sie mich mit dem Mord in Verbindung bringen können. Bitte wende dich jetzt nicht von mir ab. Dieses eine Mal. Bitte nicht."

Cecilia senkte den Kopf. „Lennard … ich kann nicht. Es tut mir leid."

Sie wies ihn ab! Seine eigene Schwester konnte ihm nicht genug Vertrauen entgegenbringen, um ihm zu helfen. Dabei hatte er sie angebettelt. Lennard von Falkenstein bettelte sonst nie. Niemals!

Er spürte, wie seine Kraft ihn verließ. Seine Schultern sackten nach vorne, waren mit einem Male zu schwer, um weiter aufrecht zu sitzen. Wer würde ihm noch glauben? Wenigstens genug, um seine Verteidigung mit der nötigen Aufrichtigkeit zu betreiben. Er sah es schon vor sich, wie er die Anwälte aufsuchte.

„Guten Tag, mein Name ist Lennard von Falkenstein. Man beschuldigt mich des Mordes. Ich bin ein diagnostizierter Psychopath, habe mit diesem Verbrechen aber wirklich nichts zu tun. Ganz ehrlich!"

Niemand würde ihm glauben, niemand ihm vertrauen. Natürlich würde er am Ende einen Verteidiger finden, doch was würde der wert sein? Er brauchte jemanden, der schon einmal grundsätzlich von seiner Unschuld ausging, so dass er auch andere davon überzeugen konnte. Noch nie, oder zumindest sehr selten, hatte er seine Psychopathie als Nachteil gesehen. Das war sie im Allgemeinen nicht. Sie war ein Vorteil, eine notwendige Weiterentwicklung des Menschen, der sich an eine veränderte Lebensweise anpasste. Doch was nützte es, auf der nächsten Stufe der Evolution zu stehen, wenn man für das, was man war, den Rest seines Lebens weggesperrt wurde?

Langsam erhob er sich von seinem Platz, fühlte sich dabei wie ein alter Mann.

„Also gut. Entschuldige bitte die Störung und so weiter. Du kennst ja die ganzen Verabschiedungsfloskeln. Ich werde dich nicht länger behelligen."

War das seine Stimme? So kraftlos. Er erkannte sie fast nicht wieder.

„Lennard, warte." Tränen standen in Cecilias Augen.

„Kannst du dich in meine Lage versetzen? ... Nein, natürlich nicht. Dazu bist du gar nicht fähig", beantwortete sie ihre eigene Frage. Sie presste zwei Finger an ihre Nasenwurzel und seufzte.

„Also gut. Sag mir, was passiert ist. Schildere mir die Situation und warum die Polizei glaubt, du seist der Mörder", sagte sie schließlich.

Lennard sah sie hoffnungsvoll an. „Du übernimmst meinen Fall?"

„Ich ... ich höre mir das Ganze einmal an und dann kann ich dich vielleicht an einen Kollegen von mir verweisen. Ich kenne sie und weiß, wer für deine Situation der Beste sein wird."

Lennard sank auf den Stuhl zurück und starrte vor sich auf die Tischplatte.

„Eine junge Frau wurde ermordet. Sie wurde brutal mit einem Holzknüppel erschlagen. Man fand einen Zettel bei ihrer Leiche. Dort stand groß: *Der Psychopath*. Er schickte der Polizei auch ein Bekennervideo. Darauf wiederholt der Mörder quasi meine Worte aus dem Internetvideo, das du ja zu kennen scheinst. Dass die Psychopathie keine Krankheit, sondern die nächste Stufe der Evolution sei und so weiter. Er benutzt sogar den von mir kreierten Begriff des *Homo psychopathos*. Aber er geht noch weiter. Er sagt, dass er das Recht besäße, so mit normalen Menschen umzugehen, denn nichts anderes würden Tausende von Menschen tagtäglich mit den unter ihnen stehenden Tieren tun und der Rest würde das schweigend billigen. Mit niederen Kreaturen umzugehen, wie es einem beliebt. Brutal, ohne Mitleid, ohne Reue. Er hat als Beispiel den Umgang von Menschen mit Schweinen in einem Zuchtbetrieb aufgeführt."

„Also schön. Der Täter hat also einige Thesen von dir zitiert und sie mit in seine kranke Fantasie gezogen. Aber dein Video hatte achthunderttausend Klicks."

„Neunhunderttausend", verbesserte Lennard automatisch.

Cecilia fuhr unbeeindruckt fort: „Jeder hätte diese Worte von dir abkupfern können, um damit sein Handeln zu legitimieren. Wieso jetzt dieser dringende Tatverdacht gegen dich? Gibt es eine Verbindung zwischen dem Opfer und dir?", fragte Cecilia.

Lennard verzog gequält das Gesicht. „Du hattest schon immer eine rasche Auffassungsgabe. Ja, es gibt tatsächlich eine solche Verbindung. Das Opfer war meine Studentin."

Cecilia schwieg einen Augenblick.

„Das ist übel, Lennard", sagte sie schließlich.

„Ja, ich weiß. Die Polizei hat ihre Ermittlungen erst aufgenommen, und ich wurde bereits vom Dekan bis auf weiteres beurlaubt. Ich darf das Gelände der Uni nicht einmal mehr betreten. Solche rückradlose Heuchler. Als Attraktion ihrer Uni, als Studentenmagnet, war ich ihnen recht. Mit meiner herausragenden Forschung haben sie sich auch gerne geschmückt. Doch kaum tauchen diese haltlosen Anschuldigungen auf, da lassen sie mich fallen wie eine heiße Kartoffel", wetterte Lennard und schlug erbost mit der Faust auf den Tisch, so dass Hellens Tasse nur so schepperte.

Seine Schwester zuckte bei diesem plötzlichen Wutausbruch zusammen. Schnell brachte Lennard seinen Zorn unter Kontrolle. Er brauchte Cecilia auf seiner Seite. Wenn sie ihm schon nicht persönlich helfen wollte, so konnte sie bei einem fähigen Kollegen ein gutes Wort für ihn einlegen. Er fuhr fort:

„Heute Morgen hat mich eine Horde Reporter zuhause überrascht. Für sie steht der Täter ebenso schon fest. Sie werden die gesamte Öffentlichkeit gegen mich aufbringen."

„Da du jetzt bei mir sitzt, bedeutet das wohl auch, dass du kein Alibi für die Tatzeit vorweisen kannst."

Lennard schüttelte nur den Kopf.

„Hast du dir jemals überlegt, wie dämlich so eine

Aktion war? Sich vor einer laufenden Kamera als Psychopath zu outen?", fragte Cecilia unvermittelt.

Lennard zog ärgerlich die Brauen zusammen. „Nein! Warum sollte ich mir über so etwas Gedanken machen?"

„Weil jede Aktion Konsequenzen nach sich zieht. Eine Tatsache, die in deiner Programmierung vollkommen außer Acht gelassen wurde."

Lennard winkte ab. „Warum sollte ich mir Gedanken machen, welche Reaktionen bei anderen durch meine Aussage stattfinden?"

„Weil dich so etwas deinen Bekanntenkreis, deinen Ruf, deinen Job und vielleicht sogar deine Freiheit kosten könnte. Darum!"

Lennard öffnete den Mund zu einer Erwiderung. Doch ihm fiel nichts Passendes ein.

„Und deshalb glaube ich auch nicht daran, dass die Psychopathie die nächste Evolutionsstufe ist. Denn eine Gesellschaft aus solchen machthungrigen, egozentrischen Wesen, denen die Konsequenzen ihres Handelns so vollkommen egal sind, steuert meiner Meinung nach in rasender Geschwindigkeit auf den Abgrund zu."

„Meiner Theorie nach, wird in ein paar Hundert Jahren jeder Mensch mit solchen Psychopathen-Genen ausgestattet sein. Das ist der Lauf der Natur", sagte Lennard.

„Nun, vielleicht hat die Natur ja endgültig die

Nase von uns voll und möchte uns so schnell wie möglich loswerden", konterte Cecilia.

Lennard musste lachen. „Ja, vielleicht."

Cecilia entspannte sich und lächelte ebenfalls.

„Bist du noch mit Max Pabst befreundet?", fragte sie unvermittelt.

Lennard nickte. „Er ist jetzt auch Psychologe, wie seine Mutter. Nur hat er sich auf Suchttherapie spezialisiert."

„Echt? Das wundert mich. Wo er doch sein Anschauungsobjekt in Sachen Psychopathie seit seiner Kindheit vor Augen hatte. Ich hätte erwartet, dass er da ganz selbstverständlich auch diese Spezialisierung ergreift", überlegte Cecilia.

„Mich wundert das gar nicht", entgegnete Lennard. „Dr. Pabst Senior war *die* Koryphäe auf diesem Gebiet. Was für einen Platz hätte es da noch für Max gegeben. Doch höchstens den Zweiten. Das ist nicht befriedigend."

„Wow, ich glaube, Max hat tatsächlich bei dir eine Verbesserung erreichen können. Dass du dich einmal so in einen Menschen hineinversetzen könntest, hätte ich nicht für möglich gehalten", sagte Cecilia.

Lennard grinste. „Es bedarf keiner Verbesserung von Perfektionismus", sagte er.

Cecilia rollte mit ihren Augen.

„Aber ich kenne Max nun auch schon fast mein ganzes Leben. Wir sprechen viel miteinander. Unter anderem war ich bei seiner Berufsfindung live dabei. Daher vielleicht die ungewohnte Einsicht."

„Aber auch, dass du diese Freundschaft so lange aufrecht erhalten konntest, beeindruckt mich schon", beharrte Cecilia.

„Max ist sehr tolerant. Er weiß, auf was er sich bei mir einstellen muss und belästigt mich nicht mit falschen Erwartungen. Ich denke, ich habe ihm auch gutgetan. Meine Logik und Objektivität hat ihm bei so manchen Problemen geholfen. Ihr Normalen verstrickt euch ja immer in eurer Emotionalität und schafft Probleme, wo gar keine sind."

„Hmm", brummte Cecilia nur. War das eine Zustimmung oder eher Missfallen? Lennard konnte es nicht genau sagen, aber das leichte Lächeln lag noch immer auf Cecilias Lippen.

„Hast du mit Max über den Mord gesprochen?", fragte sie.

Lennard nickte. „Er hat mich gewarnt, dass ich bald in das Visier der Polizei geraten würde. Und er hatte Recht."

„Woher wusste er das?", wunderte sich seine Schwester.

„Weil sie ihn mit seiner Mutter, die Fachfrau schlechthin auf diesem Gebiet, verwechselt haben. Doch da sie tot ist, ziehen sie ihn zu Rate."

„Dr. Pabst Senior ist tot? Das tut mir leid, für Max. Woran ist sie gestorben?"

„Sie wurde von einem ihrer Psychopathen ermordet", sagte Lennard und zeigte Cecilia sein böses Lächeln. Seine Schwester schlug sich entsetzt die Hand vor dem Mund.

„Nein, ich mach nur Spaß", meinte Lennard. „Sie hatte Brustkrebs. Sie hat lange damit gekämpft, aber er kam immer wieder, bis er letztlich im ganzen Körper gestreut hatte."

Cecilia sah ihn böse an. „Das ist nicht witzig, Lennard. Über so etwas macht man keine Scherze! Hrrr, kaum glaubt man, dass man sich inzwischen ganz gut mit dir unterhalten kann, da musst du einem wieder beweisen, wie krank du im Kopf bist!"

„Ich bin nicht krank im Kopf!", zischte Lennard. Die Wut brodelte in seinem Inneren. Ganz unvermittelt war sie da. Ihr plötzliches, aber heftiges Erscheinen überraschte ihn manchmal.

„Das machst du immer! Schon seit ich denken kann, behauptest du, ich sei krank im Kopf. Ihr Normalen seid doch angeblich so gut im Einfühlungsvermögen. Was glaubst du, wie es mir dabei geht, wenn du so etwas behauptest? Du hast es ständig vor unseren Eltern gesagt, vor Onkeln und Tanten, vor Freunden oder wildfremden Leuten. Du konntest gar nicht oft genug betonen, wie anders ich bin als du! Kein Wunder, dass mich niemand leiden konnte."

Eins, zwei, drei, vier, fünf, sechs, sieben, acht, neun, zehn. Lennard atmete durch und öffnete seine Augen.

Er hatte die Wut wieder in ihr Kellerverlies gesperrt, wo sie hoffentlich eine Weile blieb. Es war lästig, wie sie sein Bemühen unterwanderte, seine Schwester dazu zu bringen, ihm zu helfen.

Cecilia starrte ihn mit offenem Mund an.

„Lennard ich ... so habe ich das noch nie gesehen." Sie biss sich auf die Lippe. „Ich dachte immer, solche Sachen treffen dich gar nicht. Du hast deswegen niemals verletzt ausgesehen. Du hast mich dann immer nur so dämonisch angegrinst, dass mir ganz schlecht vor Angst wurde. Es tut mir leid, wenn ich dir weh getan habe. Aber es war zum Teil auch einfach Selbstschutz. Ich musste unseren Eltern begreiflich machen, dass mit dir etwas nicht stimmt ... also, ich meine, dass du anders bist. Und auch danach ... ich wollte einfach nicht, dass die Leute glaubten, ich sei auch so ... anders als du. Das macht es nicht besser, nicht wahr? Vielleicht brauchten wir beide erst einmal zweiundzwanzig Jahre Abstand, um überhaupt noch einmal normal miteinander reden zu können."

„Ja, vielleicht", sagte Lennard.

„Gibst du mir die Telefonnummer von Max? Darf ich mit ihm über den Fall sprechen?", fragte Cecilia.

Lennard gab seiner Schwester die Nummer. Er wusste sie auswendig. Das war vielversprechend. Wenn Cecilia erst einmal mit seinem Freund sprach, überlegte sie es sich vielleicht doch noch, selber seinen

Fall zu übernehmen.

„Ich spreche sofort mit Max, dass er ganz offen mit dir reden kann. Zögere bitte nicht zu lange. Als ich heute auf der Plattform des großen Krans gestanden habe und mir den Boden siebzig Meter unter meinen Füßen anschaute, da ist mir klargeworden, dass ich ein Leben, irgendwo eingesperrt, niemals ertragen könnte. Das wäre, wie lebendig begraben zu sein!"

Cecilia schnappte nach Luft. „Du hast von einem Kran siebzig Meter in die Tiefe gestarrt? Was hast du da oben gemacht? Du wolltest doch nicht etwa …?"

Lennard lachte. „Bungee-Jumping, Schwesterchen. Bungee-Jumping. Du solltest es wirklich einmal ausprobieren. Man fühlt sich dabei so lebendig!"

„Danke. Das muss nicht sein. Ich fühle mich auch so schon ganz lebendig." Cecilia schaute ihn prüfend an. Schien in seinem Blick nach etwas zu suchen. Lennard sah sie unverwandt an. Achtete dabei darauf, das Blinzeln nicht zu vergessen. Die Normalen wurden schnell nervös, wenn man sie ohne diese unwillkürliche Liedbewegung ansah.

„Ich melde mich morgen telefonisch bei dir. Dann besprechen wir alles Weitere", sagte sie schließlich.

Kapitel 16

Als Lennard fort war, ging Cecilia in Hellens Zimmer. Ihre Tochter saß an ihrem Schreibtisch und war in ihr Mathematikbuch vertieft. Auf einem Block standen Aufgaben, die sie sich herausgeschrieben hatte.

„Nanu, so fleißig an einem Samstagvormittag?", fragte Cecilia und setzte sich auf Hellens Bett, das schräg neben dem Schreibtisch stand.

„Ach, wir schreiben Montag eine Mathe-Arbeit. Ist Onkel Lennard weg?"

„Ja, ist er."

„Schade, ich hätte noch gerne mit ihm gesprochen. Warum wusste ich nichts von ihm? Das finde ich komisch. Du scheinst ihn auch nicht zu mögen, Mama."

Cecilia überlegte. Wie sollte sie das ihrer Tochter erklären?

„Ach, unsere Situation war ein wenig schwierig. Wir brauchten beide erst einmal eine Auszeit voneinander", sagte sie und wusste selber, wie lahm das klang.

„Ich mag Onkel Lennard. Er scheint nett zu sein", sagte Hellen.

„Aber er mag dich nicht", entfuhr es Cecilia.

Hellen sah sie verletzt an. „Hat Onkel Lennard das gesagt? Dass er mich nicht mag?"

„Nein, Hellen, das hat er nicht."

„Warum tust du es dann, Mama?"

„Ich sage das nicht, um dir weh zu tun. Ich sage es, weil es so ist. Das ist auch gar nicht böse von Onkel Lennard gemeint. Er ist krank, Hellen. Eine angeborene Krankheit, die sich leider nicht durch Medikamente beheben lässt."

Cecilia suchte nach den richtigen Worten, um es ihrer Tochter begreiflich zu machen.

„Ist es sehr schlimm? Hat er Schmerzen?", fragte Hellen.

Cecilia schüttelte den Kopf. „Nein, Schatz. Für ihn ist das gar nicht schlimm. Nur für die Menschen in seinem Umfeld. Er kann sie nicht lieben. Nicht richtig. Nicht so wie wir uns lieben, ganz selbstlos und ohne Bedingungen."

„Auch nicht Oma und Opa? Sie sind doch seine Eltern?"

„Ich weiß es nicht, Hellen. Er kommt sie regelmäßig besuchen. Aber vielleicht eher, weil man ihm beigebracht hat, dass man so etwas tut, als aus einem inneren Bedürfnis heraus. Ich weiß es nicht. Vielleicht tue ich ihm da auch unrecht und er liebt sie auf seine ganz eigene Weise. Er hat auch einen besten Freund. Diese Freundschaft hält schon ewig. Seit sie kleine Kinder waren. Aber was für Gefühle da bei Lennard dahinterstecken, oder ob überhaupt Gefühle dabei mit im Spiel sind? Keine Ahnung. Wenn du mich noch gestern gefragt hättest, hätte ich dir geantwortet, dass mein kleiner Bruder mit einer bösen Seele geboren wurde, die nichts, außer ihm selber, zu lieben vermag. Heute denke ich, dass ich da bei meinem Urteil in meinem eigenen Schrecken gefangen war. Er scheint doch ein ganz anständiger Mensch geworden zu sein. Reizbar, narzisstisch – aber böse?" Cecilia biss auf ihre Lippe. „Er steckt in Schwierigkeiten. Man beschuldigt ihn, etwas ganz Schlimmes gemacht zu haben. Lennard hat mich heute um Hilfe gebeten. Ich soll ihm als Strafverteidigerin zur Seite stehen. Ich weiß nicht, ob ich es tun soll?"

„Aber natürlich solltest du das tun, Mama. Er ist doch dein kleiner Bruder!"

Cecilia lächelte ihre Tochter an. Sie strich zärtlich über ihr Haar. Vor Hellens Geburt hatten sie Albträume geplagt. Die Psychopathie lag eindeutig in ihrer Familie. Was, wenn ihr eigenes Kind diese Krankheit geerbt hätte? Was, wenn Hellen als Psychopathin geboren worden wäre? Zum ersten Mal hatte sie in diesem Moment ihre eigene Mutter verstehen können. Doch sie war sich nicht sicher, ob sie selber die Kraft und den Mut besessen hätte, solch ein Kind unbeirrt und bedingungslos zu lieben. Gott sei Dank war ihr diese Prüfung erspart geblieben. Doch sie wagte kein zweites Mal, ihr Glück auf die Probe zu stellen. Hellen würde ein Einzelkind bleiben.

„Es hat Auswirkungen, sich mit Lennard von Falkenstein einzulassen. Ich habe jahrelang gebraucht, um mich davon zu erholen, mit ihm aufgewachsen zu sein. Das ist schwer begreiflich für jemanden, der das nicht erlebt hat. Wenn ich ihm jetzt helfe, bin ich am Ende vielleicht selbst kaputt."

Cecilia seufzte und stand auf. „Ich rufe am besten Lennards Freund Max an. Er kennt ihn besser als ich und kann mir möglicherweise bei meiner Entscheidung helfen."

Cecila ging die Treppen hinunter und griff nach dem Telefon. Sie wählte die Nummer von Dr. Maximilian Pabst, welche Lennard ihr notiert hatte. Als sie das gleichmäßige Tuten aus dem Telefon vernahm, wurde ihr bewusst, dass sie eigentlich keine Ahnung hatte, wie sie das Gespräch beginnen sollte. Sie spielte mit dem Gedanken einfach aufzulegen, als sich eine angenehm klingende Stimme meldete.

„Pabst." Sie war nicht so tief wie Lennards, aber auch nicht zu hoch für einen Mann.

„Hallo?", fragte die Stimme nach, als Cecilia nichts sagte.

„Ja, entschuldigen Sie, Dr. Pabst. Hier spricht Cecilia von Falkenstein. Ich weiß nicht, ob Sie sich noch an mich erinnern können", begann Cecilia hektisch.

„Ja, aber natürlich! Lennards Schwester. Nennen Sie mich doch Maximilian oder Max, so wie früher."

Die Stimme hörte sich sehr freundlich an.

„Ok, Max. Ich bin Cecilia. Hat Lennard Sie schon über meinen Anruf informiert?"

„Ja, hat er. Wie kann ich Ihnen helfen?"

„Wie Sie schon wissen, wird er des Mordes beschuldigt. Lennard möchte, dass ich seine Verteidigung übernehme. Aber ich bin mir nicht sicher. Ich weiß eigentlich gar nicht, was für ein Mensch er jetzt ist. Ich kenne ihn nur aus unserer Kindheit und da war ich mir sicher, dass er irgendwann jemanden umbringen würde, vorzugsweise mich. Darum habe ich, so bald es mir möglich war, den Kontakt zu meinem Bruder vollkommen abgebrochen. Das ist jetzt zweiundzwanzig Jahre her." Cecilia stöhnte. „Sie halten mich jetzt wahrscheinlich für ziemlich furchtbar, nicht wahr?"

Max lachte leise. „Nein, gar nicht. Es war für Sie eine Notwendigkeit, erst einmal auf Abstand zu gehen. Sehen Sie, die Beziehung zwischen Geschwistern ist nicht überall nur eitler Sonnenschein. Sie ist oftmals auch konfliktgeladen. Wenn dann ein Geschwisterteil auch noch psychopathisch ist, wird es … sagen wir mal … schwierig."

Cecilia lachte humorlos auf. „Nennen wir es ruhig unerträglich. Ich möchte ganz offen sein: Ich habe lange gebraucht, um meine inneren Wunden zu lecken und darüber hinweg zu kommen. Lange, um mich endlich sicher zu fühlen und mir auch einmal zu gestatten, mich zu entspannen. Ich war es von klein auf gewohnt, mich in ständiger Alarmbereitschaft zu befinden, mit irgendetwas Schlimmen zu rechnen. Ich weiß nicht, ob ich bereit bin, mich wieder auf Lennard und mit allem, was dazugehört, einzulassen."

Am anderen Ende war es kurz still.

„Diese Entscheidung kann ich Ihnen nicht abnehmen, Cecilia. Wie kann ich Ihnen helfen?", fragte Max.

„Sie sind doch sein Freund. Wie konnten Sie ihn so lange ertragen?"

Max lachte. Ein herzliches, offenes Lachen.

„Lennard ist kein schlechter Mensch. Er ist brillant, charmant und kann sehr witzig sein. Natürlich ist er auch narzisstisch, egomanisch und skrupellos, aber ich habe gelernt, dass dies Ausdruck seiner Krankheit ist. Man muss es sich so vorstellen: Sein Gehirn ist anders vernetzt als unseres. Er kann sich nur in den Parametern bewegen, die seine Vernetzung ihm erlaubt. Genauso wie wir uns nur in den Parametern bewegen, die unsere Vernetzung uns erlaubt. Solange man das berücksichtigt, ein wenig tolerant ist und, und das ist der bedeutendste Punkt, für Lennard auf der guten Seite steht, ist er der beste Freund. Wenn man allerdings mit ihm im Kriegszustand lebt, wie es bei Ihnen in der Kindheit der Fall war, dann ist er der schlimmste Gegner. Vielleicht haben Sie hier die Möglichkeit, ihn auch einmal von dieser anderen Seite kennenzulernen. Es bleibt aber ein Risiko und darum eine sehr schwere Entscheidung."

„Als sein Freund können Sie mein Zögern wahrscheinlich nicht nachvollziehen", sagte Cecilia.

„Oh, ich kann es sogar sehr gut nachvollziehen und denke deswegen gewiss nicht schlecht von Ihnen. Alleine, dass Sie in Erwägung ziehen, sich auf Lennard noch einmal einzulassen, spricht für Sie. Ich bin Lennards Freund und ich mag ihn. Ich wünsche mir nichts sehnlicher, als dass er aus dieser Situation wieder so schnell als möglich unbeschadet herauskommt. Dieser Mord zerstört gerade sein ganzes Lebenswerk, seine Zukunft, das, was er ist. Er steckt wirklich mächtig in der Klemme. Aber Sie sollten sich darüber bewusst sein, dass es nicht Ihre Pflicht ist, ihm zu helfen. Sie müssen auch an sich denken."

„Und Sie glauben an seine Unschuld?", fragte Cecilia.

„Ja. Davon bin ich felsenfest überzeugt!"

„Warum? Was macht Sie so sicher? Glauben Sie, dass er zu einem Mord nicht fähig sei, Max?"

„Lennard würde jetzt entgegenhalten, dass jeder Mensch, unter gewissen Umständen, zu einem Mord fähig ist. Er hätte nachher sicherlich weniger Probleme, damit fertig zu werden. Aber ich habe das Bekennervideo gesehen. Der Mörder sprach dort von seiner Lust am Töten und am Quälen, die er an seinem Opfer ausleben konnte. Das ist nicht Lennard!

Lennard hat keinen sadistischen Drang und keine Lust am Töten. So ist er nicht. Darum ist für mich auch ganz klar, dass er nicht der Täter ist. Bei der momentanen Beweislage fürchte ich nur, dass der Mörder es ganz gezielt darauf anlegt, Lennard zu zerstören."

Bei diesen Worten lief es Cecilia kalt den Rücken hinunter.

„Der Mörder, dieser Psychopath, hat es auf Lennard abgesehen?", fragte sie mit rauer Stimme.

„Ich fürchte schon", sagte Max.

Cecilia schloss die Augen. „Also gut. Ich helfe ihm. Ich werde seinen Fall übernehmen."

„Das ist sehr mutig von Ihnen, Cecilia."

„Na ja, mir bleibt da doch keine Wahl. Mein kleiner Bruder wird von einem Psychopathen bedroht. Ich weiß doch am besten, was das für Monster sind."

Kapitel 17

Charlie fluchte. „Ich hasse es, wenn wir bei diesen abgehalfterten Problemfamilien vorbeischauen müssen, bei denen auf den ersten Blick klar ist, dass dort nur gestörte Kinder daraus hervorkommen können".

„Wir wissen ja noch gar nicht, was uns bei den von Falkensteins erwartet", versuchte Dana, ihren Kollegen zu beruhigen.

„Er ist definitiv ein Psychopath und aller Wahrscheinlichkeit auch ein Mörder. Was sagt dir deine Erfahrung in einem solchen Fall?"

Dana seufzte. Charlie hatte ja recht. Die Erfahrung sagte, dass solche kaputten Menschen meist auch aus kaputten Familien stammten. Sie bog in eine Seitenstraße ein.

„Hier muss das Haus liegen. Die Gegend sieht gar nicht so schlecht aus."

Charlie nickte und deutete auf ein pastellgelbes Haus mit weißen Fensterrahmen und einer weißen Tür.

„Hier ist es, Nummer 15. Sieht sehr gepflegt aus. Aber der äußere Schein kann trügen, nicht wahr?"

Er war noch nicht bereit von seiner These abzurücken. Sie parkten auf einem Stellplatz, der Platz für zwei Autos bot. An der Hauswand davor war ein Beet mit einer großen Hortensienhecke. An den Seiten des

Vorgartens befanden sich Staudenbeete und zahlreiche Rosen.

Auf ihr Klingeln öffnete lächelnd eine schlanke Frau. Sie trug ihre blonden Haare, in denen die zahlreichen silbernen Strähnen nicht sonderlich auffielen, in einer aufwendigen Hochsteckfrisur, mit der sie trotz der legeren Kleidung von Jeans und einem Langarmshirt sehr elegant aussah. Das fein geschnittene Gesicht hatte große Ähnlichkeit mit Lennard von Falkenstein, auch wenn ihre Augen einen wärmeren Blauton hatten.

„Guten Tag. Mein Name ist Dana Lange und das ist mein Kollege Charlie Potrowski. Wir sind von der Kriminalpolizei. Sind Sie Frau Klara von Falkenstein?"

Das Lächeln der Frau verblasste, als sie nickte. Ihre Stirn legte sich in sorgenvollen Falten.

„Gab es einen Unfall? Ist einem meiner Kinder etwas passiert?", fragte sie.

„Nein, Ihren Kindern geht es gut. Dürfen wir kurz hereinkommen und mit Ihnen und Ihrem Mann sprechen?"

Klara von Falkenstein trat zur Seite und bat sie herein. Die Erleichterung war ihr deutlich anzusehen.

Das Haus wirkte von innen genauso hell und freundlich, wie von außen. Es war eher sparsam eingerichtet, mit wenigen, hochwertigen Möbel. Dana blieb an einer Wand stehen, an der zahlreiche alte

Porträts in den verschiedensten Größen hingen.

„Das ist die Ahnengalerie der von Falkensteins. Es sind alles Originalbilder aus der jeweiligen Zeit. Das älteste Porträt zeigt Eleonore von Falkenstein. Es wurde 1655 gemalt. Man sagt, selbst der Sonnenkönig Ludwig XIV sei von ihrer Schönheit angetan gewesen." Klara von Falkenstein wies auf ein Ölgemälde in der oberen, linken Ecke. Darauf war eine junge blonde Frau in einem blauen Kleid zu sehen, die milde lächelnd zu Ihnen hinabblickte. Ihre Haare waren unter einem Perlennetz geflochten, die Hände sittsam gefaltet.

„Die Farben wirkten sehr düster, nicht wahr?"

Dana nickte.

„Heute könnte man meinen, dass dies Ausdruck der nahenden Katastrophe war, denn noch bevor die Farben des Bildes getrocknet waren, starb Eleonore. Sie stürzte von einem Balkon. Aber die Düsternis liegt an dem Alter des Bildes. Die Farben dunkeln nach. Ursprünglich sah es sehr viel farbenfroher und heller aus."

„War der Sturz ein Unfall?", fragte Dana.

Klara von Falkenstein zwinkerte ihr zu und senkte verschwörerisch die Stimme. „Darüber gibt es viele Spekulationen."

Sie betraten das Wohnzimmer. In einem Sessel saß ein lesender Mann, dessen graue Haare nur noch das ursprüngliche Braun erahnen ließen. Er hob seinen Blick und schaute über den Rand seiner silbernen Lesebrille zu ihnen hoch.

„Roman, Liebling. Dies sind Frau Lange und Herr Potrowski von der Kriminalpolizei. Sie möchten mit uns sprechen."

Der Mann erhob sich und schüttelte Dana und Charlie die Hand. Er bot ihnen einen Platz auf einer Couch an, bevor er sich selber wieder mit besorgter Miene niederließ. Seine Frau setzte sich in einen zweiten Sessel.

„Was ist passiert?", fragte der Mann mit sonorer Stimme.

„Eine Studentin der Uni Saarbrücken ist ermordet worden. Wir überprüfen jetzt routinemäßig alle Menschen, die in Kontakt zu dem Opfer standen. Ihr Sohn, Dr. Lennard von Falkenstein, ist einer ihrer Professoren gewesen. Darum möchten wir natürlich auch über ihn unserer Erkundigungen einholen", begann Charlie.

„Aha, Sie müssen sehr gründlich sein, wenn Sie nicht nur – routinemäßig – alle Professoren des armen Mädchens befragen, sondern auch noch deren Eltern", bemerkte Roman von Falkenstein trocken.

Charlie blickte ertappt zu Boden.

„Dacht ich es mir!", sagte Roman und lehnte sich nach vorne. Sein Gesicht nahm kurzzeitig einen harten Ausdruck an, als er fortfuhr: „Also lassen Sie uns doch mit offenen Karten spielen."

Er nahm wieder diese sehr aufrechte Haltung an, die ihm und seiner Frau zu eigen war.

Charlie räusperte sich. „Wir wissen, dass Ihr Sohn ein Psychopath ist."

„Ja, eine Tatsache, mit der er zu unserem Leidwesen nicht gerade hinter den Berg hält. Das ist allgemein bekannt. Er hat sich sogar in einem öffentlichen Internetvideo darüber ausgelassen", sagte Roman von Falkenstein.

„Das ist eine Krankheit und keine … Lebenseinstellung, wissen Sie? Er ist nicht automatisch schuldig, nur weil sein Gehirn anders funktioniert als unseres", warf Klara von Falkenstein ein. Im Gegensatz zu dem harten Tonfall ihres Mannes, war ihre Stimme sehr warm und weich.

„Das wissen wir. Wir möchten uns nur ein genaueres Bild von Ihrem Sohn machen, um ihn besser zu verstehen und vielleicht auch, um keine voreiligen Schlüsse zu ziehen", versuchte Dana die Frau zum Reden zu bringen. Das Ehepaar tauschte einen Blick aus und Dana wusste, dass sie diesen beiden Menschen nicht viel vormachen konnte.

„Wissen Sie, wir sind nicht die Sorte blinder Eltern, die ein verklärtes Bild über ihren Sohn haben und ihm nicht zutrauen würden, dass er einer Fliege etwas zuleide tun könnte, egal, welche Diagnose die Psychologen über ihn abgeben. Nein, wir sind uns sehr wohl bewusst, dass Lennard anders ist, anders denkt und sich anders verhält. Egozentrisch, selbstverliebt und manchmal auch ziemlich rücksichtslos. Aber ich glaube nicht, dass er ein Mörder ist", sagte die Mutter.

„Hat er mit Ihnen über seine tote Studentin gesprochen?", fragte Charlie.

Die Eltern schüttelten den Kopf.

„Ich hatte etwas darüber in der Saarbrücker Zeitung gelesen, wusste aber nicht, dass es sich bei dem Opfer um eine Studentin von Lennard handelte. Immerhin ist die Uni recht groß. Unser Sohn hat sich seit dem auch noch nicht bei uns gemeldet. Sonst hätte ich ihn möglicherweise gefragt, ob er das Mädchen gekannt hatte", sagte Roman von Falkenstein.

„Ist es ungewöhnlich, dass er sich seitdem noch nicht gemeldet hat?", fragte Charlie.

„Gott, nein! Er ist zweiundvierzig Jahre alt und vielbeschäftigt. Wir können uns glücklich schätzen, wenn er sich zu den großen Feiertagen und zu unseren Geburtstagen meldet", sagte der Vater.

„Er war kurz da, um nach der Adresse seiner Schwester zu fragen. Ist dann aber direkt noch mal gegangen", warf seine Frau ein. Roman blickte erstaunt zu ihr hinüber.

„Das hast du mir gar nicht erzählt."

„Ach, er war so schnell wieder weg, da habe ich vergessen, es zu erwähnen", sagte sie mit einem Achselzucken.

Dana biss sich auf die Lippe. Die nächste Frage würde sehr schwierig werden. Die Eltern sollten nicht das Gefühl haben, dass man Ihnen die Schuld an dem Geschehenen gab, dass sie sich oder wie sie ihre Kinder erzogen hatten, rechtfertigen mussten.

„Es war bestimmt nicht leicht einen psychopathischen Sohn großzuziehen. Verstehen Sie meine nächste Frage also bitte nicht falsch. Sie haben das bestimmt großartig gemacht. Er ist sehr erfolgreich in seinem Beruf. Aber … hat er schon einmal ein Tier gequält oder getötet?"

„Nein, das hat er noch nie getan!", sagte die Mutter bestimmt, und auch der Vater schüttelte den Kopf.

„Lennard ist nicht sadistisch veranlagt. So etwas würde er nicht tun. Einen Mord schon gar nicht!", sagte Klara von Falkenstein.

Es war nur ein kurzes Wegschauen. Für eine Sekunde veränderte sich der Gesichtsausdruck des Vaters. Kaum wahrnehmbar, aber Dana hatte es gesehen und als Roman von Falkenstein sie wieder anblickte, erkannte er, dass Dana diesen Ausdruck bemerkt und richtig gedeutet hatte.

„Was meine Frau sagt, ist absolut richtig! Doch sind wir auch nicht blind der Krankheit unseres Sohnes gegenüber. Und sollte er jemals einem Menschen derart schaden, werden wir dies auch nicht stillschweigend hinnehmen. Alles hat seine Grenzen. Und

Mord ist eine Grenze, die niemals überschritten werden darf. Ich versichere Ihnen: Wenn wir einen Hinweis oder auch nur einen Verdachtsmoment finden, welcher die Schuld unseres Sohnes an dem sinnlosen Tod dieses armen Mädchens impliziert, werden wir sofort Kontakt mit Ihnen aufnehmen. Das ist ein Versprechen!"

Klara von Falkenstein sah ihren Mann groß an, nickte aber. „Ja, versprochen", flüsterte sie und blickte in Charlies skeptisches Gesicht. Ihre Schultern strafften sich. „Und ein von Falkenstein hält sich immer an ein gegebenes Versprechen."

Dana reichte ihnen ihre Visitenkarte. „Falls Ihnen noch etwas einfällt oder Sie einen Hinweis erhalten sollten, können Sie mich hier erreichen."

„Was hältst du von den beiden?", fragte Charlie sie, als sie wieder auf dem Rückweg zum Revier waren.

„Ich denke, sie sagen die Wahrheit. Sie glauben nicht an die Schuld ihres Sohnes und wissen auch nichts von der Tat."

„Hmm, ja, scheint so", brummte Charlie.

„Und die typische Problemfamilie scheinen sie auch nicht zu sein", konnte sich Dana nicht verkneifen und grinste zu ihrem Kollegen hinüber.

Charlie machte eine wegwerfende Handbewegung. „Ganz normal ist aber auch anders. Das sind solche Standesdünkel! Wie sie schon dasitzen. Kerzengerade, als hätten sie einen Stecken verschluckt. Ein von Falkenstein hält immer sein Versprechen, die von Falkensteins haben ihre eigene Ahnengalerie in ihrem Hausgang, natürlich alles Originale und nicht so gewöhnliche Kunstdrucke wie sie unsereins im Haus hängen hat."

Dana kicherte.

„Weißt du, was ich glaube", fuhr Charlie fort. „Ich glaube, schon die arme Eleonore von Falkenstein wurde von einem ihrer gestörten Verwandten von diesem Balkon in den Tod gestürzt und schon damals haben sie alle die Augen davor verschlossen."

„Nun, das Rätsel um Eleonore werden wir nicht mehr lösen können. Aber den Tod der Studentin Janine Renner werden wir aufklären", gelobte Dana.

„So ist es!", stimmte Charlie zu. „Und wenn ein Potrowski verspricht, einen Fall aufzuklären, dann verdammt, wird er ihn auch aufklären!"

Dana prustete und brach in lautes Gelächter aus.

Kapitel 18

Sanders hob den Stock hoch, den sein Hund ihm wieder vor die Füße gelegt hatte. Erwartungsvoll, mit wedelndem Schwanz schaute der Collie ihn an. Sanders holte weit aus und warf. Der Stock verschwand hinter den Büschen. Der Hund stürmte hinterher.

Sanders verließ den Feldweg. Jetzt war er schon fast wieder zu Hause. Sein Hund folgte ihm, den Stock noch immer im Maul. Er wusste, dass das Spiel vorbei war, sobald sie wieder zwischen den Häusern wanderten, aber seine Trophäe wollte er dennoch nicht loslassen. Sanders ließ ihm den Stock.

Als sie das Haus betraten, warf er einen kurzen Blick auf die Schlüsselbox. Der große Schlüsselbund seiner Frau hing noch nicht an seinem Platz, was bedeutete, dass sie und die gemeinsame Tochter noch auf samstäglicher Shoppingtour durch Saarbrücken unterwegs waren. Sanders klappte seinen Laptop auf und schaltete ihn an. Er wollte gerade sein Mailprogramm öffnen, da hörte er die Badezimmertür ins Schloss fallen. Es war kein lautes Geräusch, mehr ein leises Klacken. Der Hund spitzte sofort die Ohren, fing an zu kläffen.

„Sei doch ruhig. Das ist doch nur das Frauchen", redete er auf das aufgeregte Tier ein und wartete darauf, dass seine Frau und seine Tochter durch die

Tür kamen und ihn begrüßten. Doch nichts geschah. Das nervöse Winseln des Hundes steckte ihn an. Er merkte, wie sich sein Herzschlag beschleunigte.

„Evelyn?", rief er nach seiner Frau. Alles blieb still oder doch nicht. Ein Klappern war zu hören, als würde etwas im Badezimmer angestoßen werden. Dieses Geräusch wiederholte sich in regelmäßigen Abständen.

Klack-Klack … Klack-Klack.

Der Hund bellte mit gesträubten Fell die Wohnzimmertür an. Sanders stand auf und öffnete sie. Vorsichtig streckte er den Kopf aus der Tür.

„Evelyn? Bist du das?"

Das gleichmäßige Klacken war nun deutlich zu hören. Ihm lief es eiskalt den Rücken hinunter. Er sah sich nach seinem Hund um. Der kläffte immer noch. Allerdings hatte er sich dabei unter der Couch verkrochen.

„Na, du bist mir ja mal ein Held!", schimpfte Sanders mit gedämpfter Stimme. Langsam näherte er sich der Badezimmertür. Er legte sein Ohr an das Holz. Ja, von hier drinnen kamen die Geräusche. Das gestrige Gespräch mit Falkenstein kam ihm in den Sinn. Der Professor hatte ihm gedroht, hatte gesagt, dass er ihn vernichten würde, wenn er ihm seinen Job nicht zurückgeben würde. War es klug gewesen, den Groll eines Psychopathen auf sich zu ziehen, der gerade seinen ersten Mord begangen hatte?

Der Erste, von dem du weißt, flüsterte eine garstige Stimme in seinem Inneren.

Sanders schluckte. Er lief zurück in den Flur und nahm die große, metallische Taschenlampe aus dem Schrank.

„Komm schon her, du feiges Vieh!", rief er seinen Hund. Dieser winselte nur und legte sich eine Pfote über die Augen. Sanders schüttelte den Kopf. Der nächste Hund würde ein zum Wachhund ausgebildeter Schäferhund sein.

Mit klopfendem Herzen nährte er sich wieder der Badezimmertür. Langsam legte er die Hand auf den Griff, um dann die Tür mit einem Ruck aufzureißen. Das Fenster stand offen. Die Frühlingsluft roch angenehm in dem gefliesten Raum.

Klack-Klack.

Sanders Blick flog auf der Suche nach dem Geräusch durch den Raum. Es war das Gewicht, welches unten in den Duschvorhang eingenäht war. Mit leisem Klacken stieß es immer wieder gegen die Badezimmerfliesen, sobald der leichte Wind den Vorhang bewegte.

Sanders ließ die angehaltene Luft entweichen. Wahrscheinlich hatte seine Frau das Fenster aufgemacht und es vergessen, als sie mit ihrer Tochter zum Einkaufen gefahren war. Und seine Nerven lagen seit dem Mord an einer seiner Studenten dermaßen blank, dass so etwas genügte, um ihm bald einen Herzinfarkt zu bescheren. Er stellte die schwere Taschenlampe auf dem Badezimmerschränkchen ab und ging zum Fenster, um es zu schließen. Seine Hand lag schon auf dem Griff, als ihm etwas auffiel. Das Holz des Fensterrahmens schien von außen gesplittert zu sein.

„Seltsam", flüsterte er und fuhr mit einem Finger über das zerstörte Holz. Die Erkenntnis traf ihn wie ein Eimer eiskaltes Wasser. Dieses Fenster war nicht offengelassen, sondern gewaltsam von außen aufgehebelt worden!

Der Duschvorhang wurde zur Seite gerissen. Das Geräusch dröhnte so laut und intensiv wie ein vorbeifahrender Zug in seinen Ohren. Der Nylonstoff wurde über seinen Kopf gestülpt und am Hals zugedrückt. Er bekam keine Luft mehr! Verzweifelt schlug er um sich, verlor schon nach kürzester Zeit seine Orientierung und stieß bei seinem Fluchtversuch mit dem Kopf gegen die Wand. Ein metallischer Geschmack machte sich in seinem Mund breit. Sanders spukte Blut. Sternchen tanzten vor seinen Augen. Nach Luft röchelnd, gaben die Knie unter ihm nach. Der unnachgiebige Druck um seinen Hals blieb. Er hörte den Angreifer lachen. Kalt und unbarmherzig. Ein Piepsen, welches sich in seinem Ohr festgesetzt hatte, wurde immer und immer lauter, bis es sein ganzes Bewusstsein einnahm. Sein Körper erschlaffte und Sanders fiel ins Nichts.

Kapitel 19

Nach dem Besuch bei der Schwester und seinem Telefonat mit Max, fuhr Lennard ziellos durch die Gegend. Eine Weile streifte er in Saarbrücken durch Läden, die ihm interessant erschienen. Er kaufte sich eine neue Hose und zwei dünne Pullis. Doch nichts konnte seine innere Unruhe besänftigen. Sein Ich schrie nach dem nächsten Kick. Er wollte dieses Gefühl der Lebendigkeit wieder haben, gierte danach, obwohl sein Sprung von dem Kran erst ein paar Stunden her war.

Sein Handy piepste. Ein Blick darauf zeigte ihm die Erinnerung an seinen gemeinsamen Vortrag mit Max auf diesem Psychologen-Kongress. Er rollte mit den Augen. Dazu hatte er gerade gar keinen Kopf.

„Tut mir leid, mein Freund. Heute mal nicht", murmelte er und drückte die Erinnerung weg, die Max persönlich in sein Handy eingetragen hatte.

Er stieg in seinen Porsche und fuhr Richtung Obertal und parkte auf einem abgelegenen Waldparkplatz. Für solche Gelegenheiten hatte er immer ein paar Trailschuhe und eine Trekking-Hose im Kofferraum. Rasch zog er sich auf dem menschenleeren Parkplatz um und folgte einem zugewachsenen Pfad, den er vor Jahren einmal entdeckt hatte. Beim Vorbeifahren hatten die schroffen Rötelfelsen seine Aufmerksamkeit erregt, und er hatte das Bedürfnis verspürt, sie unbedingt erklimmen zu müssen. Er trat an eine Felsennische, welche von der Straße aus nicht einsehbar war. Es war schwer, hier hinaufzuklettern. Lebensgefährlich, es ohne Sicherung zu tun, und genau das machte den besonderen Reiz daran aus. Das ließ die Schmetterlinge in seinem Inneren fliegen. Er suchte mit seinen Fingern einen Halt in der schroffen Felswand. Stück für Stück kämpfte er sich hoch. Je höher er kletterte, umso deutlicher konnte er den Wind spüren, der seine Haare zerzauste. Der nächste Griffpunkt für seine Hände war schwer zu erreichen. Seine linke Hand griff in einen schmalen Spalt, der kaum Halt bot. Jetzt musste er seine rechte Hand lösen und sich nur auf den Stand und die Kraft seiner Füße verlassen, bis er die Felsspalte erreicht hatte. Seine Arme begannen vor Anstrengung zu zittern. Einen Moment hing er in der Felswand und schaute zu dem Untergrund, der aus hartem Lehmboden bestand. An einigen Stellen wuchs etwas Gras, an anderen ragten große Steine aus dem trockenen Lehm. Er befand sich nun zehn Meter über dem Boden. Ein falscher Handgriff oder Schritt, und er war tot. Ein Sturz aus dieser Höhe und auf diesem Untergrund konnte nur fatale Folgen haben. Warum forderte er sein Glück immer wieder so heraus? Warum konnte er sich nur im Angesicht des Todes lebendig fühlen? Er hatte das öfters mit Max besprochen.

„Weil deine Amygdala verkleinert ist", war die

Antwort von seinem Freund. „Du empfindest so gut wie keine Angst. Aber die Angst ist ein unglaublich mächtiges Gefühl, das du auf einer unterbewussten Ebene vermisst. Darum gehst du geradezu auf die Jagd nach diesem Gefühl."

Lennard hatte gelacht. „Du bist verrückt, Max. Warum sollte ich die Angst vermissen? Ihr Fehlen macht mich fast unbezwingbar. Ich bin ohne sie viel erfolgreicher, als ich es mit ihr jemals sein könnte."

Max hatte nur wissend gelächelt. „Aber Erfolg ist nicht alles, Lennard. Darum springst du aus einem Flugzeug, oder stürzt dich nur an einem Seil befestigt in die Tiefe oder schwimmst in deinem Urlaub mit den Haien. Nur um dieses Gefühls willen, welches für dich nur eine Ahnung von der Angst ist, die wir normalen Menschen empfinden."

Da waren sie wieder. Die Schmetterlinge. Auf sie hatte er gewartet. Sie waren die Antwort. Wenn sie die Andeutung von Angst waren, hatte Max recht. Er befand sich regelmäßig auf der Jagd nach ihnen. Nicht, dass er so etwas jemals zugeben würde. Vor niemanden!

Trotz der Anstrengung lächelte Lennard und griff nach einem Felsvorsprung. Er schaute gerade weit genug nach vorne, um sich mit den Fingern daran emporzuziehen. Doch kaum hatte er sein Gewicht darauf verlagert, bröckelte der Stein unter seinen Fingern weg. Mit einem Aufschrei stürzte er die Felswand hinab. Aus den Schmetterlingen war ein ganzer Bienenschwarm geworden. Er bekam eine hervorstehende Wurzel zu packen. Keuchend krallte er sich an ihr fest, prallte mit voller Wucht gegen den Stein. Seine Gliedmaßen und seine vorderen Rippen brannten von den Kollisionen wie Feuer. Seine Füße suchten nach Halt, doch die Vorsprünge waren zu klein oder zu unstabil, um ihn zu tragen. Er fluchte. Lennard schaute in die Tiefe. Er war noch immer ungefähr vier Meter über dem Boden. Zu hoch, um zu springen. Wieder scharrten seine Füße an der Felswand entlang, auf der verzweifelten Suche nach Halt. Es gab einen Ruck und die Wurzel brach aus dem Felsen. Stück für Stück. Lennard wusste, dass es nur noch Sekunden dauern konnte, bis sie vollends reißen würde. Er suchte weiter rechts und weiter links nach einem Halt, doch seine Schuhe rutschten überall ab. Sein Blick glitt über das Gestein vor ihm. Konnte er sich hier mit den Händen festhalten? Es musste doch einen Ausweg geben! Er sah eine Felsspalte. Dennoch musste er sich zwingen, mit einer Hand die rettende Wurzel loszulassen, um danach zu greifen. Seine Muskeln waren müde und drohten, ihm den Dienst zu versagen. Er hatte den Spalt beinahe erreicht, als die Wurzel riss. Mit einem erneuten Aufschrei stürzte Lennard in die Tiefe. Als er auf dem Boden aufschlug, raubte der Schmerz ihm erst den Atem und dann das Bewusstsein.

Max umklammerte sein sorgfältig ausgearbeitetes Vortragskonzept, hielt es so fest, dass die Knöchel seiner Hand weiß hervortraten. Er starrte auf den leeren Sitz neben sich, dann blickte er zurück zur Eingangstür des Vortragssaales. Der Psychologen-Kongress hatte längst begonnen. Gerade sprach Dr. Naguto über die Ergebnisse seiner Studie über neue Ansätze in der Traumatherapie. Als Nächstes war ihr Vortrag an der Reihe.

Wo war Lennard? Hatte er sich auf einen anderen Platz gesetzt, weil er mit Verspätung gekommen war?

Nein. Max hatte, so lange es ging, vor der Tür des Vortragssaals gewartet. Danach hatte er auf jede Regung dieser verdammten Tür geachtet, die sich einfach nicht mehr öffnen wollte, um ihm seinen Vortragspartner zu präsentieren. Verdammt. Lennard würde ihn doch nicht etwa versetzen? So etwas konnte er ihm nicht antun!

Tosender Beifall. Dr. Naguto hatte seine Ausführungen beendet und verließ die Bühne. Nun musste er da hoch. Was sollte er tun? Der Vortrag funktionierte nur im Team. Er war als unterhaltsamer Schlagabtausch konzipiert. Dieser verdammte Lennard. Er ließ ihn hier einfach im Stich! Dabei hatte er ihm doch extra immer wieder gesagt, wie wichtig dies für ihn war. Er hatte den Termin sogar in dessen Handy eingetragen. Mit drei Ausrufungszeichen! Als ob so etwas einen Psychopathen interessieren würde. Verdammt! Warum hatte er sich nicht darauf vorbereitet den Vortrag auch notfalls alleine zu halten. Er war doch der Fachmann und hätte es ahnen können.

Langsam erhob sich Max von seinem Stuhl und stieg mit klopfendem Herzen die Stufen zur Bühne hinauf. Oben drehte er sich zu der Menge. Die Scheinwerfer blendeten ihn, doch er konnte die vielen Menschen noch sehr gut sehen, die mit erwartungsvollen Blicken auf seine kleine Gestalt sahen. Max schluckte. Ihm war schlecht.

„Werte Kolleginnen und Kollegen! Wie Sie dem Programmheft entnehmen können, stehe ich hier, um mit Professor Dr. Lennard von Falkenstein meinen Vortrag über erfolgreiche Psychopathen zu halten. – Alleine! – Möglicherweise ist dem Professor etwas dazwischen gekommen, wie ein Unfall oder Ähnliches, so dass es nicht in seiner Macht stand, hier zu erscheinen. Möglicherweise ist das aber auch pathologisch und ich hätte es wissen, oder zumindest damit rechnen müssen und meinen Vortrag auch so gestalten sollen, dass ich ihn im Notfall auch alleine halten kann. – Habe ich aber nicht. Meine Unterlagen sind also für die Katz."

Max warf die Papiere hinter sich. Dafür erntete er einige Lacher aus dem Publikum.

„Ich werde also frei von der Leber weg zu Ihnen sprechen. Entschuldigen Sie diese Improvisation meinerseits, aber das Thema ist durchaus spannend."

Kapitel 20

Lennard hatte keine Ahnung, wie lange er dort schon lag. Als er die Augen aufschlug, glitt sein Blick die Felswand entlang. Ein Glück, dass er die Wurzel zu greifen bekommen hatte. Wenn er von dort oben abgestürzt wäre, dann wäre er jetzt tot. Vorsichtig bewegte er die Arme und Beine. Sie taten sehr weh, aber er konnte sie bewegen. *Nicht gebrochen*, entschied er. Stöhnend setzte er sich auf, tastete seinen Körper ab. Die Rippen schmerzten bei jeder Bewegung und jeder Berührung. Er hob den Pulli. Vorne hatte sich auf der rechten Seite ein großer roter Fleck gebildet. Der würde mit Sicherheit bis morgen ganz blau verfärbt sein. Den Rücken konnte er nicht sehen, aber nach dem Gefühl zu urteilen, würde auch der blau werden. Er stellte sich auf die Füße. Im ersten Moment drehte sich alles. Lennard wankte. Dann beruhigte sich die Welt um ihn herum wieder, und er sah sich um. Er war auf einer leicht mit Gras bewachsenen Stelle aufgeschlagen. Einen Meter weiter links hätte er einen großen, kantigen Stein getroffen.

Quälend langsam kämpfte er sich durch das Gestrüpp bis zu seinem Auto zurück. So konnte er nicht nach Hause, wo die Reporter warteten. Er wollte sich ihren klickenden Fotoapparaten und anmaßenden Fragen überhaupt nicht mehr stellen. Er brauchte einen Unterschlupf. Lennard startete den Wagen und fuhr los.

Eine halbe Stunde später parkte er seinen Porsche in der Einfahrt seiner Eltern und stieg aus. Die Hortensienbüsche vor dem Haus blühten noch nicht, doch in ein bis zwei Monaten würden sie ein beeindruckendes Bild abgeben. Er klingelte. Sein Vater hatte darauf bestanden, dass er den Haustürschlüssel abgab, als er damals von Zuhause auszog. Lennard war das egal gewesen. Wenn sich der alte Mann dadurch sicherer fühlte, gab er den Schlüssel halt ab.

Seine Mutter öffnete die Tür.

„Lennard! Komm doch rein, mein Junge." Sie umarmte ihn und bemerkte sofort, dass Lennard schmerzhaft zusammenzuckte.

„Was ist los? Was ist passiert?", fragte sie alarmiert.

„Nichts, Mutter. Nur ein kleiner Kletterunfall."

„Wieso musst du auch immer Kopf und Kragen riskieren? Soll ich dich zu einem Arzt fahren?"

„Nein, nicht nötig. Es sind nur ein paar blaue Flecken", sagte er.

„Also gut. Du kommst gerade recht. Dein Vater und ich trinken soeben Kaffee", sagte sie und ging ins Wohnzimmer.

Lennard folgte ihr, nickte seinem Vater zur Begrüßung zu und setzte sich ihm gegenüber.

„Du siehst mitgenommen aus", stellte der Alte fest.

„Lennard hatte einen Kletterunfall", rief seine

Mutter aus der Küche, bevor sie wieder ins Wohnzimmer trat und eine Tasse vor Lennard abstellte.

„Der Junge ist immer so leichtsinnig", fügte sie hinzu. Lennard schaute zu seinem Vater hinüber und fragte sich, ob dieser erleichtert gewesen wäre, wenn er sich bei dem Sturz das Genick gebrochen hätte. Er warf ihm einen kalkulierenden Blick zu und bekam einen ebensolchen zurück.

„Wie ich hörte, ist eine deiner Studentinnen ermordet worden. Die Polizei war hier und hat uns befragt. – Und?", fragte er.

„Und was?", fragte Lennard gereizt zurück.

„Warst du es?"

„Roman!" Seine Mutter schlug entsetzt die Hände vor dem Mund zusammen.

„Nein, ich war es nicht. Seltsamerweise, scheint das niemand so recht glauben zu können. Dabei halte ich nicht gerade mit der Tatsache hinter dem Berg, dass ich ziemlich intelligent bin. Quasi eine Visitenkarte neben eine Leiche zu legen, ist nicht besonders intelligent. Es ist ausgesprochen dämlich!"

„Hm", machte sein Vater und nippte an seinem Kaffee.

„Mein Haus wird von der Presse belagert. Kann ich erst einmal hier schlafen?", wandte sich Lennard an seine Mutter.

„Natürlich, mein Junge. Du kannst das Gästezimmer nehmen."

Lennard schaute zu seinem Vater. Der Mann betrachtete ihn nachdenklich, sagte aber nichts.

„Du glaubst, ich war es! Du glaubst, ich habe das Mädchen umgebracht", platzte es aus Lennard heraus.

Roman von Falkenstein nahm einen weiteren Schluck aus seiner Tasse, ohne ihn aus den Augen zu lassen. Erst dann erwiderte er bedächtig: „Hm, nein. Ich glaube, wenn du jemanden umgebracht hättest, dann hätte niemand von uns etwas davon erfahren."

„Roman!", empörte sich seine Mutter mit schriller Stimme.

Lennard ließ sich auf seinem Stuhl zurücksinken und verzog das Gesicht, als sein Rücken schmerzhaft in Kontakt mit der Lehne kam.

„Nun ja, zumindest gestehst du mir die nötige Intelligenz zu", sagte er trocken.

„Wie reagieren deine Studenten?", fragte sein Vater nach einer Pause.

„Sie haben Angst vor mir. Alle haben sie Angst vor mir", erwiderte Lennard bitter.

Sein Vater atmete tief durch. „Das tut mir leid, Lennard."

Von wegen. Du hast doch selber Angst vor mir!, dachte Lennard, sagte aber stattdessen: „Der Dekan hat mich beurlaubt. Ich darf das Unigelände nicht einmal mehr betreten. Wenn diese Sache nicht schnellstens aufgeklärt wird, bin ich meinen Job ganz los,

179

oder jedenfalls wird dann nicht mehr viel davon übrig sein. Da die Polizei konstant in die falsche Richtung ermittelt, werde ich wohl selber ein paar Erkundigungen anstellen müssen."

„Nein, Lennard, nicht! Das ist gefährlich. Höre bitte einmal auf die Stimme der Vernunft und überlasse soetwas der Polizei", beschwor ihn Klara von Falkenstein.

„Hör auf deine Mutter, Lennard. Das ist zu gefährlich!", sagte sein Vater.

Lennard schüttelte den Kopf. Er konnte doch schlecht nur abwarten und auf die Kompetenz anderer Leute hoffen.

Sein Handy klingelte.

„Lennard! Wo warst du?", fragte die aufgebrachte Stimme von Max, kaum hatte er das Gespräch entgegengenommen.

„Klettern."

„Klettern? Was war mit dem Vortrag auf dem psychologischen Kongress in Trier? Unserem Vortrag?", schrie Max mit sich überschlagender Stimme.

„Ich hatte den Kopf so zu. Ich musste einfach klettern fahren."

Lennard konnte sich Max vorstellen, wie dieser wild gestikulierend auf und ab schritt und in das Handy brüllte. Er musste lächeln.

„Du musstest einfach klettern? Falsch! Du musstest mit mir auf der Bühne stehen und den verdammten Vortrag halten, den wir seit einem Monat einstudiert haben. Weißt du eigentlich, wie lange ich an diesem Konzept gearbeitet habe? – EWIG! Er war für uns beide ausgelegt. Jetzt habe ich alleine da auf der Bühne gestanden!"

„Ich bin sicher, du hast das auch ohne mich ganz gut hinbekommen, Max. Du bist ein Profi."

„Nein, Lennard, das habe ich nicht! Ich habe den ganzen Vortrag auf dich ausgerichtet. Ich brauchte deine Antworten, dein Gegenspiel. Du warst mein lebendes Beispiel für die Theorien hinter meinen Thesen. Und du warst nicht da! Ich habe vor dreihundert Kollegen, vor dreihundert der besten und intelligentesten Psychologen Deutschlands mit heruntergelassener Hose gestanden, weil du nicht da warst. Ich musste mir aus dem Stegreif einen neuen Vortrag aus den Rippen leiern. So kannst du mich nicht im Stich lassen! Das macht man einfach nicht!"

Lennard hörte Max nach diesem Ausbruch schwer atmen. So aufgebracht hatte er seinen sonst so besonnenen Freund selten erlebt.

„Hör zu, Max. Ich habe mir darüber keine Gedanken gemacht. Ich habe nicht bedacht, welche Konsequenzen sich daraus für dich ergeben. Wenn ich dich in Verlegenheit gebracht habe, dann tut es mir leid."

„Nein, das tut es dir nicht. Du sagst das nur so, aber in Wirklichkeit ist es dir scheißegal. Du bist so unzuverlässig!", schimpfte Max.

Lennard grinste. Max kannte ihn verdammt gut. Bedauern für seine vergangenen Taten gab es bei ihm nicht. Das waren für ihn nur nützliche Floskeln, um die Normalen zu besänftigen.

„Hey, das hättest du in deinen Vortrag einbringen können", scherzte er.

„Das habe ich!"

Lennard lachte. „Das war nicht böse gemeint, Max. Du kennst mich ja."

Max seufzte. „Darüber sprechen wir noch. Das Thema ist für mich noch nicht erledigt. Im Moment bin ich einfach nur viel zu wütend, um weiter darüber zu diskutieren. Vor allem, da das bei dir überhaupt keinen Zweck hat."

Damit beendete Max das Gespräch.

Lennard ließ sein Handy sinken und starrte auf die Anzeige. Als er hochsah, begegnete er dem neugierigen Blick seines Vaters.

„Ich habe Max verärgert", erklärte er.

Sein Vater nickte. „War nicht zu überhören."

Lennard verzog das Gesicht. „Ich schätze, ich schulde ihm eine Wiedergutmachung. Ein Essen oder so. Es war nicht meine Absicht, ihn bloßzustellen."

„Tu das", sagte seine Mutter. „Er ist dir ein guter Freund. Nimm das nicht als selbstverständlich. Du solltest dir im Umgang mit ihm immer besonders viel Mühe geben." Lennard nickte.

Kapitel 21

Langsam kam alles zurück. Das Gefühl in den Gliedern und die Geräusche um ihn herum. Piepsende kleine Stimmchen und ein gleichmäßiges Summen. Auch die Erinnerung kehrte zurück. Das Klacken in seinem Haus, das aufgebrochene Fenster und der Duschvorhang um seinen Kopf, der ihm sämtliche Luft zum Atmen abschnürte.

Mit einem erschrecktem Aufschrei riss er die Augen auf. Er hing mit dicken, gummiartigen schwarzen Bändern gefesselt über einem Transportband. Dieses Transportband endete an einem großen stählernen Schlund. Daneben stand ein Metallkorb mit Dutzenden kleinen Küken, die ängstlich piepsten.

„Ah, Dekan Sanders. Sie sind wach."

Er drehte seinen Kopf zu der Stimme und sah einen muskulösen Mann, dessen Haarstoppeln auf dem fast kahlen Kopf orange schimmerten. Er hatte das Gesicht eines Biedermanns und den Körper eines Sportlers. So recht schien das nicht zusammenzupassen. Der Mann lächelte freundlich, als sich ihre Blicke trafen. Sanders wagte zu hoffen.

„Bitte lassen Sie mich runter."

Der Mann lachte. „Nur keine Eile, Dekan. Ich werde Sie gleich runterlassen. Ich muss zuerst nur noch den Schredder da vorne anschmeißen."

Panik erfasste Sanders. „Nein, bitte machen Sie

das nicht. Ich habe Ihnen doch nichts getan!"

Der Mann schüttelte den Kopf. „Warum sagen das immer alle? Das ist so ein Klischee!"

Der Dekan zerrte an den Gurten, die seinen Körper fixierten. Sie lösten sich keinen Millimeter. Er schrie um Hilfe. Den Mann schien das nicht zu stören. Ganz offensichtlich befürchtete er nicht, dass Sanders gehört werden konnte. Er stellte eine Videokamera auf, sah durch das Objektiv und spielte an den Einstellungen.

„Kennen Sie den: Sind die Hühner flach wie Teller, war der Traktor wieder schneller!" Der Kahlköpfige lachte über seinen derben Witz, wischte sich eine Träne aus den Augenwinkeln. „Zum Schießen!"

Sanders hatte aufgehört zu schreien. Zitternd und mit vor Angst geweiteten Augen sah er den Mann an.

„Sie sind der Psychopath", keuchte er.

„Und Sie stellen hier das Offensichtliche fest. Natürlich bin ich der Psychopath! Wer soll ich auch sonst sein? Der Weihnachtsmann, der Sie wegen schlechten Benehmens in seinen Sack gesteckt hat? Ach, nein. Das macht ja höchstens Knecht Ruprecht, oder? Ich bin da nicht so firm, in solchen Brauchtümern." Er warf einen letzten Blick durch die Videokamera und klatschte dann in die Hände.

„So, jetzt kann es losgehen. Schon aufgeregt?"

Sanders konnte nicht anders. Er schluchzte auf: „Bitte, bitte, tun Sie das nicht. Ich flehe Sie an! So haben Sie doch Mitleid!"

Der kahle Mann kam ganz nah.

„Nicht doch, Dekan. Nehmen Sie Ihre Gedanken zusammen. Ich bin ein Psychopath. Wir wissen gar nicht, was Mitleid ist!"

Er entfernte sich wieder einige Schritte, bevor er nochmals zu Sanders herumwirbelte. „Mitleid ist die große Schwäche des Homo sapiens. Mitleid und Angst. Nicht wahr? Ich meine, sehen Sie sich nur an: Wie Sie hier hängen, betteln und heulen. Sie sind so verachtenswert schwach. Es ist schon ekelhaft."

Er streifte sich einen Kapuzenpulli über das Shirt und zog sich die Kapuze tief ins Gesicht.

„Show-Time!", sagte er und schaltete die Kamera an.

„Haben Sie mich vermisst?", fragte er seine künftigen Zuschauer. „Heute schauen wir uns eine weitere menschliche Unsitte an. Das Kükenschreddern! Haben Sie schon davon gehört? Begleitet werde ich in dieser Folge von dem allseits beliebten Dekan Sanders. Sagen Sie Hallo, Sanders!"

Der Dekan weinte still. Er war diesem Irren vollkommen ausgeliefert und nichts, was er jetzt sagte oder tat, konnte ihn noch retten. Er hatte solche Angst! Sein Herz raste so schnell, dass Sanders glaubte, man müsse es durch sein Hemd hindurch klopfen sehen.

„Ebenfalls mit dabei, unsere kleinen Anschauungsobjekte: Diese süßen, frisch geschlüpften Küken."

Er hielt den Metallkorb in die Kamera. Die Küken piepsten vor Aufregung lauter.

„Das Prinzip ist einfach", erklärte der Psychopath. „Die männlichen Küken in der Legehennenproduktion sind einfach nicht wirtschaftlich. Sie legen keine Eier und werden auch nicht so schnell fett. Sie sind unrentabel. Darum entsorgt man sie schon direkt nach dem Schlüpfen. Alle Küken kommen auf ein Förderband. Die weiblichen Exemplare werden damit zum Weiterverkauf transportiert und die männlichen Küken werden lebend und bei vollem Bewusstsein in so einen Schredder geworfen. Ich demonstriere das mal."

Er schaltete das Gerät ein. Ein gleichmäßiges Rattern ertönte. Dann nahm er vorsichtig mit zwei Händen die Küken aus dem Korb und setzte sie auf das Transportband.

„Nein, hören Sie auf, Sie Mistkerl!", schrie Sanders. Es hatte keinen Zweck, diesen Psychopathen überzeugen zu wollen. Der Mann sah zu ihm hoch und warf ihm ein böses Lächeln zu. Dabei stand er mit dem Rücken zur Kamera.

Ohne das geringste Anzeichen von Reue beobachtete der Psychopath, wie die Küken im Schlund des Schredders verschwanden. Sanders wurde schlecht, bei dem Geräusch, als die kleinen Körper zermahlen wurden. Rote Blutspritzer bedeckten den silbernen Rand der Maschine. Der Psychopath nahm die Kamera in die Hand und führte sie ganz nah zum Schlund des Schredders. In Nahaufnahme filmte er das blutige Mahlwerk. Dann drückte er auf einen Kopf und Sanders fiel auf das Transportband. Der Dekan schrie in purem Horror auf.

„Fünfzig Millionen Küken werden pro Jahr in Deutschland geschreddert. Fünfzig Millionen Leben auf so grausame Art beendet. Jedes und jedes Jahr. Ist das nicht eine ganz unglaubliche Zahl? Das Bundesverwaltungsgericht hat in seinem Urteil gesagt, dass das vollkommen ok ist. Sie sind für mich nur ein Tier, Dekan Sanders. Sagen Sie mir: Ist das in Ordnung?"

„Nein, nein! Oh Gott, hören Sie auf, bitte!", brüllte Sanders in Panik.

Er zerrte an den schwarzen Gurten, die ihn fesselten. Er konnte sie nicht lösen. Er wollte runter, von diesem Band, aber das Gewicht seiner Fesseln reichte, so dass er nicht über den Rand des Förderbandes kam. Hilflos zappelnd wurde er zu seinem Verderben gefahren. Der Schlund des Schredders kam immer näher. Er sah in das Gesicht des Psychopathen. Freundlich lächelnd und die Augen groß vor Neugierde. Wie ein Forscher, der sein Experiment betrachtet. Sanders schrie und weinte. Kurz bevor er in den Schlund stürzte, durchbrach die Fratze des Bösen das freundlich lächelnde Gesicht seines Mörders.

Kapitel 22

Roman von Falkenstein wischte den Tisch sauber, während seine Frau Klara das Frühstücksgeschirr in die Spülmaschine räumte. Er bemerkte, wie sie sich ein paar Mal möglichst unauffällig über die Augen rieb.

„Er wird etwas Dummes tun. Er wird sich in Schwierigkeiten bringen", sagte sie mit brüchiger Stimme.

Roman seufzte. „Ich kann ihn da mal ausnahmsweise verstehen. Lennard kann nicht rumsitzen und darauf vertrauen, dass alles wieder gut werden wird."

„Wir sprechen hier nicht von irgendeinem Fiesling, der Lennard schaden möchte. Wir reden von einem Monster, das selbst vor Mord nicht zurückschreckt. Am Ende wird er Lennard töten. Das habe ich im Gespür, Roman!"

Klara schluchzte auf, bekam sich aber gleich wieder unter Kontrolle.

„Lennard ist ein kluger Junge. Er wird vorsichtig sein", versuchte Roman, sie zu beruhigen.

Klara schmiss die Tür der Spülmaschine zu. Das Geschirr in ihrem Inneren klirrte vernehmlich.

„Herrgott, Roman! Lennard weiß doch gar nicht, was das Wort *vorsichtig* bedeutet. Mit seinem fehlenden Angstgefühl bringt er sich ständig in Gefahr. Erst gestern ist er beim Klettern abgestürzt. Er hätte sich dabei ernsthaft verletzen, ja sogar umbringen können!"

Roman wusch den Lappen aus und legte ihn zum Trocknen ausgebreitet über den Beckenrand der Spüle.

„Ich weiß", sagte er. „Ich habe ihn gesehen, wie er nach dem Duschen mit nacktem Oberkörper aus dem Bad gekommen ist. Riesige blaue Flecken und Abschürfungen waren dort. Lennard hat mein schockiertes Gesicht bemerkt und mich angegrinst: *Tja, beinahe wärst du mich los gewesen*, hat er gesagt und ist im Gästezimmer verschwunden. Das lässt mir keine Ruhe mehr, Klara. Glaubst du, er ist tatsächlich der Meinung, dass ich mir seinen Tod wünsche?"

„Ihr seid niemals besonders gut miteinander ausgekommen. Du hast dich leicht von seiner Art einschüchtern lassen", sagte Klara vorsichtig.

Roman lachte humorlos auf. „Du meinst, er hat mir manchmal eine Scheiß-Angst gemacht. Ja! Und er hat das genau gewusst und schamlos ausgenutzt. Wollte ich ihn manchmal loswerden?" Roman zögerte. „Ja. Es gab Zeiten, da glaubte ich, es wäre das Beste für uns alle, wenn wir ihn in ein Heim oder eine Anstalt bringen. Vor allem das Beste für dich, mich und Cecilia. Ich fürchtete, zu was er fähig sein könnte. Was er uns antun könnte." Roman seufzte. „Manchmal habe ich ihn für das gehasst, was er war. Mein eigenes Kind! Ich habe mich dafür geschämt, aber es ist wahr. Aber dann … dann habe ich ihn auch wieder geliebt. Mein kleines Monsterchen. Weißt du noch, wie er damals war? Er konnte auch unglaublich liebenswert sein. Und nachdem wir bei Dr. Pabst waren, wussten wir es ja: Dass er nicht absichtlich böse war, sondern dass mit seinem Gehirn etwas nicht stimmte. Dass er krank ist. Und das hat mir geholfen, ihn zu verstehen. Zu begreifen, warum er tat, was er tat. Warum er war, wie er war. Aber ich möchte ganz ehrlich sein: Du warst es, die ihn in der Familie gehalten hat. Du hattest von uns allen die Kraft, unerschütterlich zu ihm zu stehen. Dafür bewundere ich dich, Klara. Ich hätte das nicht geschafft. Und nun sieh dir an, was dank deiner Kraft aus ihm geworden ist. Ich bin stolz auf Lennard. Ich bin verdammt stolz, auf das, was er aus seinem Leben gemacht hat und darauf, was für ein Mensch er geworden ist."

Klara kam zu ihm und nahm ihn in den Arm. Sie küsste ihn und nahm sein Gesicht in ihre Hände.

„Dann sag ihm das."

Er nickte. „Ja, das sollte ich tun."

Es klingelte. Roman ging zur Tür und öffnete sie. Sofort wurde er von einem Blitzlichtgewitter und auf ihn gerichteten Scheinwerfern geblendet. Stimmen überschlugen sich. Jeder wollte seine Frage zuerst loswerden. Ein Mikrofon wurde ihm vor das Gesicht gehalten.

„Herr von Falkenstein. Fühlen Sie sich verantwortlich für die Morde, die Ihr Sohn auf so grausame Art und Weise verübt hat?", fragte der Mann am anderen Ende des Mikrofons.

Roman taumelte entsetzt zurück.

„Die Morde?", krächzte er.

„Ja, haben Sie es denn noch nicht gehört? Nun wurde auch Dekan Sanders Opfer des Psychopathen. Und das nur einen Tag nachdem er Ihren Sohn gefeuert hat."

„Lennard wurde nicht gefeuert. Nur vorübergehend beurlaubt. Wann soll denn der Dekan ermordet worden sein?", fragte Roman.

„Seine Armbanduhr hat seinen Todeszeitpunkt festgehalten. Sie blieb um siebzehn Uhr und zwölf Minuten stehen", sagte der Reporter in das Mikrophon und schwenkte es wieder zu Roman, um dessen Antwort einzufangen.

Roman richtete sich auf. Um siebzehn Uhr irgendwas hatte Lennard bei ihnen im Wohnzimmer gesessen. Er war gegen fünfzehn Uhr gekommen und hatte sie erst heute Morgen wieder verlassen. Der Mörder hatte einen Fehler gemacht. Lennard hatte ein Alibi. Nun würden endlich alle wissen, dass sein Sohn kein Mörder war! Triumphierend sah er in die Kameras.

„Meine Frau und ich werden heute noch der Polizei einen Besuch abstatten und das, was wir zu sagen haben, wird die Ermittlung entscheidend beeinflussen. Bitte haben Sie Verständnis, dass ich diese umfassenden Erkenntnisse nicht zuerst mit der Presse besprechen möchte. Vielen Dank!"

Er trat möglichst würdevoll in sein Haus zurück, als ihm noch etwas einviel. Schnell riss er die soeben geschlossene Tür wieder auf, streckte den Kopf hinaus und brüllte:

„Und verlassen Sie sofort mein Grundstück!", bevor er die Tür ins Schloss knallte.

Ja, das hatte gut getan. Seine Frau erschien mit ängstlichem Gesicht im Türrahmen der Küche.

„Zieh dich um, Schatz. Wir müssen zur Polizei und das Alibi unseres Sohnes bezeugen. Dann haben sie endlich den Beweis, dass er nicht der Mörder ist. Er ist unschuldig!"

Klara nickte und lächelte erleichtert.

Kapitel 23

Lennard kam sich nun wirklich wie ein Verbrecher vor, als er Ellen Decker auflauerte. Von ihrer Facebook-Seite wusste er, dass sie jeden Sonntag um diese Zeit zu ihrer Tanzstunde gehen würde. Er wartete, bis sie die Bushaltestelle verlassen hatte und in eine ruhigen Seitenstraße einbog. Schnell trat er aus seinem Versteck und stand vor ihr. Die junge Frau schrie entsetzt auf.

„Pscht. Ich bin nicht hier, um Ihnen etwas zu tun. Ich brauche nur Informationen", sagte er.

Ellen Decker nickte mit schreckensweiten Augen. Sie war weiß im Gesicht geworden und Lennard fragte sich, ob sie jetzt gleich ohnmächtig werden würde. Das wäre so ziemlich das Schlimmste, was passieren könnte. Wenn er sie besinnungslos liegen ließ, würde alles, was ihr danach geschah, ihm zur Last gelegt werden. Und wenn er bei ihr ausharrte, bis sie wieder zu Bewusstsein kam, könnte man ihn über ihrer leblosen Gestalt ertappen. Bei seinem Glück, würde bestimmt jemand auf die Idee kommen, er hätte der jungen Frau etwas angetan.

„Ich habe ein wenig das Vertrauen in unsere Polizei verloren und möchte helfen, den Mörder von Janine Renner zu finden. Dazu benötige ich aber ein paar Infos. Bitte helfen Sie mir. Tun Sie es für Janine."

Ellen Decker schaute skeptisch. „Was möchten Sie

denn wissen, Professor?"

Dass sie ihn Professor nannte, sah er schon mal als gutes Zeichen. Er fragte sie über das letzte Mal aus, wo sie Janine Renner gesehen hatte. Wann und wo war es? Worüber hatten sie gesprochen? War ihr jemand in ihrer Nähe aufgefallen? Die Befragung brachte ihm nicht viele Erkenntnisse. Das letzte Mal hatte Ellen ihre Freundin gesehen, als sie gegen sechzehn Uhr in das Studentenwohnheim ging und Janine noch in die Unibibliothek wollte. Das war also seine nächste Spur. Die saarländische Universitäts- und Landesbibliothek, kurz SULB genannt. Gab es dort Überwachungskameras? Lennard musste gestehen, dass er keine Ahnung hatte. Und wie sollte er dort Nachforschungen anstellen, wenn er das Unigelände gar nicht erst betreten durfte.

„Professor?", holte ihn die Stimme seiner Studentin aus seinen Gedanken heraus. Er sah sie fragend an.

„Haben Sie Janine wirklich nicht umgebracht?", fragte sie mit leise zitternder Stimme.

Lennard runzelte die Stirn. „Natürlich nicht. Sonst müsste ich wohl kaum diese Fragen stellen!"

„Und auch nicht den Dekan?", fragte sie weiter.

Lennard sah sie fassungslos an. „Den Dekan? Dekan Sanders? Was ist mit ihm?"

Die junge Frau druckste herum. „Haben Sie es denn noch nicht gehört? Dekan Sanders wurde auch von dem Psychopathen ermordet. Gestern Nachmittag."

Lennard hatte das Gefühl, als würde man ihm den Boden unter den Füßen wegziehen. Sanders hatte ihn erst beurlaubt. Auch dieser Mord zeigte wieder mit einem fetten Neonpfeil auf ihn als Hauptverdächtigen.

„Ich hatte keine Ahnung", murmelte er benommen.

Ellen Decker sah ihn mitleidig an. Sie schien ihm zu glauben, denn die Angst war aus ihrem Blick verschwunden.

„Passen Sie auf sich auf, Frau Decker. Ich fürchte so langsam, der Mörder hat es auf Personen aus meinem Umfeld abgesehen und da gehören Sie auch dazu. Fahren Sie in Ihr Wohnheim zurück und achten Sie darauf, sich möglichst immer in einer Gruppe zu bewegen. Das ist der beste Schutz vor solchen Raubtieren. Immer in der Gruppe bleiben. Und posten Sie nicht Ihr ganzes verdammtes Leben auf Facebook. Ihre Wege sind viel zu leicht nachvollziehbar. Ich hatte keine Probleme, Sie abzufangen."

Decker nickte. Ihre Augen glitten nervös umher.

„Hier kommt der nächste Bus zu den Wohnheimen. Laufen Sie! Den bekommen Sie noch. Ich warte hier, bis Sie eingestiegen sind."

„Danke, Professor", sagte Decker und sprintete zum Bus. Lennard beobachtete die Passanten. Er konnte nichts Verdächtiges ausmachen. Dennoch hatte er ein verdammt ungutes Gefühl. Am liebsten hätte er Ellen Decker zum Wohnheim begleitet, um ihr Schutz zu gewähren. Falls der jungen Frau etwas passieren sollte, stand er wieder als der Hauptverdächtige da. Doch es war unklug, sich in ihrer Gegenwart oder bei den Studentenwohnheimen sehen zu lassen.

Nachdem der Bus aus seiner Sichtweite verschwunden war, ging Lennard zu seinem Wagen zurück. Er ließ den Motor des silbermetallischen Porsche an. Das Autoradio schaltete sich ein. Der Radiomoderator berichtete gerade über den Mord an Dekan Sanders.

„Dekan Sanders starb um 17:12 Uhr", sagte der Mann.

Für diese Zeit hatte er ein Alibi! Er war bei seinen Eltern gewesen, wurde Lennard klar. Ein triumphierendes Lächeln durchbrach sein Gesicht.

Die Stimme seines Vaters ertönte im Radio:

„Meine Frau und ich werden heute noch der Polizei einen Besuch abstatten und das, was wir zu sagen haben, wird die Ermittlung entscheidend beeinflussen."

Das Lächeln verschwand augenblicklich aus Lennards Gesicht. Er starrte mit zu Schlitzen verengten Augen das Radio an. Verdammt! War seinem alten Herrn denn nicht klar, dass er sich und Mutter, damit direkt in die Schusslinie des Mörders warf?

Lennard trat das Gaspedal durch. Er musste

sofort zu seinen Eltern, bevor der Mörder sie zu seinen nächsten Opfern machte. Der Porsche brüllte dunkel auf. Schnell hatte er die Hauptstraße erreicht. Doch, anstatt zügig die nächste Autobahn anfahren zu können, stand er im Stau. Die Blechlawine reichte, so weit das Auge sah. Lennard trommelte nervös auf das Lenkrad ein. Es ging nur im Schritttempo weiter und es gab keine Möglichkeit der schleichenden Schlange, in dessen Mitte er gefangen war, zu entkommen. Beinahe war die Autobahnauffahrt erreicht. Der Stau löste sich auf. Lennard trat aufs Gas. Er wurde geblitzt, bevor er Saarbrücken verließ. Es war ihm egal.

Kapitel 24

Roman von Falkenstein richtete noch einmal seine Krawatte. Der maßgeschneiderte Anzug saß auch nach drei Jahren noch perfekt. Ebenso das Kostüm, welches seine Frau ausgewählt hatte. Sie waren die Eltern eines Mordverdächtigen. Wenn sie Lennards Alibi bezeugten, mussten sie glaubhaft wirken und nicht den Eindruck einer abgehalfterten Problemfamilie erwecken, die in ihrer Verzweiflung zu Lügen griff. Sie waren von Falkensteins. Eine altehrwürdige Familie mit Reputation und Klasse. Aber ihre Kleidung durfte auch nicht für den Anlass völlig überzogen aussehen. Ein von Falkenstein war in jeder Situation passend gekleidet.

Sie stiegen in ihren Wagen, einen dunkelblauen Mercedes.

„Hast Du an deine Ausweispapiere gedacht?", fragte Roman und startete den Wagen. Seine Frau nickte und warf ihm ein gezwungenes Lächeln zu. „Lass es uns hinter uns bringen", sagte sie.

Sie hatten die Adresse des zuständigen Präsidiums von der Visitenkarte, welche die freundliche Kommissarin ihnen da gelassen hatte, nachdem sie Klara und ihn zu Lennard befragt hatte. Damals konnten sie die Kommissarin nicht von Lennards Unschuld überzeugen. Dieses Mal hatten sie Beweise. Nun ja, nichts greifbares, aber immerhin ihr Wort, dass Lennard zum Tatzeitpunkt bei ihnen gewesen war.

„Ich mache drei Kreuze, wenn der ganze Horror endlich vorbei ist", seufzte Klara.

„Ich denke nicht, dass es durch unsere Aussage vorbei sein wird", erwiderte Roman. „Die Polizei weiß dann zwar, dass Lennard kein Mörder ist, aber der Täter wird deshalb nicht damit aufhören, ihn zu terrorisieren. Unser Junge muss weiterhin sehr vorsichtig sein. Aber es ist schon mal viel wert, wenn alle endlich wissen, dass er nicht hinter diesen schrecklichen Taten steht. Dann bekommt er zumindest seinen Job und seinen guten Ruf zurück. Das ist ein Anfang."

Quietschende Reifen ließen Klara erschrocken aufschreien. Roman sah durch die Seitenscheibe des Autos die Zugmaschine eines großen Sattelschleppers ohne Anhänger auf sie zurasen. Er versuchte noch, auf das Gas zu treten, um der unweigerlichen Kollision zu entgehen, da hörte er auch schon den ohrenbetäubenden Knall des Aufpralls. Der Mercedes wurde von der Wucht in die Luft geschleudert. Wie eine Puppe wurde Roman hin und her geworfen, prallte gegen das Lenkrad, die Scheibe, die Armaturen. Ein Brückenpfeiler stoppte den Flug, verbog das Metall des Wagens wie Knete. Gleißender Schmerz ließ Roman aufschreien.

Dann war es still. Er hörte kein kreischendes

Metall mehr und keine splitternden Scheiben. Das Autowrack war zum Stillstand gekommen und es war, als würde die Welt den Atem anhalten. Er sah auf den Beifahrersitz zu seiner Frau. Sie lag regungslos mit geschlossenen Augen in ihrem Sitz. Auf ihrer Stirn befand sich eine riesige Wunde, unter der er das Weiß des Schädelknochens sehen konnte.

„Klara!", keuchte er und musste husten. Ein Sprühnebel aus Blut kam dabei aus seinem Mund. „Klara!"

Mit einem Mal waren die Schmerzen verschwunden. Roman holte keuchend Luft. Er wusste, dass dies nichts Gutes bedeutete. Sein Körper fühlte sich taub an. Er starb. Seine geliebte, mutige Klara war wahrscheinlich schon tot. Tränen rannen über Romans Wangen. Seine wundervolle Frau! Seine Klara.

Mit ihm selber würde nun auch Lennards Alibi sterben. Er dachte an die Worte, die er der Presse gegenüber gesagt hatte. Man würde sie gegen seinen Sohn verwenden. Würde ihm nun auch noch den Tod seiner Eltern zur Last legen. Was hatte er da nur angerichtet?

„Lennard …", keuchte er.

Er hatte noch mit seinem Sohn reden wollen, hatte es Klara versprochen. Jetzt würde Lennard für immer denken, sein Vater hätte ihn am liebsten losgehabt. Es würde keine Aussprache mehr zwischen ihnen geben. Nie mehr.

Wenn es ihm nur gelang, lange genug durchzuhalten, bis jemand zu ihm kam. Dann konnte er ihm von Lennards Alibi erzählen. Zumindest das. Warum kam denn niemand?

Endlich hörte er Schritte. Im Seitenspiegel sah er eine junge Frau auf den Wagen zulaufen. Er musste ihr von Lennards Unschuld erzählen!

„Lennard … Lennard ist …"

Seine Augen verdrehten sich und sein Herz pumpte zum letzten Mal das Blut durch seine Adern.

Kapitel 25

Cecilia fühlte sich wie betäubt. Von einem Moment auf den anderen, lag ihre heile Welt in Trümmern.

Ihr Vater war tot, ihre Mutter so schwer verletzt, dass sie ihm wohl schon bald folgen würde. Es war kein Unfall gewesen, dessen war sich die Polizei recht sicher. Es war Mord! Ausgeführt mit einem gestohlenen Sattelschlepper. Vom Täter fehlte jede Spur.

„Wissen Sie, wo wir Ihren Bruder finden können?", fragte Lange.

Cecilia blickte auf. Das Gesicht der Kommissarin konnte sie durch den Schleier ihrer Tränen nur verschwommen wahrnehmen.

„Ist er denn nicht zuhause?"

Lange schüttelte den Kopf.

„Warum fragen Sie? Vielleicht sollte lieber ich ihm vom Tod unseres Vaters und dem Zustand von Mutter berichten. Das ist so furchtbar!" Cecilia schlug die Hände vors Gesicht.

„Ich denke, Ihr Bruder weiß darüber schon Bescheid", sagte Lange.

Cecilia ließ die Hände wieder sinken. „Wie meinen Sie das? Sie sagten doch, dass Sie Lennard noch nicht gesehen haben."

„Ihr Vater sagte kurz vor seinem Tod zu einigen Reportern, dass er entscheidende Hinweise im Fall des Psychopathen-Mörders hätte. Diese Aussage wurde im Radio übertragen. Kurz darauf war er tot. Ich denke, da gibt es einen Zusammenhang", sagte Lange.

Cecilia nickte. Es viel ihr schwer sich zu konzentrieren. Ihre Gedanken schienen erst eine dicke Nebelwand durchdringen zu müssen. Endlich begriff sie.

„Sie glauben, Lennard hat das getan!"

Es fühlte sich an, als wäre ihr Herz gestolpert und es raste nun in ihrer Brust, ohne seinen natürlichen Takt wiedergefunden zu haben.

Eine Szene aus der Vergangenheit erschien vor ihrem inneren Auge:

Ihr Vater betrat ihr Kinderzimmer.

„Wir sind zurück, Ceci."

„Was hat der Psycho-Doc gemeint?", fragte ihr jüngeres Ich.

„Sie hat die letzten Tage einige Test mit Lennard gemacht. Hat lange Gespräche mit ihm geführt und uns nun ihre Diagnose mitgeteilt. Sie sagt, Lennard habe eine dissoziale Persönlichkeitsstörung. Er sei narzisstisch, dissozial, emotional instabil und noch irgendetwas. Also laienhaft ausgedrückt: Dein Bruder ist ein Psychopath." Er fuhr sich mit beiden Händen über das Gesicht und seufzte.

„Also hat sie ihn weggesperrt?", fragte Cecilia. Vielleicht wurde nun endlich alles wieder wie früher. Doch ihr Vater schüttelte den Kopf. „Nein, Kleines.

Lennard braucht jetzt ein stabiles und liebevolles Umfeld. Das ist ganz wichtig für seine Entwicklung."

Cecilia merkte, wie ihr die Tränen in die Augen schossen. „Und was ist mit meinem Umfeld und meiner Entwicklung? So kann es doch nicht weitergehen. Das halte ich nicht aus!"

Ihr Vater nahm sie in den Arm. „Ich weiß, Ceci. Ich weiß. Aber nun, da wir wissen, warum Lennard ist, wie er ist, können wir besser damit umgehen. Er macht das nicht aus purer Bösartigkeit, sondern weil er krank ist. Weil sein Gehirn nicht so funktioniert wie unseres."

„Ich sehe nicht, wie das etwas ändern soll", sagte Cecilia mit gepresster Stimme.

„Es ändert eine Menge, weil wir ihn nun besser verstehen. Er kann nichts dafür, Kleines. Es ist nicht seine Schuld. Aber wir müssen uns auch einigen unbequemen Wahrheiten stellen. Wir können kein normales Verhalten als Maßstab ansetzen. Wir müssen quasi mit allem rechnen. Die Psychologin, Dr. Pabst, hat uns davor gewarnt, dich mit Lennard alleine zu lassen. Nur zur Sicherheit, um nichts zu riskieren. Nimm diese Vorsichtsmaßnahme bitte ernst und achte auch selber immer darauf. Hörst du?"

Cecilia nickte. Sie konnte nicht sprechen. Zu groß war der Klumpen aus Angst, der sich in ihrer Kehle gebildet hatte. Sie hatte die ganze Zeit über recht gehabt. In Lennards Gegenwart bestand für sie

Lebensgefahr.

„Dr. Pabst wird mit Lennard arbeiten und mit der Zeit wird sich die Situation hoffentlich entspannen. Es wird besser werden, Kleines."

„Und wenn nicht? Wenn er doch einen von uns umbringen wird?"

Siebenunddreißig Jahre war dieses Gespräch mit ihrem Vater her. War nun dieser Fall eingetreten? Hatte Lennard einen von ihnen ermordet? Nein, das durfte nicht sein!

Man bat Cecilia, die Leiche ihres Vaters zu identifizieren. Nun stand sie in diesem Raum ohne Fenster und er lag auf einer kalten metallischen Bahre und sah aus, als würde er schlafen. Nur die grau-gelbe Hautfarbe und die erschlafften Gesichtszüge zerstörten die tröstende Illusion. Die Augen waren nicht vollständig geschlossen. Einen kleinen Spalt waren sie offengeblieben. Zu wenig, um unter den Wimpern etwas erkennen zu können, zu viel, um es nicht zu bemerken. Cecilia trat ganz nah an die Bahre, schluchzte auf und griff nach seinem Arm. Er war noch nicht ganz kalt. Ein Hauch von Wärme war verblieben. Noch.

„Das ist Ihr Vater, Roman von Falkenstein?", fragte Kriminaloberkommissarin Lange. Sie sprach jetzt sehr leise und sanft. Cecilia nickte. Sie konnte ihre Tränen nicht mehr zurückhalten, jetzt, wo sie die grausame Wahrheit bezeugt hatte.

„Wir würden Sie gerne so schnell wie möglich über Ihren Bruder befragen", sagte die Polizistin.

Cecilia schüttelte den Kopf. „Ich kann nicht. Ich habe seine Verteidigung übernommen."

„Dann sollten Sie das Mandat niederlegen. Wir sind uns verdammt sicher, dass er unser Mörder ist. Dass er auch ihre Eltern auf dem Gewissen hat", beschwor die Polizistin sie.

Cecilia hörte ein Geräusch hinter sich und drehte sich um. Sie blickte direkt in die blau-grauen Augen von Lennard. Auch die Polizistin bemerkte ihn. Ihre Körperhaltung änderte sich sofort von tröstend zu kampfbereit.

Lennard beachtete sie gar nicht. Er trat an die Bahre und sah mit unbewegtem Gesicht auf seinen Vater hinab.

„Warst du das, Lennard?", fragte Cecilia. Sie brachte die Worte kaum heraus.

Ihr Bruder sah sie an und schüttelte den Kopf. Warum sagte er nichts? Er musste doch die Anschuldigung der Polizistin gehört haben. Warum verteidigte er sich nicht? Warum widersprach er nicht?

„Was war es, das Vater der Polizei erzählen wollte?", fragte Cecilia weiter. Sie musste es wissen. Musste wissen, ob sie dem Mann neben ihr, ihrem Bruder, noch trauen konnte.

„Ich wusste nicht, dass Sanders tot war. Ich habe es erst eben erfahren. Aber ich hatte für diese Zeit ein Alibi. Ich war bei unseren Eltern. Das wollte Vater der Polizei sagen!"

Cecilia sah Lennard unter Tränen an. Sie wollte ihm glauben. So sehr. Der Gedanke, dass ausgerechnet er, der Sohn, ihr Bruder, die eigenen Eltern umbringen wollte, war einfach zu grausam.

„Ich glaube Ihnen kein Wort", schaltete sich die Polizistin ein. „Ich denke, es ist so abgelaufen: Ihre Eltern hatten etwas gegen Sie in der Hand und Sie haben die beiden zum Schweigen gebracht."

„Nein, so ist es nicht", sagte Lennard mit monotoner Stimme. Cecilia schloss kurz die Augen. Als Lennards Anwältin sollte sie jetzt wohl der Polizistin widersprechen, aber sie konnte sich nicht dazu überwinden, war innerlich wie zu Eis erstarrt. Sie verstand das nicht. Sie hatte erwartet, dass Lennard jetzt einen seiner Ausraster haben würde. Dass er nach solch einer Anschuldigung Gift und Galle versprühte, aber er blickte nur ruhig auf die Leiche des Vaters.

„Woher wussten Sie dann, was passiert war? Es hat Sie noch niemand informiert und doch stehen Sie hier!", fragte Lange.

„Ich bin an der Unfallstelle vorbeigefahren und habe das Auto unserer Eltern erkannt. Ich telefonierte die umliegenden Kliniken ab, um herauszufinden, wo man sie hingebracht hatte. Im Krankenhaus angekommen, sprach man mir das Beileid aus und schickte mich hier runter."

Zum ersten Mal wünschte sich Cecilia, in den Kopf ihres Bruders hineinschauen zu können. Was würde sie dort sehen? Trauer, Gleichgültigkeit oder sogar Zufriedenheit?

Lennard drehte den Kopf, sah sie an. „Mutter wird mein Alibi bestätigen können, sobald sie aufwacht."

Die Polizistin funkelte Lennard wütend an. „Na, wie praktisch für Sie, dass die arme Frau wahrscheinlich nie mehr aufwachen wird. Damit kann sie Ihrer Version der Geschichte wohl nicht mehr widersprechen."

Wieder sagte Lennard nichts. Wieder zeigte sich keine Regung in seinem Gesicht.

Lange baute sich vor Cecilias Bruder auf und ignorierte dabei die Tatsache, dass dieser gut zwei Köpfe größer war als sie. „Das Letzte was ihr Vater sagte, war ihr Name. *Lennard ist* … Wie könnte der Satz wohl weitergehen?"

„… unschuldig, weil er bei uns war, als Dekan Sanders umgebracht wurde", sagte Lennard.

Die Polizistin kniff die Augen zusammen. „Möglicherweise. Oder aber auch: *Lennard ist der Täter. Er hat uns auf dem Gewissen.* Wer weiß das schon. Ich erwarte Sie im Präsidium zu einer Befragung in dieser Sache. Sie sollten freiwillig dort auftauchen, oder ich schleppe Sie in Handschellen dort hin. Verstanden?"

Lennard sah unbeeindruckt auf die Kommissarin hinab und nickte gleichgültig.

„Ich möchte jetzt meine Mutter sehen. Ist das möglich?", fragte Cecilia eine Krankenschwester, die sich die ganze Zeit über diskret im Hintergrund gehalten hatte. Die Frau nickte. „Sie liegt auf der Intensivstation. Ich bringe sie zu ihr."

„Ich komme mit", sagte Lennard. Doch die Polizistin schmetterte dieses Vorhaben entschieden ab.

„Ich lasse Sie noch nicht einmal in die Nähe ihrer Station. Das Zimmer Ihrer Mutter wird rund um die Uhr bewacht. Halten Sie sich von der Frau fern. Ich warne Sie!"

Bevor Cecilia den Raum verließ, drehte sie sich noch einmal zu ihrem Bruder um.

Er stand da, neben der Leiche des Vaters und sah so verloren aus. Oder projizierte sie ihre eigenen Gefühle in ihren Bruder, der nichts fühlen konnte? Sie wusste es einfach nicht.

Kapitel 26

Als Lennard nach Hause fuhr, schwirrte ihm der Kopf. Bestimmt war der Mord an Dekan Sanders und die Worte, die sein Vater zu den Reportern gesagt hatte, den ganzen Morgen schon im Radio ausgestrahlt worden. Zeit genug also, den Mordanschlag auf seine Eltern auszuführen. Wobei die Planung dieses Unterfangens durchaus schwierig war. Der Mörder musste innerhalb kürzester Zeit Informationen über seine Eltern sammeln. Wo wohnten sie, wie sahen sie aus, welchen Wagen fuhren sie und wie verlief die Route, die sie zum Präsidium nehmen würden? Dann musste noch der Sattelschlepper gestohlen werden und er musste sich an der passenden Stelle auf die Lauer legen und hatte nur Sekunden, um das richtige Fahrzeug im richtigen Moment abzupassen.

Lennard schüttelte den Kopf. Wie sollte das gehen? Der Kerl war verdammt gut. Kein Wunder, dass die Polizei an eine solche Version nicht glaubte.

Oder hatten sich seine Eltern schon längst im Visier des Mörders befunden? Wenn ja, dann hatte er ihnen bestimmt ein weitaus grausameres Ende zugedacht. Dann musste er nur seinen Zeitplan über den Haufen werfen. Die Erkundigungen wären bereits erledigt gewesen. Ja, so machte das schon eher Sinn.

Als er sich seinem Haus näherte, sah er schon die

zahlreichen Übertragungswagen und die Horde an Reportern in seinem Vorgarten. Kurz entschlossen bog er die nächste Seitenstraße ab. Das würde er sich jetzt nun wirklich nicht antun. Doch wo sollte er hin? Zum Haus der Eltern zu fahren, kam selbst ihm sehr unpassend vor. Außerdem hatte er keinen Schlüssel. Er hätte seine Schwester darum bitten können, aber diesen absurden Gedanken verwarf er sofort wieder.

Lennard nahm die erste Autobahnauffahrt. Die A8 war an diesem Sonntagnachmittag noch wunderbar frei. Ab zweiundzwanzig Uhr durften die LKW-Fahrer wieder auf die Straße und dann wäre hier kein so gutes Durchkommen mehr. Lennard wechselte auf die Überholspur und trat das Gaspedal durch. Die Landschaft flog immer schneller an ihm vorbei, während sein Porsche zeigte, was in ihm steckte.

„Was für ein Angeberwagen!", hatte Max gesagt, als Lennard ihm den Wagen nach seinem Kauf vorgeführt hatte. Ehrfürchtig war sein Freund mit seinen Fingern die aerodynamische Form des Sportwagens entlanggeglitten. Von dem Heckflügel, über die großen Luftschächte bis zur zweifarbigen Haube. Er hatte sich in den Wagen hineingesetzt und die zweifarbige Interieurfarbe in Rotschwarz bewundert.

„Dieses Kraftpaket beschleunigt in zwei Komma acht Sekunden von Null auf Hundert. Höchstgeschwindigkeit: Dreihundertvierzig! Er hat siebenhundert PS", hatte Lennard stolz aufgezählt.

Hätten seine Eltern mit einem solchen Wagen entkommen können? Dies war wahrscheinlich ein Überraschungsangriff gewesen. Die siebenhundert PS hätten da auch nicht mehr viel genützt. Mit einer höheren Geschwindigkeit hätte es den Wagen nicht nur zerknautscht und verbogen wie den Mercedes seiner Eltern, sondern eher in all seine Einzelteile zerlegt.

Er hatte den Wagen seiner Eltern gesehen. So schnell er konnte, war er zu ihrem Haus gerast. Doch traf er niemanden mehr an, also hatte er sich auf den Weg zum Präsidium gemacht. An dem Brückenpfeiler vor der Autobahnauffahrt hatte er ihr Auto gesehen. Ein großer Stau hatte sich gebildet. Lennard hatte seinen Wagen auf dem Park & Ride-Parkplatz abgestellt und war zu der Unfallstelle gesprintet. Die Polizei hatte schon alles abgesperrt, aber er konnte noch sehen, wie sie seine Mutter in einen Krankenwagen schoben. Leichenblass und blutüberströmt. Die Augen blieben die ganze Zeit geschlossen. Ihr Gesicht, ihr Körper zeigte keine Regung. Kein Zeichen auf Leben.

Am Boden lag eine weitere Gestalt. Man hatte sie mit einer goldenen Rettungsfolie abgedeckt. Nur die Beine und eine Hand schauten noch darunter hervor. Vielleicht war das ja gar nicht sein Vater. Möglicherweise war es der Fahrer des Sattelschleppers, der ebenfalls ziemlich ramponiert in der Autobahneinfahrt stand. Aber dann hatte er den Siegelring gesehen. Diesen klobigen, goldenen Ring mit dem Wappen der von Falkensteins.

Sein Vater war tot! Er war zu spät. Zu spät, um die Menschen zu retten, die ihm am meisten in seinem Leben bedeuteten.

Er wollte schreien. Er wollte schreien, bis seine Stimmbänder keinen Ton mehr herausbringen konnten. Lennard versuchte, die Aufmerksamkeit eines der Streifenpolizisten zu erlangen. Er wollte zu seinem Vater, auch wenn er wusste, dass er nichts mehr tun konnte. Dann war die Kriminalpolizei vorgefahren. Kriminaloberkommissarin Lange und ihr Kollege Potrowski. Und mit einem Mal wurde Lennard klar, wie das aussehen musste, wenn er sich hier am Tatort befand. Dass sie ihn womöglich für den Mörder seiner Eltern hielten. Er hatte sich schnell herum gedreht und war zu seinem Wagen gegangen, noch bevor ihn die Kommissare erkennen konnten.

Er war ziellos durch die Gegend gefahren. In Gedanken spielte er die verschiedenen Möglichkeiten durch, die ihm jetzt noch blieben. Er sollte am besten fliehen. Sich irgendwohin absetzen und ein neues Leben beginnen.

Plötzlich war sie da. Sie tönte aus den Lautsprechern, als sei sie überall um ihn herum. Die Stimme seines Vaters.

„Meine Frau und ich werden heute noch der

Polizei einen Besuch abstatten und das, was wir zu sagen haben, wird die Ermittlung entscheidend beeinflussen."

Lennard trat in die Bremsen. Schwer atmend hielt er auf dem Seitenstreifen. Es war anscheinend noch nicht zu der Presse durchgedrungen, dass Roman von Falkenstein bereits tot war. Sie sprachen noch immer über Dekan Sanders. Aber vielleicht lebte seine Mutter noch. Sie konnte sein Alibi noch immer bezeugen.

Er starrte auf das Display des Autoradios und mit einem Mal wurde ihm bewusst, dass er sich wünschte, die Stimme seines Vaters noch einmal zu hören. Doch sie waren schon weiter in ihrem Programm. Eine ekelhaft fröhliche Musik tönte aus den Lautsprechern. Der Moment war vergangen.

Lennard schaltete das Radio aus und starrte durch die Frontscheibe. Schließlich holte er sein Handy aus der Tasche. Er würde sich jetzt erkundigen, in welches Krankenhaus man seine Eltern gebracht hatte und dort hinfahren. Wenn man ihn dort verhaftete, konnte er es auch nicht ändern.

Man hatte ihn nicht verhaftet. Noch nicht. Lennard bezweifelte, dass es noch lange dauern würde. Wahrscheinlich war der Haftbefehl schon in Arbeit, lag bei irgendeinem Richter auf dem Schreibtisch und wartete nur noch auf die Unterschrift. Keine Ahnung. Er kannte sich damit nicht aus. Doch seine Hoffnung, dass seine Mutter sein Alibi noch bestätigen konnte, war zerschmettert. Sie würde sterben, ohne noch einmal das Bewusstsein zu erlangen. Und er hatte keine Ahnung, wer der Mörder war und warum er es auf die Menschen in seiner Umgebung abgesehen hatte. So viele Leben gingen verloren, weil er nicht die richtigen Schlüsse ziehen konnte. Er wusste noch nicht einmal, in welcher Richtung er suchen sollte. Wer würde das nächste Opfer sein?

Möglicherweise gab es nur einen logischischen Weg, das Morden zu stoppen. Er musste sich aus der Gleichung herausnehmen. War das die Lösung, um diesen Irrsinn zu stoppen?

Da vorne war eine Brücke. Ihre Pfeiler standen grau und massiv rechts und links neben der Fahrbahn. Eine leichte Bewegung des Lenkrads auf die eine oder die andere Seite würde genügen.

War er bereit, solch ein Opfer zu bringen? Er war des Lebens nicht müde. Aber es galt ein Problem möglichst effektiv zu lösen.

Nein, dazu war er nicht bereit! Auch wenn er dadurch möglicherweise vielen einen grausigen Tod ersparen konnte. Es musste einfach noch eine andere Lösung geben! Er wollte leben!

Lennard nahm die nächste Ausfahrt.

Es fing schon an zu dämmern, als Lennard an der Tür

des modern gebauten Hauses in Saarbücken klingelte. Dr. Maximilian Pabst öffnete die Tür.

„Lennard." Er runzelte die Stirn. Offensichtlich war sein Ärger über den verpatzten Auftritt noch immer nicht abgeklungen. Doch dann schien er etwas in Lennards Gesicht zu sehen, denn sein Ausdruck wechselte von Ärger zu Besorgnis.

„Was ist passiert?", fragte er.

Als Lennard nicht antwortete, führte Max seinen Freund in das modern eingerichtete Wohnzimmer. Lennard ließ sich auf die Couch fallen.

„Sie sind tot!"

Max runzelte verwirrt die Stirn. „Wer ist tot?"

„Dekan Sanders, der mich gestern beurlaubt hat, mein Vater und meine Mutter. Na ja, meine Mutter noch nicht, aber die Ärzte rechnen nicht damit, dass sie überlebt. Um ehrlich zu sein, rechnen sie nicht einmal damit, dass sie noch einmal aus dem Koma erwacht."

Maximilian Pabst wurde blass. „Ach du Scheiße! Das mit dem Dekan habe ich schon aus den Nachrichten gehört, aber deine Eltern …! Lennard, es tut mir so leid."

Lennard machte eine wegwerfende Handbewegung.

„Ich brauche dein Mitleid nicht, Max. Ich brauche deinen Rat!"

Max lehnte sich zurück und legte seine Fingerspitzen aufeinander. Er nickte Lennard mit ernster Miene zu. „Wie kann ich dir helfen?"

„Meine Studentin, Janine Renner, der Dekan, der mich kurz zuvor beurlaubte, meine Eltern … und alles unterschrieben mit: Der Psychopath! Ich denke, wir können davon ausgehen, dass der Mörder mich als den Täter dastehen lassen will."

Max nickte. „Ja, sieht ganz danach aus."

„Und", fuhr Lennard fort, „er wird auch nicht damit aufhören, bis er mich vernichtet hat."

Max sagte nichts. Er presste nur seine Lippen zusammen. Für Lennard Bestätigung genug.

„Entschuldige nochmals wegen des Vortrags. Ich habe dich hängen lassen."

„Das ist jetzt unwichtig, Lennard. Du hast weit größere Probleme", winkte Max ab.

„Ich habe eben überlegt, ob es eine Lösung wäre, mich aus der Gleichung herauszunehmen", gestand er ruhig.

Max sprang auf seine Füße. „Was? … Lennard, wie kannst du so etwas auch nur in Erwägung ziehen?"

„Jetzt hör mal auf mit deinem Gefühlsgedusel und denke rational! Der Mörder wird nicht damit aufhören, bis er mich vernichtet hat. Er weiß alles über mich und ich gar nichts über ihn. Ich habe keine Ahnung, nach was ich Ausschau halten soll. Ich habe keine andere Möglichkeit, ihn zu stoppen!"

„Lennard ... dieser Mörder wird auch nicht mit dem Morden aufhören, wenn du tot bist. So jemand hört nicht auf! Dafür genießt er das Töten viel zu sehr. Er zelebriert es ja regelrecht."

„Dann wird er aber irgendjemand töten, den ich nicht kenne und der mir egal ist. Aber nicht meine Familie oder meine Freunde. Dann bin ich nicht dafür verantwortlich!"

„Sagt wer? Wer garantiert dir, dass er dann Cecilia oder mich oder sonst einen Menschen, zu dem du Bezug hast, in Ruhe lässt? Du hast keine Garantie dafür, aber du kannst dann niemandem mehr helfen!"

Lennard sank wieder auf die Couch. Maxs Einwand war berechtigt. Es gab keine Garantie, dass sein Tod den Mörder stoppen würde, langsam sein ganzes Umfeld auszulöschen.

„Sie werden mich verhaften, Max. Alles deutet auf mich als Täter. Bei der nächsten Gelegenheit werden sie mich verhaften und *dann* kann ich niemanden mehr helfen. Ich soll zu einer Befragung ins Präsidium kommen. Wenn ich das tue, werde ich das Gebäude wohl nicht mehr als freier Mann verlassen."

Max schnaubte. „Dann wissen sie spätestens bei dem nächsten Mord, dass du nicht der Täter bist."

Lennard legte den Kopf schief und sah Maximilian an.

„Wer von uns ist jetzt der Psychopath?"

Max lehnte sich vor und rieb sich mit beiden

Händen über das Gesicht.

„Ja, entschuldige. Das war ziemlich daneben! Es geht hier um Menschen, die dir wichtig sind."

Sie schwiegen. Nur die große Pendeluhr gab den Takt an.

„Deine Uhr nervt", sagte Lennard schließlich.

Max lachte leise. „Ja, aber sie ist ein altes Erbstück. Sie stammt noch von meiner Ur-Ur-Großmutter."

Lennard betrachtete die alte Uhr. Sie war aus dunklem Holz gefertigt und hatte einen Glaseinsatz, dort wo das Pendel hing.

„Sie nervt dennoch", sagte er.

Max lächelte nur, wurde aber schnell wieder ernst.

„Lennard, das ist keine Rechenaufgabe. Du kannst nicht sagen, ich beende ein Leben, nämlich meins und rette damit drei, vier oder fünf Leben. Fünf Leben sind mehr als eins, also ist das richtig. Nein, das ist es nicht!"

„Das verstehe ich nicht, Max. Wo bleibt da die Logik?"

„Um Logik geht es hier nicht, sondern darum, dass er der Mörder ist und du keiner bist! Verstehst du?"

„Die erste Grundregel, die deine Mutter für mich aufgestellt hat: Du darfst nicht töten!", flüsterte Lennard.

Max schluckte. „Ja. Das ist die wichtigste Regel."

Lennard seufzte. Die Gleichung ließ sich also durch seinen Tod nicht lösen. Eine Erkenntnis, die ihn erleichterte. So musste er daran keine Gedanken mehr verschwenden.

„Was … was hat er deinen Eltern angetan?", fragte Max leise.

Lennard erzählte ihm die Ereignisse, wie er noch versucht hatte, seine Eltern aus der Schusslinie zu nehmen oder sie zumindest zu beschützen und wie er zu spät gekommen war. Er erzählte von dem Krankenwagen, dem Siegelring und dem Besuch in der Leichenhalle des Krankenhauses.

Max wischte sich die Tränen aus den Augen.

„Ich habe sie immer gemocht. Deine Eltern waren ganz großartige Menschen. Vielleicht … man weiß ja nie … ich würde die Hoffnung noch nicht aufgeben, dass deine Mutter möglicherweise doch noch überlebt."

„Da müsste ein Wunder geschehen", sagte Lennard tonlos.

„Na ja, ich bin Katholik. Ich glaube an Wunder!", sagte Max und fügte ganz leise hinzu: „Ich bin nur froh, dass er nicht noch seine kranken Spielchen mit ihnen treiben konnte. Diesen Gedanken könnte ich nicht ertragen. Allerdings …"

„Allerdings was?", fragte Lennard.

Max sprang auf und ging zur Spüle. Er nahm ein Glas und füllte es unter dem Wasserhahn.

„Allerdings was, Max? Sprich endlich weiter!"

„Ach, nichts. Nur so ein Gedanke", murmelte Max.

„Welcher Gedanke?", beharrte Lennard.

Max trank das Glas hastig aus, atmete tief durch, bevor er sich zu ihm umdrehte. „Wenn er dieses Mal seine Spielchen nicht treiben konnte, werden ihn diese Morde nicht befriedigt haben. Das heißt, er wird sich möglichst schnell nach einem weiteren Opfer umsehen. Theoretisch. Hoffen wir auf das Gegenteil."

Kapitel 27

Lennard nahm das Angebot von Max gerne an, die Nacht in seinem Haus zu verbringen. So konnte er nicht nur den lästigen Reportern entgehen, sondern auch dafür sorgen, dass Max nicht alleine in diesem Haus war. Jeder, der Lennard nahe stand, befand sich im Visier des Mörders und war in absoluter Lebensgefahr. Und Max gehörte zu den wenigen Menschen, die ihm ganz nahe standen. Er war sein bester Freund und damit ein logisches nächstes Opfer. Stundenlang hatte er an dessen Computer gesessen, um etwas herauszufinden. Da er aber keine genaue Ahnung hatte, wonach er eigentlich suchte, gab er schließlich auf und fiel in einen tiefen Schlaf.

In seinem Traum war er wieder ein kleiner Junge und beobachtete einen Ameisenhaufen. Er stocherte mit einem Stock darin herum. Nur ein wenig, um zu sehen, was passiert. Die kleinen Insekten strömten aus ihrem Bau. Einige erklommen den Stock und rannten bis auf seine Hand. Die Ameisensäure brannte auf seiner Haut, als sie ihn bissen. Er schüttelte die kleinen Tierchen von seiner Hand. Sein Blick fiel auf ein Feuerzeug, das neben ihm im Gras lag. Wie war es dort hingekommen? Keine Ahnung! Aber wäre es nicht unglaublich interessant, zu sehen, was passieren würde, wenn er den Haufen mitsamt diesen fiesen

Biestern anzünden würde? Er bemerkte, dass er nicht mehr alleine war. Jemand ging neben ihm in die Hocke.

„Wie lautet die erste und wichtigste Regel, Lennard?", fragte Dr. Margaret Pabst.

Lennard zog die Augenbauen zusammen und warf den Stock in den Haufen. „Ich darf nicht töten."

„Und, wirst du dich daran halten?"

Lennard schlug die Augen auf. Das Licht der Morgensonne drängte sich durch die Rollladenschlitze und vertrieb die Dunkelheit. Als er in die Küche kam, saß Max schon mit einer Tasse Kaffee und einem verkrümelten Teller an seinem Küchentresen. Sein Freund sah ihn über den Tassenrand an.

„Was?", fragte Lennard genervt.

Max biss sich auf die Lippe. „Das wird dir nicht gefallen", sagte er sehr leise.

„Was wird mir nicht gefallen?"

Max schob ihm die Tageszeitung rüber. Groß, auf der Titelseite war ein Foto von ihm. Ein Foto, wie er mit Ringen unter den Augen, zerzausten Haaren und Gefängnisschlafanzug mit zusammengekniffenen Augen aus dem Fenster starrte.

„Scheiße! Wenn ich dieses Foto sehe, halte selbst ich mich für einen Mörder!", entfuhr es Lennard, bevor er zu lesen begann.

"Psycho-Mörder arbeitete jahrelang an der Universität des Saarlandes als Professor, obwohl bekannt war, dass er an der Geisteskrankheit Psychopathie leidet und gefährlich ist."

Lennard pfefferte die Zeitung auf den Tresen und schritt aufgebracht durch den Raum. Er hatte den Überblick verloren, zum wievielten Mal er nun schon bis zehn zählte, ohne dass sich seine Wut davon im geringsten beeindruckt zeigte.

„Geisteskrankheit Psychopathie? Die stellen mich hier wie einen gefährlichen Irren hin! Ich habe noch nie jemandem etwas getan. Noch nie! Ich habe mich immer an die erste Regel gehalten."

Mit vor Wut zitternden Händen griff er wieder nach der Zeitung und las den Rest des Artikels. Dort wurde nun auch von Dekan Sanders und von seinen Eltern berichtet und die Frage aufgeworfen, wann die Polizei endlich handeln und ihn verhaften würde.

Lennard sank kraftlos auf den freien Stuhl am Küchentresen und sah zu seinem Freund. Max hatte seinen Ausbruch schweigend verfolgt. Er wusste, dass man bei solchen Gelegenheiten erst einmal wartete, bis sich Lennard ein wenig beruhigt hatte, bevor man etwas sagte.

„Jetzt werden sie mich verhaften. Sobald sie mich wieder zu Gesicht bekommen, sperren sie mich ein", sagte Lennard.

Max fuhr sich mit der Hand über den Mund. Lennard sah ihm an, dass er gerne etwas gesagt hätte, um ihn zu beruhigen, aber sein Freund belog ihn nicht und schwieg darum. Das war eine Eigenschaft, weshalb Lennard diese Freundschaft so sehr schätzte. Die absolute Ehrlichkeit von Max. Keine hohlen Versprechungen, kein zuckersüßes Geschwafel. Wenn Max etwas sagte, konnte Lennard sich darauf verlassen, dass es auch so gemeint war. In einer Welt, in der er sich manchmal vorkam wie ein Alien, war es wichtig, so einen Freund zu haben.

„Hast du noch diese schwarze Wollmütze, mit der du den ganzen Winter herumgelaufen bist?", fragte Lennard.

Max sah ihn halb belustigt, halb besorgt an.

„Ja. Was hast du vor? Willst du eine Bank überfallen?"

Lennard schnaubte. „Quatsch, aber ich möchte untertauchen. Wenn man eine Mütze aufhat, wird man schon nicht mehr so gut erkannt."

Max trank langsam einige Schluck von seinem Kaffee. „Du willst untertauchen? Ich bin mir nicht sicher, ob das eine gute Idee ist. Das sieht für mich nach einem Schuldeingeständnis aus."

„Es ist kein Schuldeingeständnis! Aber ich kann nichts mehr gegen diesen Mistkerl unternehmen, wenn sie mich eingesperrt haben."

„Du kannst auch so im Moment ziemlich wenig gegen ihn ausrichten. Du hast keine Ahnung, mit wem du es zu tun hast. Alle Hinweise deuten auf dich als Täter."

„Wenn ich nur schneller gewesen wäre, hätte ich vielleicht meine Eltern retten können. Ich habe seinen nächsten Schritt vorausgesehen. Ich wusste, dass sie sein nächstes Ziel sein würden. Ich kam nur zu spät."

Lennard starrte in seinen Kaffee, ohne davon zu trinken.

„Das nächste Mal wird mir das nicht mehr passieren. Das nächste Mal werde ich schneller sein."

„Also gut. Das ist eine Vorgehensweise. Versuche, dich in den Mörder hineinzuversetzen. Was glaubst du? Wer könnte am wahrscheinlichsten sein nächstes Opfer sein?", fragte Max.

Lennard starrte ihn an. „Du!"

Er sah, wie sein Freund krampfhaft schluckte.

Lennards Handy klingelte. Er schaute auf das Display.

„Das ist meine Schwester. Wenn sie sich bei mir meldet, ist wahrscheinlich Mutter gestorben."

Max erwiderte nichts. Er stellte nur seine Tasse ab und faltete seine Hände, wie um zu beten. Gespannt sah er Lennard an.

„Hallo Cecilia", nahm Lennard das Gespräch entgegen.

Am anderen Ende der Verbindung hörte er jemanden atmen.

„Cecilia?", fragte er.

„Onkel Lennard? Ich bin es. Hellen." Die Stimme

des Mädchens klang aufgewühlt. Als würde sie mit den Tränen kämpfen.

„Hallo, Hellen." Lennard zögerte. Er sollte jetzt irgendetwas Tröstendes sagen. Immerhin hatte Hellen ihren Opa verloren. Er sah hilfesuchend zu Max.

„Erkundige dich, wie es ihr geht?", flüsterte Max, der sein Dilemma verstand.

„Wie geht es dir, Kleines?", fragte er.

„Onkel Lennard … ich weiß nicht, ob du schon davon gehört hast … Opa ist tot! Und Oma ist ganz schwer verletzt. Die Ärzte wissen noch nicht, ob sie wieder gesund wird." Hellen schluchzte leise.

Lennard schluckte. „Ich weiß, Kleines. Ich war auch im Krankenhaus. Hat dir das deine Mutter nicht erzählt?", fragte er sanft.

Nun schluchzte Hellen heftiger. „Mama ist noch nicht vom Krankenhaus zurückgekommen. Sie scheint aber auch nicht mehr dort zu sein. Wir konnten sie nicht finden. Ist Mama bei dir?"

Lennard wurde es kalt, als er die Bedeutung von Hellens Worten erfasste.

„Du hast ihr Handy", stellte er mit monotoner Stimme fest.

„Ja, Mama hat es vor Aufregung zu Hause liegen lassen, als sie gestern ins Krankenhaus gefahren ist. Jetzt kann ich sie nirgends erreichen!"

Lennard fluchte und sprang auf. Er begegnete dem besorgten Blick von Max.

„Ich weiß nicht, wo deine Mutter ist, aber ich werde sie suchen. Hör zu, Hellen: Egal was man dir erzählt, ich habe mit ihrem Verschwinden nichts zu tun. Und auch nichts mit Omas und Opas Unfall oder den anderen schlimmen Sachen, die passiert sind."

„Ich glaube dir, Onkel Lennard."

„Gut. Behalte Cecilias Handy bei dir. Ich melde mich, wenn ich etwas herausgefunden habe." Er beendete das Gespräch.

„Was ist passiert?", fragte Max.

„Er hat sie. Der Mörder hat meine Schwester!"

Max raufte sich die Haare, lief durch den Raum und murmelte ohne Unterlass: „Oh mein Gott, oh mein Gott, oh mein Gott …"

„Max! Halt den Mund!", fuhr Lennard ihn an.

Max blieb stehen. „Entschuldige. Was hast du jetzt vor?"

Lennard atmete tief durch. „Ich werde zur Polizei gehen."

„Ich dachte, du wolltest untertauchen? Sie werden dich verhaften!", sagte Max.

„Das spielt jetzt keine Rolle mehr. Ich weiß nicht, wo ich Cecilia suchen könnte und wenn ich jetzt untertauche, wird die Polizei ihre Energie darauf verschwenden, mich aufzuspüren. Sie werden ewig in die falsche Richtung ermitteln und dann ist meine Schwester tot. Wenn sie überhaupt noch lebt. Der Mörder hält seine Opfer nie sonderlich lange gefangen." Lennard schwieg. Wenn er es recht bedachte, war seine Schwester wahrscheinlich schon tot. Der Mörder hatte sie auf irgendeine kranke, sadistische Art und Weise getötet. Aber solange er darüber keine Sicherheit hatte, musste er alles in seiner Macht stehende tun, um ihre Chancen auf Überleben zu optimieren. Max sah kalkweiß aus. In seinen Augen schimmerte es feucht.

„Ich begleite dich zur Polizei", sagte er.

Kapitel 28

Sie fuhren mit Maximilians Wagen, der auf seine Größe umgebaut war.

„Wenn sie dich gleich da behalten, komme ich bei deinem schicken Wagen nicht einmal an das Gaspedal", hatte Max gescherzt.

Als sie an der Pforte ankamen, wurden sie direkt hineingeführt. Offensichtlich war sein Gesicht in diesen Kreisen schon allen bekannt, dachte Lennard. Kein sehr schmeichelhafter Gedanke. Die gutaussehende Brünette mit dem Pferdeschwanz führte sie zu Kriminaloberkommissarin Lange und ihrem Kollegen Potrowski.

„Na sieh einer an, wer hier ganz freiwillig zu uns kommt", sagte Potrowski und sah ihn scharf an. „Wir haben inzwischen mit der Witwe von Dekan Sanders gesprochen. Und wissen Sie, was sie uns erzählt hat?", fragte er. „Sie hat mitbekommen, wie Sie ihren Mann kurz vor seinem Tod telefonisch bedroht haben. Wie war noch der Wortlaut? Sie werden ihn vernichten und das meinen Sie nicht im übertragenen Sinne. Na, das haben Sie ja schnell in die Tat umgesetzt, nicht wahr?"

Lennard fluchte innerlich. War ja klar, dass es eine Zeugin gab, als er dem Dekan gedroht hatte.

„Es ist wahr, ich habe ihm gedroht. Aber ich bin nicht Ihr Täter. Es ist unglaublich wichtig, dass Sie das begreifen. Es ist etwas passiert!", sagte Lennard.

„Tatsächlich. Und was ist passiert?", fragte Potrowski.

„Meine Schwester, Cecilia von Falkenstein, ist verschwunden. Ich fürchte, sie befindet sich in der Gewalt des psychopathischen Mörders", sagte Lennard.

„Wir wissen bereits, dass Ihre Schwester verschwunden ist. Ihr Ehemann war schon hier, um sie vermisst zu melden", sagte Lange.

„Wissen Sie, was ich glaube?", fragte Potrowski.

Lennard stöhnte. „Nein, aber Sie werden es mir bestimmt gleich sagen. Nur bitte machen Sie schnell. Das Leben meiner Schwester ist in höchster Gefahr."

Potrowski verzog ärgerlich das Gesicht. „Ich denke, Sie haben registriert, dass alle Hinweise auf Sie zeigen und dass Sie sich kaum mehr aus der Sache herausreden können. Darum sind Sie hier und spielen den besorgten Bruder. Damit wir von Ihrer Spur abrücken. Aber das werden wir nicht tun." Er lächelte triumphierend und zog einen roten Zettel aus seiner Schreibtischablage.

„Ein Haftbefehl. Soeben bei uns eingetroffen. Professor Lennard von Falkenstein: Sie sind wegen Mordverdachts vorläufig verhaftet." Er zog seine Handschellen hervor. „Stellen Sie sich bitte mit dem Gesicht Richtung Wand und strecken Sie die Arme nach hinten aus."

Max schaltete sich ein. „Die Handschellen sind nun wirklich nicht nötig. Lennard ist aus freien Stücken hier, weil seine Schwester in höchster Gefahr schwebt. Er möchte verhindern, dass Sie zu viel Zeit damit verschwenden, in die falsche Richtung zu ermitteln, da er noch die Hoffnung hat, dass Cecilia noch am Leben ist."

„Sie sind blind, Dr. Pabst. Sie bemerken gar nicht, wie er Sie an der Nase herumführt. Er wird uns jetzt erst einmal zu einer Vernehmung begleiten", fuhr Potrowski Max an.

„Nein, Sie haben sich da in etwas verrannt und verschwenden wertvolle Zeit!", konterte Max.

Lange schalte sich ein. „Ich denke, es gibt da eine Möglichkeit, etwas Klarheit zu erlangen. Bitte geben Sie mir Ihren Mantel. Ich werde ihn auf Waffen durchsuchen, während mein Kollege das Gleiche mit Ihnen machen wird. Bitte strecken Sie die Arme aus und leisten Sie keine Gegenwehr, sonst kommen doch noch die Handschellen zum Einsatz. Verstanden?"

Lennard nickte und zog seinen Mantel aus. Er reichte ihn der Polizistin und streckte wie angeordnet seine Arme aus. Angewidert verzog er das Gesicht, als Potrowski ihn nach Waffen abtastete. Er hasste es, berührt zu werden, aber unter keinen Umständen wollte er dabei auch noch gefesselt sein. Dann hielt er lieber still. Das war hier eindeutig zu viel Kontrollverlust für seinen Geschmack. Die Kontrolle war das

Wichtigste. Kontrolle bedeutete Macht. Sie zu verlieren, war die Höchststrafe. Wessen bescheuerte Idee war es noch einmal, hierher zu kommen? Bestimmt war das Max schuld. Vielleicht hatte er es vorgeschlagen, aber sein Freund hatte ihn gewiss mit irgend so einem Psychotrick dazu getrieben.

„Kommen Sie bitte mit", sagte Lange, reichte Lennard seinen Mantel und riss ihn damit aus seinen Überlegungen.

Sie ging mit ihrem Kollegen, Lennard und Max zu ihrem Dienstfahrzeug. Lennard warf Max einen wütenden Blick zu, den dieser mit erstauntem Gesicht erwiderte.

„Was?", fragte er leise, doch Lennard antwortete nur mit einem wütenden Schnaufen. Die Polizisten fuhren mit ihnen nach Homburg, zu dem großen Komplex der Kliniken. Schließlich erreichten sie einen Parkplatz, der der Beschilderung nach zum Institut für Rechtsmedizin gehörte.

„Was machen wir hier?", fragte Max mit belegter Stimme. „Hat sich noch eine Spur bei der Untersuchung von Lennards Vater ergeben?"

„Nein, es geht hier um Professor von Falkenstein. Ich möchte etwas nachprüfen", sagte Lange.

„Ich bin noch am Leben!", erwiderte Lennard. „Sollte nicht ein richtiger Arzt eine Untersuchung an mir durchführen und nicht so ein Leichenzerfledderer?"

Lange kicherte. „Keine Sorge, Professor. In der Gerichtsmedizin werden nicht nur Leichen obduziert, sondern auch Gutachten über Verletzungen erstellt und DNA und ähnliche Proben genommen.

Lennard wechselte einen Blick mit Max. „Haben Sie eine DNA-Spur des Mörders entdeckt?"

Weder Lange noch Potrowski antworteten ihm darauf. Sie stiegen aus dem Auto und öffneten Max und Lennard die hinteren Türen, welche sich nur von außen öffnen ließen.

„Wenn Sie meine DNA haben, können Sie dann direkt feststellen, ob sie mit Ihrer Spur identisch ist oder nicht?", bohrte Lennard weiter.

„Nein, so schnell wie im Fernsehen geht das leider nicht. Ein Vergleich dauert vier bis acht Stunden", sagte Lange.

Eine Frau mit grau-braun melierten Haaren, die sie mit einer Spange im Nacken zusammengebunden hatte, kam ihnen entgegen und begrüßte sie freundlich.

„Das ist Dr. Sommer. Sie ist hier Gerichtsmedizinerin und wird die Untersuchung durchführen", stellte Lange die Frau vor. Lennard bemerkte, wie Max neben ihm immer unruhiger wurde. Vielleicht lag es an den recht kühlen Temperaturen hier in diesem alten Gemäuer oder an dem unterschwelligen Geruch, der diesem Gebäude anhaftete.

„Hallo, Dr. Sommer", sagte Max, der die Frau

anscheinend kannte.

„Hallo, Dr. Pabst. Schön Sie wiederzusehen", erwiderte die Gerichtsmedizinerin und reichte Max die Hand.

„Ja, nur die Umstände könnten besser sein", sagte Max.

Dr. Sommer führte sie in einen mittelgroßen Raum, ging zu einer Lampe auf einem Schwenkarm, die ihn an seinen Zahnarzt erinnerte und schaltete das gleißend weiße Licht an. Lennard warf der Oberkommissarin einen fragenden Blick zu. Wozu benötigten sie das Licht für die Entnahme seiner DNA-Probe. Wenn er an die Gelegenheiten dachte, wo er so etwas im Fernseher gesehen hatte, wurde doch nur mit einem Wattestäbchen durch den Mundraum gestrichen. Dies sah eher aus, als wolle Dr. Sommer sie ihm herausoperieren.

„Nehmen wir einmal an, Sie sagen die Wahrheit und haben mit all dem nichts zu tun", erklärte Lange. „Dann waren Sie auch nicht in den Unfall Ihrer Eltern verwickelt, richtig?"

Lennard nickte. Er hatte keine Ahnung, worauf die Oberkommissarin hinaus wollte.

„Nun, der bei dem Anschlag auf Ihre Eltern benutzte Sattelschlepper hat auch einiges abbekommen. Ich schätze, wer auch immer dort drinnen saß, ist nicht ohne ein paar Blessuren dort herausgekommen. Wären Sie so freundlich, Ihren Oberkörper frei zu machen?", fragte Lange.

Lennards Kiefer schmerzte, so fest biss er die Zähne zusammen. Verdammt. Das lief in die falsche Richtung! Er hatte gehofft, mit dem Besuch hier in der Gerichtsmedizin recht schnell seine Unschuld beweisen zu können, aber die Folgen seines Absturzes an der Felswand würde die Polizei nur in ihrem Glauben bestärken, dass er der Täter sei.

„Nein!", presste er heraus. „Die Zeit läuft. Machen Sie sich endlich auf die Suche nach meiner Schwester!"

„Mein Gott, Lennard. Dann sei halt auch kooperativ und zieh deinen Pulli aus", stieß Max hervor.

Lennard starrte ihn wütend an. Dann zog er Pulli und Unterhemd über den Kopf. Max holte zischend Luft, als er die großen Hämatome und Abschürfungen an seinem Körper entdeckte. Entsetzt sah er Lennard an.

„Was ist los, Dr. Pabst? Kommen Ihnen nun endlich auch Zweifel an der Unschuld Ihres Patienten?", höhnte Potrowski.

„Lennard, wie ...", Max brach ab. Erschüttert sank er auf einen Stuhl, schüttelte seinen Kopf.

„Nein, das glaube ich nicht!", flüsterte er heiser.

Dr. Sommer hatte sich die Lampe herangezogen und sie auf die Hämatome gerichtet. Sie betrachtete die Verletzungen von allen Seiten. Dann richtete sie sich auf und sah Lennard an.

„Wie und wann sind die entstanden?", fragte sie mit ruhiger Stimme.

Lennard holte tief Luft. Zumindest gab man ihm die Gelegenheit seine Version hervorzubringen.

„Es ist am Samstag gegen Mittag passiert. Ich bin ungesichert an einer Felswand geklettert und aus etwa vier Meter Höhe abgestürzt."

„Hm", machte Dr. Sommer. „Ein Sturz?"

„Ich habe in etwa zehn Meter den Halt verloren, konnte mich aber auf halber Strecke an einer hervorstehenden Wurzel festhalten. Dabei bin ich frontal gegen den Felsen geprallt. Die Wurzel hielt leider nicht sehr lange und so stürzte ich endgültig ab und prallte auf den Rücken."

„Mein Gott, Lennard. Du hättest dich in den Tod stürzen können!", brach es aus Max heraus.

„Ich brauchte den Nervenkitzel."

„Und für ein bisschen Nervenkitzel riskieren Sie Ihr Leben? Ist es Ihnen denn so wenig wert?", fragte Lange.

„Ganz im Gegenteil. Es ist mir sehr viel wert. Darum möchte ich es ja auch spüren!", zischte Lennard.

Max seufzte. „Psychopathische Patienten haben ein sehr vermindertes Emotionsspektrum. Vor allem das Angstzentrum ist unterentwickelt bis kaum vorhanden. Sie leiden häufig an einer inneren Leere, die sie mit aller Gewalt zu füllen versuchen", erklärte Max.

„Hör auf, mich wie einen psychisch Kranken hinzustellen, Max. Mit mir ist alles in Ordnung!", zischte Lennard mit geballten Fäusten.

„Was meinen Sie, Dr. Sommer? Sehen die Verletzungen nach einem Unfall mit Sattelschlepper oder nach einem Absturz an der Felswand aus?", fragte Lange.

„Es sieht nach der Felswand aus. Bei einem Autounfall befänden sich vielleicht Abschürfungen im Bereich des Sicherheitsgurtes, aber auch die sähen anders aus, als diese, welche vom Kontakt mit einer rauen Oberfläche stammen. Auch wären bei einem Autounfall noch Platz- und Schnittwunden zu erwarten. Auch hier gilt: Keine der Abschürfungen passt in diese Kategorie. Die Rückenverletzungen lassen sich durch einen Autounfall, wie er vorliegen soll, nicht erklären. Für einen Sturz sind sie typisch. Sie hatten Glück, Professor von Falkenstein, dass Sie sich nicht sämtliche Gräten gebrochen haben oder es nicht zu inneren Verletzungen gekommen ist. Ich schlage vor, Sie suchen sich demnächst ein ungefährlicheres Hobby."

Lennard verdrehte die Augen.

„Soll ich Golfen gehen?", fragte er mit vor Sarkasmus triefender Stimme und verzog das Gesicht.

„Sie sollten zumindest in Zukunft darauf achten, immer gesichert zu klettern", erwiderte Dr. Sommer.

„Das heißt aber nicht, dass er nicht trotzdem hinter dem Lenkrad des Sattelschleppers gesessen hat", beharrte Potrowski.

Dr. Sommer schaute skeptisch. „Die Verletzungen sind Samstag entstanden. Eine weitere Verletzung einen Tag später, die die alten Verletzungen überlagert, wäre mir aufgefallen."

„Bitte sichern Sie dennoch die DNA von Professor von Falkenstein. Falls wir noch DNA-Spuren finden, können wir sie abgleichen."

Lennard horchte auf. Durfte er auf solch eine Spur des Mörders hoffen? Damit wäre der Beweis für seine Unschuld nur eine Frage der Zeit. Doch seine Schwester hatte diese Zeit nicht mehr. Wenn sie überhaupt noch lebte, war es nur eine Frage von Stunden, vielleicht Minuten, bis auch sie einen grausigen Tod sterben würde.

„Waren Sie mit Ihren Verletzungen schon bei einem Arzt?", fragte die Gerichtsmedizinerin. Lennard schüttelte stumm den Kopf. Sie waren inzwischen wieder an der Eingangstür angekommen. Dr. Sommer öffnete sie ihnen. Die frische Frühlingsluft roch herrlich nach dem Besuch dieses Gebäudes.

„Dann sollten Sie das noch tun. Lassen Sie sich am besten gleich hier in der Uniklinik durchchecken.

Eine eventuelle innere Blutung wird schon gestillt sein, sonst wären Sie inzwischen tot, aber man sollte dennoch nach möglichen Verletzungen schauen, damit sich diese nicht entzünden. Das könnte nämlich auch sehr üble Folgen haben", sagte die Frau zum Abschied. Lennard nickte in Gedanken.

Dr. Sommer wechselte noch einige Sätze mit den Polizisten, als Lennard sein Handy in der Tasche vibrieren spürte. Er zog es hervor und sah eine eingegangene WhatsApp-Nachricht von einer unbekannten Nummer. Er rief sie auf.

„Wie ist es so in der Gerichtsmedizin? Sagen Sie Ihren Begleitern, Kriminaloberkommissarin Lange und deren Kollegen Potrowski, kein Wort über diese Nachricht oder Ihre Schwester ist tot!", stand dort.

Lennard sah sich um. Er war hier! Der Mörder war hier und beobachtete ihn, spielte mit ihm. Lennard nickte. Er konnte niemanden sehen, aber das hatte nichts zu bedeuten. Es gab sehr leistungsstarke Ferngläser. Der Täter konnte überall sein.

„Was muss ich tun, um sie wiederzubekommen?", schrieb Lennard.

„Hauen Sie ab!", war die einzige Antwort.

Lennard steckte das Handy in seine Tasche zurück und begegnete dem fragenden Blick von Max.

„Ich erkläre es dir später", flüsterte Lennard.

Diese Antwort schien Max noch mehr zu verwirren. Lennard sah sich um. Wenn er zu Fuß flüchtete, würde er nicht weit kommen. Das Klinikgelände war so riesig, dass es darauf mehrere Bushaltestellen gab. Bevor er es verlassen konnte, wäre er auch schon wieder von der Polizei eingefangen oder wie in den amerikanischen Krimiserien, sogar erschossen. Nein, er brauchte das Auto. Nur so hatte er eine Chance.

Die beiden Polizisten traten zu ihnen und gemeinsam machten sie sich auf den Weg zum Dienstwagen.

„Wir werden kurz bei der Ambulanz anhalten und Sie durchchecken lassen", sagte Lange und holte den Schlüssel hervor, als Lennard sich plötzlich stöhnend vornüberbeugte und sich den Bauch hielt.

„Was ist los, Falkenstein?", fragte die Polizistin besorgt.

„Ah, mein Bauch. Vielleicht hat die Gerichtsmedizinerin ja doch recht und ich hätte mich nach dem Sturz untersuchen lassen sollen."

Lennard ging in die Knie. Lange versuchte, ihn zu stützen.

„Schnell, Charlie. Hol Dr. Sommer zurück. Wir haben einen medizinischen Notfall!", wies sie ihren Kollegen an, der sofort loslief. Lennard wartete, bis Potrowski an der Tür des Gebäudes war, dann riss er Lange den Schlüssel aus der Hand und sprintete zum Wagen. Als er die Tür aufriss, sah er die gezogene Waffe der Kommissarin auf sich gerichtet.

„Keine falsche Bewegung oder ich schieße. Das

ist mein Ernst", schrie Lange.

„Nein! Nicht schießen!", rief Max und sprang schützend vor den Lauf der Waffe. Lennard nutzte die Gelegenheit, stieg ein und raste davon. Er hörte einen Schuss, die Rückscheibe des Wagens zerbarst. Ein Blick in den Rückspiegel zeigte ihm Max am Boden. Hatte die Polizistin durch ihn hindurch geschossen? Lennard berechnete schnell die ungefähre Höhe, auf der Lange die Waffe gehalten hatte, zu der Körpergröße von Max. Sein Freund hatte sich direkt vor die Waffe gestellt. Wenn man die geringe Körpergröße von Max in Betracht zog, wäre ein Treffer direkt durch den Kopf gegangen. Falls Max von einer Kugel getroffen worden war, war er mit Sicherheit tot. Lennard umklammerte das Lenkrad. Die Knöchel seiner Hand traten weiß hervor.

Es nutzte nichts, sich darüber Gedanken zu machen, rief er sich zur Ordnung. Wenn Max tot war, konnte nichts, was er jetzt machen würde, ihm noch helfen. Aber seine Schwester brauchte seine Hilfe!

Das Handy vibrierte abermals. Er zog es aus seiner Tasche und hätte bei diesem Manöver beinahe die Kontrolle über das Auto verloren. Er blickte auf das Display. Eine neue Nachricht.

„Fahren Sie links auf die Ringstraße, dann bei der Zweibrücker Straße rechts abbiegen, bis zur Saarbrücker Straße, wo Sie wieder links abbiegen. Fahren Sie immer weiter Richtung A8. Wechseln Sie den

Wagen!", stand dort.

Lennard sah sich um. Wo sollte er jetzt ein neues Auto herbekommen? Er hatte keine Übung darin, ein Fahrzeug zu knacken und kurzzuschließen. Theoretisch wusste er, dass er im Fahrzeuginneren irgendwelche Kabel miteinander verbinden musste, um den Motor zu starten, aber er bezweifelte, dass er die richtigen finden würde.

Wenn ich hier heil wieder raus komme, werde ich mir dieses Wissen direkt aneignen. Nur für alle Fälle, dachte er.

Lennard hielt an einer roten Ampel neben einem silbernen Audi. Er sah sich den Fahrer an. Ein Mann mit angegrauten Schläfen und der Hautfarbe eines Bürohengstes. Der Fahrer bemerkte den Blick und sah kurz zu Lennard. Als er das intensive Starren des anderen bemerkte, wendete der Mann schnell wieder den Blick ab.

Perfekt! Der Bürohengst war also ein Büropony, das mit niemandem Ärger haben wollte. Solche Leute ließen sich leicht kontrollieren.

Lennard stieg aus. Er umrundete rückseitig den gestohlenen Dienstwagen, riss die Fahrertür des Audis auf. Der Mann schrie erschrocken auf. Lennard schlug ihm mit der Faust ins Gesicht, bevor dieser reagieren konnte.

„Aussteigen! Sofort!", sagte er mit eisiger Stimme.

Der Mann schnallte sich zitternd ab und stieg eingeschüchtert aus. Er hielt sich eine Hand schützend auf die getroffene Stelle. Die Ampel schaltete auf Grün. Lennard setzte sich in den Audi und fuhr davon. Niemand hatte sich eingemischt. Niemand ihn aufgehalten. Das war geradezu erschreckend leicht gewesen.

Er holte sein Handy hervor. Es vibrierte wieder.

„Fahren Sie auf die A8 Richtung Saarlouis. Nach dem Kreuz Saarbrücken kommt der Rastplatz Kutzhof. Fahren Sie dort von der Autobahn runter. Ganz hinten steht in der letzten Reihe vor dem Grünstreifen ein blauer Golf 3 GTI vor einem grünen Mülleimer. Im Mülleimer liegt eine MacDonalds-Schachtel in der sich der Schlüssel des Wagens befindet. Melden Sie sich, sobald Sie im Wagen sitzen."

Lennard folgte der A8. Immer wieder schaute er in den Rückspiegel, erwartete das zuckende Blaulicht der herannahenden Polizei zu sehen. Auf der Höhe von Kutzhof entdeckte er das Schild zum Parkplatz.

Der Parkplatz selber war gar nicht so groß. Er fand den blauen Golf ohne Probleme und parkte direkt daneben. Er ging zu dem grünen Mülleimer vor dem Golf und sah sich dabei unauffällig um. Ein LKW-Fahrer, der in seiner Fahrerkabine gerade ein Sandwich aß, sah gelangweilt zu ihm herüber. Aber er stand mit seinem Fahrzeug in einigen Metern Entfernung zu Lennard. Auf den Bänken im Grünstreifen

hatte sich eine Familie mit zwei Kindern breitge-
macht. Doch sie waren zu sehr mit sich selbst beschäftigt, als auf Lennard zu achten. Er stellte sich mit dem
Rücken zu dem LKW-Fahrer, tat so als hole er etwas
aus seiner Hosentasche und öffnete den Deckel. Dort
lag die MacDonalds-Schachtel. Er widerstand der Versuchung, sich umzusehen, ob der LKW-Fahrer ihn
immer noch beobachtete. Stattdessen griff Lennard
unauffällig in den Mülleimer und öffnete die Schach-
tel mit einer Hand. Er nahm den Schlüssel an sich und
schloss den Deckel. Mit gesenktem Kopf schritt er den
schmalen Gehweg am Grünstreifen entlang. Unter
seinen Wimpern schaute er zu dem LKW-Fahrer. Ja,
der Mann hatte ihn noch immer im Blick, doch er sah
nicht sonderlich interessiert aus, stattdessen gähnte er
herzhaft. Mit einem Blick auf die Familie versicherte
er sich, dass auch diese nichts bemerkt hatte. Er ging
weiter und verschwand kurz im Toilettenraum. Als er
zurückkam, setzte er sich in den blauen Golf und
hoffte, dass dem LKW-Fahrer der Autotausch nicht
aufgefallen war. Er holte sein Handy hervor und
wählte die Nummer.

„Was jetzt?", fragte er, als am anderen Ende der
Anruf entgegengenommen wurde.

„Ich schicke Ihnen einen Link per WhatsApp.
Dieser führt Sie direkt zu Ihrem Ziel. Ich habe mich
übrigens in Ihr Handy gehackt. Ich überwache Sie. Ich
sehe, wo Sie sich befinden, ich erkenne, wen Sie

anrufen und ich höre, was Sie sagen. Jederzeit! Auch, wenn Sie gar nicht telefonieren. Also ersparen Sie uns irgendwelche Dummheiten oder Ihre Schwester ist gleich tot."

Der Entführer wartete keine Antwort ab, sondern legte sofort wieder auf. Lennard betrachtete sein Handy. Er hatte schon darüber gelesen. Dass man durch sein eigenes Handy abgehört werden konnte. Inzwischen trug fast jeder seine eigene Abhörwanze mit sich herum. Ein Traum für jeden Nachrichtendienst oder Stalker. Lennard hatte dieser Information nie sonderlich viel Beachtung geschenkt. Er glaubte nicht, dass ihn das jemals betreffen sollte. Dazu war er kaum wichtig genug. Wie man sich irren konnte! Möglicherweise wurde er gerade in diesem Moment durch seine Handykamera beobachtet. Misstrauisch besah er sich die kleine, unscheinbare Linse. Mit einem Kopfschütteln rief er den gesendeten Link auf. Im Grunde genommen spielte es keine Rolle, ob er beobachtet wurde. Jedenfalls im Moment nicht. Er durfte diese Möglichkeit nur niemals vergessen. Der Link verband ihn direkt mit Google Maps. Die Navigation startete.

Kapitel 29

Sein Zielpunkt lag auf dem Parkplatz eines Industriegebäudes. Die Schilder waren verrostet und schon teilweise zugewachsen. Das Eingangstor zu dem Parkplatz hing schief in den Angeln, und der Asphalt wurde von zahlreichen Unkräutern durchbrochen. Die Natur eroberte sich dieses Terrain zurück. Das große Gebäude ragte gespenstisch in die Höhe, wirkte so kalt in der warmen Frühlingssonne. Zerbrochene Fenster, rostige Eisentüren und eine eingestürzte Feuerleiter ließen keinen Zweifel daran, dass dieses Gebäude schon lange leer stand.

Lennard ging auf die erste Tür zu und rüttelte an ihrem Griff. Sie war verschlossen. Suchend sah er sich um, ging um das Gebäude herum. Hier war noch eine Tür! Lennard musste über einen herabgefallenen Schornstein klettern, um an sie heranzukommen, doch auch sie war verschlossen. Frustriert setzte er seinen Weg fort. Auf der Rückseite des Gebäudes entdeckte er eine dritte Tür. Der Griff ließ sich nur schwer herunterdrücken. Lennard zog mit aller Kraft an ihr und stolperte einige Schritte zurück, als sich diese unerwartet leicht öffnete. Er betrat das Gebäude.

Jeder seiner Schritte wirbelte eine feine Staubwolke auf, deren Partikel in dem diffusen Licht, welches sich durch die verschmutzten Fenster kämpfte, glitzerte. Das Gebäude schien sein Eigenleben entwickelt zu haben. Es knarzte und knackte. Man hörte das Schlagen von Metall auf Metall, das wahrscheinlich durch den leichten Wind verursacht wurde, der mit einem losen Metallstück spielte, doch Lennard konnte keine Stimmen ausmachen. Vorsichtig ging er durch die verwaisten Räume. Er versuchte, so leise wie möglich zu gehen, denn er rechnete jederzeit mit einem Angriff. Möglichkeiten, sich für eine Attacke gegen ihn zu verstecken, gab es hier genug. Lennard hob eine verrostete Eisenstange vom Boden auf und hielt sie wie einen Baseballschläger vor sich. Vielleicht hätte er sich die Zeit nehmen sollen, etwas zur Verteidigung zu besorgen. Ein Messer oder Ähnliches. Jetzt war es für solche Überlegungen zu spät.

Es war faszinierend, wie sich alles veränderte, sobald der Mensch nur lange genug weg war. Die Tapeten hatten sich von den Wänden geschält, Bodenplatten sich gelöst, Rahmen waren heruntergefallen. Lennard sah noch die alten Röhrenbildschirme von den Computern und klobige Drucker, denen man schon an der Form ihres Gehäuses ansah, dass sie aus einer längst vergangenen Zeit waren. Hinter den Büroräumen schienen sich die Werkräume anzuschließen. Hinter Vorhängen aus Spinnenweben lagen große, alte Maschinen, die durch eine dicke Staubschicht alle eintönig grau aussahen.

„Ich würde ja gerne behaupten, dass es mir schwerfiele immer weitere menschliche Grausamkeiten gegenüber nieder gestellten Wesen zu finden. Doch kann ich da aus einem schier unerschöpflichen Fundus zurückgreifen. Es ist geradezu abartig, auf welche Art und Weise ihr diese lebendigen und fühlenden Wesen quält, wenn es auch nur ein paar Cent mehr Gewinn verspricht", tönte die bekannte Stimme des Mörders durch die alte Fabrik. Die menschenleere Räume und kahlen Wände warfen die Stimme immer wieder zurück, so dass sie einen hohlen unwirklichen Klang bekam und Lennard nicht bestimmen konnte, woher sie kam. Der Mörder hatte mit seiner Vorführung begonnen, an deren Ende Cecilia tot sein würde. Die Aufzeichnungen waren nie sonderlich lang. Wenn er seine Schwester noch retten wollte, dann hatte er nur noch ein paar Minuten Zeit. Er widerstand der Versuchung, nach ihr zu rufen. Den Mörder auf seine Anwesenheit hinzuweisen, würde ihren Tod nur noch beschleunigen.

Er weiß längst Bescheid, dass du da bist. Er überwacht dich, dachte er. Aber vielleicht war ihm nicht klar, wie nah er ihm schon war.

„Nehmen wir die Fischzucht", fuhr die Stimme des Mörders fort. „Tausende von Fische werden auf kleinstmöglichem Raum zusammengepfercht. In dieser quälenden Enge verbreiten sich Krankheiten wie ein Lauffeuer. Doch anstatt den Fischen mehr Raum zu geben, was den Gewinn schmälern würde, stopft man sie mit Medikamenten voll, mit Antibiotika, Antiseptika und der Fischarznei Malachitgrün, die im Verdacht steht, Krebs auszulösen. Rückstände dieser Medikamente finden Kontrolleure immer wieder in verschiedenen Proben. Und diese medikamentenverseuchten Fische landen dann auf unseren Tellern. Ist das noch gesund? Natürlich nicht! Wir essen diese Medikamentenrückstände mit. Es entstehen Resistenzen, Krebs und Ähnliches. Wir machen uns krank. Menschen sterben an Keimen, gegen die es kein Gegenmittel mehr gibt. Was solls! Hauptsache der Gewinn stimmt."

Lennard trat in eine große Halle. Der Sprecher unterbrach seinen Monolog. Es war, als würde seine Stimme noch in diesem großen Raum nachhallen. Er musste ganz nah sein.

Keine eingezogenen Decken versperrten hier die Sicht. Die drei Stockwerke bestanden nur aus Treppen und Gitterrostplattformen, die an die riesigen Maschinen und Kessel in der Halle angebaut waren.

Dort sah er sie. Wie ein im Flug erstarrter Vogel schwebte Cecilia über einem großen Becken aus verrostetem Metall. Ihre Arme und Beine waren mit schweren Metallmanschetten an einem Gestell befestigt, welches an einer langen Kette über einer großen Winde lag. Ihre Augen waren geschlossen, ihr Kopf hing kraftlos nach unten. Zahlreiche Strähnen aus ihrer aufgelösten Frisur verdeckten halb ihr Gesicht.

Lebte sie noch? Wenn er sie erreichen wollte, musste er die linke Treppe bis nach oben auf die dritte Plattform nehmen. Lennard widerstand der Versuchung sofort hochzulaufen. Er wurde erwartet! Nur, wo befand sich der Mörder? Wenn er schon wissentlich in eine Falle tappte, dann wollte er zumindest sehen, was auf ihn zukam.

Er drehte sich langsam um seine Achse. Seine Augen suchten die verschiedenen Ebenen ab. Hier gab es so viele Versteckmöglichkeiten! Große Maschinen und Behälter, gemauerte Schornsteine und sechs Stahltreppen, die zu den verschiedenen Plattformen führten.

„Wo bist du?", flüsterte er.

Doch sein suchender Blick fand kein Ziel. Langsam und darauf bedacht, kein Geräusch zu verursachen, ging er die Treppe hoch. Als er die erste Plattform erreichte, schien es, als würde die metallische Konstruktion aufstöhnen. Lennard erstarrte. Er schaute durch das Gitter nach unten. Sollte die Konstruktion jetzt zusammenbrechen, würde es mächtig weh tun. Er befand sich schon etwa drei Meter über dem Boden, und es bestand eine hohe Wahrscheinlichkeit, vom Rest der Treppe und den über ihm liegenden Plattformen erschlagen zu werden, falls diese auch zusammenbrachen. Er hatte keine Ahnung, wie lange die Fabrik schon verlassen war und in welchem Zustand sich das alles hier befand. Weiterzugehen war ein verdammt hohes Risiko. Er legte den Kopf in den Nacken und schaute nach oben durch die Gitter der Ebenen. Von hier aus konnte er das Gesicht seiner Schwester besser erkennen. Lennard sah, wie sich ihre Augenbrauen kurz zusammenzogen, bevor sich die Gesichtszüge entspannten. Sie lebte! Wahrscheinlich würde sie bald wieder das Bewusstsein erlangen. Er wagte einen weiteren Schritt. Das Metallkonstrukt knarzte. Die Plattform vibrierte bedrohlich unter seinen Füßen. Möglicherweise war ja nur diese eine Ebene so instabil. Lennard trat an den Rand der Plattform, setzte nur dort einen Fuß auf, wo die Plattform auf dem Gerüst auflag. So erreichte er die nächste Treppe. Als er die zweite Ebene erklommen hatte, schaute er nach unten. Etwa fünf Meter freier Fall, falls die Konstruktion hier zusammenbrechen würde. Seine Überlebenschancen verliefen rasant Richtung Null. Warum ging er dieses Risiko ein? Er sollte jetzt sofort die Polizei anrufen und berichten, was er vorgefunden hatte. Wenn der Verrückte dann seine Schwester wie angedroht umbrachte, hatte er sich nichts vorzuwerfen. Er hatte alles in seiner Macht stehende getan, um sie zu retten.

Nein, nicht alles, sagte eine Stimme in seinem Inneren. *Geh hoch und rette sie. Oder hast du etwa Angst um dein Leben?*

Lennard fühlte in sich hinein. Er spürte das Kribbeln in seinem Bauch, wo andere nackte Angst fühlen würden. Er liebte es, weil er sich in diesen Momenten so lebendig fühlte. Aber genau das wollte er auch bleiben. Lebendig! Bei all seinen Unternehmungen, um an dieses rare, wunderbare Gefühl zu kommen, seinen Bungeesprüngen, der Kletterei oder dem Tauchen mit den Haien, hatte er das Risiko nie aus den Augen gelassen. Er wollte den nächsten Tag noch erleben. Und in diesem Moment sprengte das Risiko jeden vernünftigen Rahmen. Die Stimme seiner Vernunft schrie ihn an, keinen einzigen Schritt weiterzugehen, sondern sofort dieses unsichere Gerüst zu verlassen, solange er dazu noch die Möglichkeit hatte. Dazu kam, dass der Mörder hier irgendwo lauerte. Die Spinne in ihrem Netz, die sich nur in Geduld üben musste, bis ihr Opfer seinen Weg ins Verderben genommen hatte. Nein, es war Irrsinn, hier weiter zu gehen!

Cecilia stöhnte über ihm. Ihre Augenlider flatterten, bevor sie den Kampf um ihr Bewusstsein wieder verlor.

Wut stieg in Lennard empor. Dieser Mörder hatte sich aus unerfindlichen Gründen ausgerechnet sein Leben ausgesucht und nahm es Stück für Stück auseinander. Er nahm ihm das Vertrauen seiner Mitmenschen, seinen Job, seinen Vater und wohl auch seine Mutter, möglicherweise auch seinen einzig wahren Freund Max und nun wollte er ihm auch noch die Schwester nehmen. Er wollte ihn vernichten. Aber da hatte er sich das falsche Opfer ausgesucht! Er würde das nicht länger hinnehmen. Lennard von Falkenstein ließ sich nicht so einfach vernichten. Er würde kämpfen! Ungeachtet des Risikos!

Entschlossen ging Lennard weiter, bis er die dritte und oberste Plattform erreicht hatte.

Cecilia stöhnte abermals und schlug die Augen auf. Ihr Blick schweifte leer umher bis ihr Verstand realisierte, was geschehen war. Das Adrenalin befreite sie gänzlich aus den Klauen der Benommenheit. Dann entdeckte ihn seine Schwester.

„Lennard! Hilf mir, bitte. Oh, mein Gott, er ist hier irgendwo. Er will mich töten!"

„Das lass ich nicht zu, Cecilia! Keine Sorgen. Ich hol dich hier raus."

„Ich glaub, ich muss gleich kotzen! Wie erbärmlich!", ertönte es von der Plattform, die der ihren gegenüber lag.

Lennard fuhr herum. Dort stand ein Mann mit kurzgeschorenen orangeroten Haaren und einem ebensolchen Bart. Sein Gesicht war schmal und blass, trotz der zahlreichen Sommersprossen, die es sprenkelten. Ein Spießergesicht, wenn da nicht sein muskelbepackter Körper gewesen wäre. Seine Lippen hatte er verzogen, als äße er gerade etwas besonders Abscheuliches. Lennard konnte keine Waffe ausmachen, nur eine Art Fernbedienung in seiner Hand.

„Was wollen Sie?", zischte Lennard.

Der Rothaarige kicherte. „Ihre Schwester umbringen und es wird mir auch gelingen! In ein paar Minuten ist sie tot.“

Cecilia schrie auf und zerrte panisch an den stählernen Fesseln.

„So weit schon klar. Aber warum? Warum haben Sie sich auf mich eingeschossen? Warum zerstören Sie mein Leben? Wenn ich Ihnen durch mein rücksichtsloses Verhalten irgendwie geschadet hätte, könnte ich es noch nachvollziehen, aber ich kenne Sie gar nicht!“

„Aber ich kenne Sie!“, schrie der Mann. „Ich habe Sie bewundert. Einer von zwei Prozent der Bevölkerung. Einer, wie ich! Sie sprechen ganz offen in einem Videointerview über Ihre Psychopathie. Und es hat keinerlei Konsequenzen! Ganz im Gegenteil. Sie sind als Professor gefragter denn je. Ich habe es Ihnen gleichgetan. Wegen ein paar Beschwerden wollten sie mich abmahnen. *Er hat meine Ideen geklaut. Er hat meine Arbeit als die seine ausgegeben. Er hat mich gemobbt. Blablabla.* Diese dummen Schafe! Selber Schuld, wenn sie so etwas mit sich machen lassen! Ich bin besser als sie. Ich bin überlegen. Die nächste Stufe der Evolution! Das habe ich ihnen gesagt.“

So war er in das Fadenkreuz des Mörders gelangt. Dieser Typ hatte sich mit seinen psychopathischen Verhaltensstrukturen mächtig Ärger eingehandelt. Und genau in diesem Moment, dem schlechtesten aller Momente, hatte er beschlossen, seine

Psychopathie vor allen offenzulegen. Sich zu outen. Das war offensichtlich mächtig schiefgegangen.

„Ein Psychopath sucht die Schuld für sein Scheitern niemals bei sich. Jedes Mal sind es die anderen, die es vermasselt haben", pflegte sein Freund Max ihm fortwährend zu sagen. Warum auch immer. Bei ihm waren solche Anmerkungen vollkommen sinnlos, da er keine Fehler beging. Doch in diesem Fall konnte er das Muster deutlich erkennen.

„Ihre Offenheit zeigte nicht die gewünschte Wirkung", folgerte Lennard.

Der Rothaarige bleckte die Zähne. „Sie haben mich entlassen. Ich sei untragbar für die Firma geworden, sagten sie."

„Es ist bedauerlich, dass man Ihr Potential nicht erkannt hat", sagte Lennard. *Auch wenn Sie selber Schuld sind, so selten dämlich wie Sie sich angestellt haben.* Doch diesen Gedanken behielt er lieber für sich.

„Aber ich sehe noch immer nicht meine Schuld an Ihrer Misere."

„Nur wegen Ihnen habe ich mich dazu hinreißen lassen, meine Psychopathie zu offenbaren! Ohne Sie hätte ich heute noch meinen über die Maßen gut bezahlten Job. Aber das hätte ich Ihnen ja noch verziehen. Na ja, eine kleine Abmahnung hätten Sie schon von mir erhalten. Ich begann, näher über Sie zu recherchieren. Ich wollte herausfinden, ob Sie ein Haustier haben, damit ich es Ihnen als Denkzettel an die Haustür nageln könnte. Nichts Drastisches. Nur ein Ausdruck meines Missfallens. Doch was ich über Sie herausgefunden habe, ließ meine Wut auf Sie ins Unermessliche wachsen."

Lennard hob fragend eine Augenbraue. Er hatte noch immer keine Ahnung, worauf der andere Mann hinauswollte. Cecilia wand sich wimmernd in ihren Fesseln, doch im Moment schien sie in keiner direkten Gefahr, auch wenn sich Lennard bewusst war, dass der Rothaarige seine Aussage, er würde sie töten, durchaus ernst meinte. Lennard konnte bei ihm keine Waffen oder Ähnliches entdecken, doch das hieß nicht, dass dort keine waren. Sie konnten hinter dem riesigen Kessel liegen, auf dessen Plattform der andere stand. Die Fernbedienung in den Händen des Killers war gewiss der zentrale Schlüssel zu Cecilias Ermordung. Lennard betrachtete die große Winde, an der mit einer schweren Stahlkette das Gestell hing, an dem seine Schwester gefesselt war. Ließ sie sich mit dieser Fernbedienung in Gang setzen? Wenn ja, würde seine Schwester in den etwa acht Meter tiefen Stahlkoloss, der randvoll mit Wasser war, gelassen werden, ohne eine Chance, sich von dem Stahlgerüst, zu befreien, an das sie gebunden war. Ihr sicherer Tod! Und er selber hatte keine Möglichkeit, ihr zu helfen. Er konnte die Fesseln aus Stahl weder öffnen, noch das schwere Gestell daran hindern, im Wasser zu versinken. Die einzige Möglichkeit, Cecilia zu helfen, bestand darin, das Warum zu verstehen und den anderen von seinem Vorhaben abzubringen.

„Was hat Sie so wütend auf mich gemacht?", fragte er.

„Ich habe Ihr Geheimnis entdeckt. Das Geheimnis, warum Sie trotz allem akzeptiert werden und ich nicht. Und mir ist übel vor Abscheu geworden. Wie konnten Sie nur?"

„Wie konnte ich was? Sie sollten sich wirklich klarer ausdrücken!" Lennard fiel es immer schwerer, die Beherrschung zu wahren.

„Nun, dann werde ich es mal in ganz klare und einfache Sätze für Sie fassen: Sie sind ein Homo psychopathos. Ein Übermensch. Sie sollten an der Spitze der Gesellschaft stehen und all die niederen Wesen, die gewöhnlichen Homo sapiens, weit unter Ihnen. Stattdessen haben Sie sich ihren Regeln unterworfen. Sie haben sich selbst verleugnet, bis Sie nicht mehr waren, als ihr gut dressiertes Schoßhündchen. Und noch immer betteln Sie nach ihren Anweisungen, gehen regelmäßig zu diesem Psychologen, Dr. Pabst, damit er Ihnen sagt, was Sie zu tun und zu lassen haben. Es ist zu erbärmlich. So entwürdigend für unsere ganze Rasse. Und so jemanden habe ich bewundert." Der Rothaarige spukte auf dem Boden.

Lennard hielt den Atem an. Er, ein dressierter Schoßhund? Wohl kaum! Nur weil er gelernt hatte, mit den Normalen zu leben, machte ihn das noch lange nicht zu deren Haustier, das von ihnen zum richtigen Verhalten manipuliert wurde. Nein, er war der Manipulator! Er hatte die Strippen in der Hand und lenkte die Marionetten.

Eine Szene aus der Vergangenheit tauchte vor seinem inneren Auge auf. Es war eine der ersten Sitzungen bei Dr. Pabst Senior.

„Kannst Du schon lesen, Lennard?", fragte Dr. Magaret Pabst.

Lennard nickte.

„Aber du kommst doch erst diesen Sommer in die Schule? Ich bin beeindruckt!"

Der kleine Lennard grinste über das ganze Gesicht. Er mochte es, gelobt zu werden.

„Ich habe hier eine Liste für dich. Sie ist noch nicht vollständig. Wir werden sie zusammen Punkt für Punkt wachsen lassen. Im Moment stehen hier nur die drei Grundregeln. Heute befassen wir uns mit der Wichtigsten von ihnen. Kannst du sie mir vorlesen?"

Lennard kniff angestrengt die Augen zusammen und las langsam und stockend: „1. Ich darf nicht töten!"

„Ja. Das ist die allerwichtigste Regel! Sie gilt für alles, was lebt. Für deine Schwester, deine Eltern, für jeden anderen Menschen und auch für jedes andere Lebewesen. Was für andere Lebewesen gibt es denn?"

Lennard schlenkerte gelangweilt mit den Beinen.

Das Gespräch fing an, ihn zu langweilen.

„Es gibt Hunde, Katzen, Vögel, Schlangen, Elefanten …"

„Genau. Und was darfst du mit all diesen Lebewesen niemals tun?"

„Sie töten." Lennard rollte mit den Augen. Warum ritt Dr. Pabst nur so auf diesem Punkt herum? Er wollte endlich damit fertig werden, diese blöde Liste zu lesen, damit er spielen gehen konnte.

Dr. Pabst strahlte ihn an. „Richtig. Du bist wirklich sehr klug für dein Alter, Lennard. Hier, nimm dir zu Belohnung ein Schokobonbon, weil du so gut mitarbeitest!" Sie reichte ihm eine Schale mit den Süßigkeiten. Lennard griff zu. Vielleicht waren die Gespräche mit Dr. Pabst doch gar nicht so schlecht. Er bekam Schokobonbons! Zuhause war Mama strikt gegen Süßkram. Lennard sei auch ohne Zucker-Flash schon schwierig genug, sagte sie immer.

„Gegen diese allerwichtigste Regel darfst du niemals verstoßen, Lennard, hörst du?"

Das Kind steckte sich das Schokobonbon in den Mund und nickte.

Lennard wandte den Blick von dem Rothaarigen ab und starrte auf den Gitterrost zu seinen Füßen. Er schluckte krampfhaft. Sprach der andere hier womöglich die unbequeme Wahrheit aus, die er selber so erfolgreich verdrängte? Hatte er sich wie ein Hund mit Leckerli zum gewünschten Verhalten dressieren lassen?

Sitz! Platz! Töte nicht! Stiehl nicht!

Lennard schloss seine Augen. Sein Weltbild erbebte nicht nur, es brach zusammen und er stand entsetzt inmitten der Trümmer. Die Normalen hatten ihn trainiert wie einen Hund, sodass er in ihrer Welt leben konnte. Das war krank!

„Lennard, bitte", flehte Cecilia. „Hör nicht auf ihn!"

Lennard spürte die aufsteigende Wut. Sie war es gewesen! Sie hatte vor seinen Eltern und dem Rest der Welt immer darauf beharrt, dass er krank, dass er verrückt und gefährlich sei. Ohne sie würde er heute vielleicht nicht vor den Trümmern seines Lebens stehen.

„Ich hatte ihn eigentlich auf meiner Liste", sagte der Rothaarige.

„Wen?", fragte Lennard von dem Gedankensprung irritiert.

„Diesen Psychologen, zu dem Sie ständig rennen. Eigentlich wollte ich ihn schon längst zu meinem Opfer gemacht haben. Ich lag schon auf der Lauer. Aber dann bezog plötzlich die Polizei vor seinem Haus Stellung und ihre Geduld war größer als die meine. Nur darum lebt er noch."

„Das tut er vermutlich nicht mehr! Er wurde wahrscheinlich von einer Polizeikugel getroffen und getötet."

„Tatsächlich?" Der Rothaarige lächelte versonnen. „Was für eine glückliche Fügung des Schicksals."

Lennard biss die Zähne zusammen. Seine Kiefer schmerzten.

„Sie haben vielleicht recht. Möglicherweise haben die Normalen mich dressiert wie einen Hund. Eine schmerzliche Erkenntnis. Ich sollte mich nicht so dogmatisch an die mir beigebrachten Regeln halten. Um genau zu sein, habe ich sogar vor, heute die wichtigste und oberste Regel zu brechen", sagte er.

Ein triumphierendes Lächeln breitete sich auf dem Gesicht des Rothaarigen aus. „Und die wäre?"

„Regel Nummer eins: Ich darf nicht töten. Aber genau das werde ich heute tun. Ich werde Sie töten!"

Das Lächeln im Gesicht des Anderen erlosch. „Ihre Wut richtet sich gegen den Falschen, Bruder. Ich bin nicht derjenige, der Sie versklavt hat."

„Ich bin nicht Ihr Bruder! Ich habe eine richtige Familie", sagte Lennard.

„Hatte. Sie hatten eine richtige Familie. Das hier, der kleine, verbliebene Rest, ist nur noch Formsache", sagte der Rothaarige und deutete mit einer wegwerfenden Handbewegung auf Cecilia.

„Wir werden sehen!", erwiderte Lennard.

Das Grinsen kehrte in das Gesicht des Mörders zurück.

„Ja, werden wir, nicht wahr? Und zwar genau jetzt!" Er drückte auf den zentralen Knopf auf der Fernbedienung. Ein rotes Lämpchen begann zu blinken und Lennard hörte, wie die große Seilwinde zum Leben erwachte. Cecilias panischer Schrei hallte durch das Gebäude. Lennard sah, dass das Geländer der Plattform an einer Stelle halb herunterhing. Mit einem kräftigen Fußtritt löste er es ganz aus der Verankerung. Es fiel scheppernd in die Tiefe. Lennard ging so weit wie möglich zurück. Wenn er diesen Anlauf nutzte, konnte er es möglicherweise schaffen, mit einem weiten Sprung an das Geländer der gegenüberliegenden Plattform zu gelangen. Dort konnte er dann dem Rothaarigen die Fernbedienung entreißen und die Seilwinde stoppen. Das war die einzige Möglichkeit, um Cecilia zu retten!

Der andere erfasste schnell Lennards Plan.

„Sie wollen die da?", fragte er und hielt den schwarzen Kasten mit dem roten Blinklicht in die Höhe. Ein boshaftes Lächeln glitt über seine Züge, das Lennard nur zu gut von sich selber kannte.

„Hier!" Der Rothaarige warf die Apparatur wie ein Baseballspieler auf ihre Seite. Lennard sprang. Er streckte die Arme aus, versuchte, die Fernbedienung zu fangen, doch er stand zu weit weg. Er fiel schmerzhaft auf den Gitterrost. Der schwarze Kasten landete mit einem klatschendem Geräusch im Wassertank und versank. Lennard stand schnell auf, hastete zu dem Tank und versuchte das Gerät zu fassen. Doch es war schon zu weit gesunken. Immer weiter entfernte es sich, bis Lennard in der dunklen Tiefe nur noch einen roten, pulsierenden Punkt ausmachen konnte. Die über ihm schwebende Cecilia wurde auf ihrem Stahlgerüst langsam heruntergelassen. Nicht mehr lange und sie würde im Wasser versinken.

Der Rothaarige hatte sein Handy hervorgeholt. Er drückte auf das Display und sah triumphierend hoch.

„Soeben habe ich eine Nachricht abgeschickt. Mit einem hübschen Bild. Sie neben Ihrer gefesselten Schwester. Das sieht echt finster aus. Ich habe geschrieben, dass ich Sie dabei überrascht habe, wie Sie dabei waren, ein Video aufzunehmen und diese arme Frau zu ertränken. Ich schätze, die Polizei wird in ein paar Minuten hier sein. Ich bin dann mal weg und ich würde Ihnen das Gleiche raten, wenn Sie nicht wegen Mordes im Gefängnis landen möchten, denn Ihre Schwester ist bis dahin tot. Jetzt haben Sie gar nichts mehr. Jetzt sind Sie auf der Flucht! Eine angemessene Rache, finden Sie nicht auch?" Der Rothaarige drehte sich um, und sprintete die Treppen hinunter.

Lennard überlegte. Wenn er jetzt ebenfalls die Treppen seiner Plattform herunterrennen würde, könnte er den Mörder unten vielleicht noch stellen. Aber dann überließ er Cecilia ihrem Schicksaal. Der andere war schnell. Zu schnell. Mit seinem Zögern hatte Lennard schon die Möglichkeit vertan, den Rothaarigen zu stellen. Entnervt wandte er den Blick von dem fliehenden Mann ab und sah zu seiner Schwester, die nur noch einen halben Meter von der Wasseroberfläche entfernt hing. Lennard kletterte auf das Eisengestell. Er zerrte an Cecilias Fesseln. Wie er gedacht hatte: Sie lösten sich keinen Millimeter.

Cecilia schrie und weinte.

„Sei still!", brüllte Lennard.

„Ich habe Angst, Lennard. Ich will nicht sterben. Ich habe Angst!"

„Dann habe leise Angst, wenn du es schon nicht lassen kannst. Ich muss nachdenken und dabei stört dein Geschrei!"

Cecilia wimmerte. Schon besser. Die Stahlfesseln konnte er nicht lösen, aber vielleicht die Seilwinde stoppen. Er sprang und ergriff die Stahlkette auf der anderen Seite der Winde. Wenn er sich mit seinem ganzen Körpergewicht daran hing, konnte er das Gittergestell vielleicht wieder hochziehen. Er musste Cecilia nur genügend Zeit verschaffen, bis die Polizei eintraf. Doch das Getriebe der Winde lief unbeeindruckt weiter, zog ihn langsam in die Höhe. Lennard schaute an sich hinunter. Unter ihm ging es neun Meter in die Tiefe. Er durfte jetzt keinen Fehler machen, oder es war sein Letzter. Er nahm an der Kette Schwung und sprang auf die Plattform zurück. Seine Füße landeten auf der Kante. Er verlor sein

Gleichgewicht. Wild mit den Armen rudernd, versuchte er, einen Sturz rücklings in die Tiefe zu verhindern. Keuchend fiel er auf die Plattform. Seine Finger krallten sich in den Stahlgitterboden. Das war verdammt knapp gewesen. In seinen Eingeweiden hatten sich die Schmetterlinge in einen Bienenschwarm verwandelt. Er blickte zu dem Wassertank. Cecilia hing kurz darüber. Er konnte sie nicht mehr retten und wenn die Polizei eintraf, würde er auch nicht seine Unschuld beweisen können. Es sähe aus, als habe man ihn auf frischer Tat ertappt. Er sollte fliehen, solange er es noch konnte. Wenn die Polizei ihn verhaftete, würde man ihn mit Sicherheit niemals mehr in die Freiheit entlassen. Ein Psychopath, der zum Serienmörder wurde. Nein, so jemanden ließ man nicht mehr auf die Gesellschaft los. Er stand auf, sah zur Treppe.

„Lennard. Lass mich nicht alleine!", schluchzte seine Schwester.

Er trat an den Wassertank. Dort unten konnte er noch das pulsierende Licht der Fernbedienung ausmachen. Aber es war unerreichbar weit weg. Wie sollte er acht Meter tief tauchen und wieder nach oben gelangen? Ohne Sauerstoffmaske. Ohne Gewichte. Unmöglich! Er würde schon ertrinken, bevor er den Boden erreicht hatte. Lennard sah ein Stahlrohr, welches auf der Plattform lag. Es war ungefähr zwei Meter lang und hatte eine schwere Manschette auf der einen Seite. Nun, vielleicht war er ja nicht ganz ohne Hilfsmittel. Er hatte einen zwei Meter langen Schnorchel, der ihn mit seinem Gewicht in die Tiefe verhelfen würde. Die Fernbedienung konnte er möglicherweise erreichen, aber dafür brauchte er Zeit. Zeit, die ihm bei seinem Weg nach oben fehlen würde. Das konnte er nicht schaffen. Er sah in Cecilias angstgeweiteten Augen.

„Ich habe genau drei Möglichkeiten. Punkt eins: Ich bleibe hier und leiste dir seelisch und moralischen Beistand und werde dann von der Polizei geschnappt, die mich für immer wegsperrt. Das bringt für niemanden ein befriedigendes Ergebnis. Streichen wir also Punkt eins.

Punkt zwei: Ich fliehe jetzt sofort und schaffe es eventuell noch, der Polizei zu entkommen. Allerdings werde ich dann für den Rest meines Lebens auf der Flucht sein. Auch nicht sehr befriedigend. Vor allem für dich, Schwesterchen. Du bist dann nämlich tot. Wie schon bei Punkt eins.

Bleibt also noch Punkt drei: Ich tauche in diesem großen Wassertank nach der Fernbedienung und fahre das Gestell wieder nach oben. Du würdest überleben, aber ich ertrinke mit Sicherheit. Das ist zu tief, um es zu schaffen!"

„Du hast Recht", schluchzte Cecilia. „Du musst fliehen, bevor die Polizei auftaucht."

„Das ist zwar sehr nobel von dir, Schwesterchen,

aber wir sollten doch objektiv bleiben und die Lösung mit dem besten Ergebnis wählen. Und das ist nun mal Punkt drei. Ein Leben wird gerettet, kann ohne Einschränkungen weiter gelebt werden, und der wahre Täter wird gefasst."

„Aber damit gehst du in den sicheren Tod, Lennard!"

„So eine gute Bilanz hat keiner der anderen Punkte. Es ist logisch, Punkt drei zu wählen."

Lennard nahm das Stahlrohr und zog es zu dem Wassertank. Es war schwer, trotz des geringen Durchmessers, aber die Manschette bildete ein zusätzliches Gewicht. Gut! Das half ihm schneller nach unten zu gelangen. Mit klopfendem Herzen trat er an den Rand des Tanks. Der Bienenschwarm raste durch seine Eingeweide. Er beendete mit dieser Entscheidung bewusst seine Existenz, sein Leben. Seine Chance, es lebend wieder aus dem Tank zu schaffen war so gering, dass man sie als vernachlässigbar einstufen konnte.

Ein Gedanke durchzuckte ihn. Was, wenn er versagte und sie beide sterben würden? Dann galt er als Cecilias Mörder. Er nahm sein Handy aus seiner Hosentasche und legte es auf den Boden. Vielleicht war die Polizei intelligent genug, um so die Wahrheit herauszufinden. Seine Brille legte er darauf. Er würde sie unter Wasser verlieren. Das blinkende Licht fand er auch ohne Brille. Nach kurzer Überlegung zog er auch seinen Mantel, den Pulli und die Schuhe aus.

Lennard versuchte so tief wie möglich ein und auszuatmen, um seinen Körper mit dem dringend benötigten Sauerstoff anzureichern. Doch sein Brustkorb fühlte sich eng an. Hatte er sich eben nach dem Sprung verletzt, als er versucht hatte, die Fernbedienung zu fangen und auf dem Boden geknallt war oder war das etwa … Angst?"

Seine Schwester schrie entsetzt auf, als ihre Füße ins Wasser tauchten. Durch die Neigung des Gestells, würde ihr Kopf als letztes untergehen, doch er durfte keine Zeit mehr verlieren, wenn Cecilia überleben sollte. Lennard verschloss die untere Öffnung des Rohres mit seinem Daumen und sprang ins Wasser. Das Gewicht des Rohres gab ihm genügend Abtrieb, sodass er sich darauf konzentrieren konnte, den Druckausgleich in seinen Ohren immer wieder durchzuführen, wie er es bei einem Tauchkurs, im Urlaub, gelernt hatte. Gleich hatte das andere Ende des Stahlrohrs den Rand des Wassertanks erreicht. Es war Zeit für seinen Extra-Atemzug. Lennard zog die frische Luft in seine Lungen. Das Rohr glitt vollends ins Wasser. Er hielt es weiter mit beiden Händen umklammert und ließ sich von ihm in die Tiefe ziehen. Er musste noch etwa zwei weitere Meter runter und seine Lungen schrien bereits nach Luft. Der Drang einzuatmen wurde immer schwerer zu kontrollieren. Er wollte nur noch hoch schwimmen.

Nur nach oben, wo die Luft zum Atmen war. Stattdessen konzentrierte sich Lennard auf das pulsierende Licht.

Was mache ich da?, dachte er. *Wo bleibt mein selbstbezogenes Handeln? Das ist Irrsinn. Nein schlimmer: Das ist Selbstmord.*

Die panischen Schreie seiner Schwester, die er bis in diese Tiefe hatte hören können, verstummten. Lennard schaute nach oben. Er konnte sie sehen. Nun war auch sie ganz unter Wasser. Mit vor Angst geweiteten Augen sah sie zu ihm hinunter.

Auf dem Boden des Tanks befand sich allerlei Schlamm und Schrott. Lennard zog sich daran zu dem roten Punkt. Verrostete Platten und Stangen verwehrten ihm den Zugang zu dem kleinen Kasten. Lennard zog daran. In unkoordinierten, zappelnden Bewegungen. Er musste nach oben! Er brauchte Luft. Alles schrie in seinem Inneren. Eine Welle von unbekannten Gefühlen, schien jeden rationalen Gedanken unmöglich zu machen.

Ich bin in Panik, realisierte er. *Der Sauerstoffmangel in meinem Gehirn hat sie ausgelöst. So fühlt sich das also an!*

Lennard hielt kurz inne. Hörte in sich hinein. Seine Verwunderung und Neugier ließen ihn wieder einen klaren Gedanken fassen. Er sah eine Lücke im Schrott, durch die er greifen konnte und streckte seinen Arm bis zur Schulter dort durch. So sah er das

Licht nicht mehr, aber es musste hier sein. Seine Finger tasteten durch den Schlamm. Ja, er hatte es! Schnell zog er es heraus und stieß sich vom Boden ab. Doch etwas hielt ihn fest. Er zappelte, schlug um sich. Seine Hose hatte sich in einem der Stahlrohre verfangen. Er bekam sie nicht los.

Ich sterbe hier. Wenn ich noch etwas erreichen will, dann muss ich jetzt diese Fernbedienung benutzen.

Er besah sich die Anzeige, während er mit den Beinen sich von den Stangen wegzudrücken versuchte. Er konnte kaum etwas erkennen. Es war relativ dunkel hier unten und seine Brille fehlte ihm. Das rote Lämpchen beschien zwar in regelmäßigen Abständen die Anzeige, doch die Worte darauf sahen verschwommen aus und schienen keinen Sinn zu ergeben. Nein, es durfte nicht alles umsonst gewesen sein!

Sein Körper brauchte einen Atemzug. Jetzt! Stattdessen hörte er auf, mit den Beinen zu strampeln, und lenkte seine ganze Aufmerksamkeit auf das Display der Fernbedienung. Ein Pfeil nach oben. Er drückte ihn. Das Gestell fuhr langsam nach oben. Und hier war ein Symbol, welches nach den Halterungen, den stählernen Fesseln des Gestells, aussah. Er drückte es. Sie sprangen auf. Cecilia hatte schon einen Arm frei und wand sich nun aus den restlichen Halterungen.

Lennard ließ die Fernbedienung los und befreite sein Hosenbein mit den Händen aus dem Gestänge.

Es war kein Sauerstoff mehr in seinem Organismus vorhanden. Sein leichteres Lungenvolumen ließ ihn im Wasser nach oben schnellen und doch war die hell leuchtende Oberfläche noch so unendlich weit entfernt.

Weiter schwimmen. Nicht atmen. Nicht atmen …

Wie weit noch? Waren es noch sechs Meter oder nur noch einer? Er konnte es unmöglich sagen. Aber es war zu weit!

Krämpfe schüttelten seinen Körper, machten ein Schwimmen unmöglich. Entsetzt registrierte er, dass er wieder sank, als sein Körper zu husten begann.

Und dann atmete er einfach ein. Er konnte es nicht verhindern. Wasser strömte in seine Lungen. Sein gesamter Körper erstarrte im Schock. Selbst seine Augen ließen sich nicht mehr schließen, seine Pupillen verharrten in ihrer Position.

Das letzte was Lennard sah, war das verheißungsvolle Licht der Oberfläche, welches sich immer weiter entfernte.

Kapitel 30

Cecilia holte noch einmal tief Luft, dann war ihr Kopf unter Wasser. Sie öffnete die reflexartig geschlossenen Augen wieder und suchte nach ihrem Bruder. Er war schon so lange unter Wasser. Viel länger als ein Atemzug reichen konnte, oder? Sie sah ihn. Er hatte es tatsächlich bis ganz nach unten geschafft und zerrte an irgendetwas, das sie in dem wenigen Licht, das es bis nach unten schaffte, nicht erkennen konnte. Doch sie sah, wie hektisch und unkontrolliert seine Bewegungen waren. Lennard war in Panik. Sein Körper hatte keinen Sauerstoff mehr. Er würde es nicht schaffen und damit auch sie nicht. Cecilia fielen all die Dinge ein, die sie ihm noch sagen wollte. Sie wollte ihm danken, dass er sie nicht alleine gelassen hatte, dass er alles tat, sogar sein eigenes Leben opferte, um sie zu retten. Eine vollkommen selbstlose Tat, die sie Lennard niemals zugetraut hatte. Auch dafür wollte sie sich entschuldigen. Für das fehlende Vertrauen, das sie ihm gegenüber hatte, solange sie denken konnte. Sie wollte ihm entgegenschreien: *Es tut mir leid, Lennard. Ich wünschte, wir könnten noch einmal von vorne beginnen.*

Lennard schaute zu ihr hoch. Ihre Blicke trafen sich. Er wurde ruhiger, tastete nach der Fernbedienung und zog sie hervor. Cecilia wollte jubeln. Er hatte es geschafft. Er hatte sie.

Vielleicht würde er es ja doch schaffen. Doch die Realistin in ihr spürte ihre eigene Lunge brennen und nach Luft schreien. Sie war wesentlich kürzer unter Wasser als Lennard. Wie sollte er das schaffen? Und dann hatte er sich im Gestänge verfangen. Verzweifelt versuchte er, frei zu kommen.

Sie sah, wie er gleichzeitig auf die Fernbedienung schaute. Aber er schien nicht den richtigen Knopf zu finden. Dann hielt er inne. War es jetzt vorbei? War alles umsonst? Doch ihr Bruder starrte konzentriert auf den kleinen schwarzen Kasten und drückte einen Knopf. Cecilia merkte, wie sie wieder langsam Richtung Wasseroberfläche gezogen wurde. Lennard hatte es geschafft. Sie musste nur noch weiter die Luft anhalten. So schwer ihr das auch fiel. Dann, mit einem Klacken, öffneten sich die Scharniere ihrer Hand- und Fußfesseln. Eine Hand war frei, mit ihr konnte sie die zweite Hand und die Füße befreien. Sie durchbrach die Wasseroberfläche, als sich ihr zweiter Fuß aus den Fesseln löste. Noch bevor sie einen Atemzug nehmen konnte, stürzte sie zurück ins Nass. Kurz orientierte sie sich, wo oben und wo unten war und schwamm zurück an die Wasseroberfläche. Lautstark zog sie die Luft ein. Die letzten Zentimeter bis zum Rand des Wassertanks, an den sie sich klammern konnte, waren unglaublich schwer zu erreichen. Zitternd und nach Luft pumpend hing sie am rettenden Rand.

„Lennard!"

Wo war ihr Bruder? Sie sah sich um. Doch nichts durchbrach die Wasseroberfläche. Cecilia nahm einen weiteren tiefen Atemzug und tauchte.

Dort war er. Seine starren Augen sahen durch sie hindurch. Seine bewegungslosen Hände schienen nach oben zu greifen, während sein lebloser Körper in die Tiefe sank. Sein Mund war von seinem letzten, tödlichen Atemzug, geöffnet, der ihm nur Wasser statt Sauerstoff gebracht hatte. Cecilia tauchte. Sie tauchte immer tiefer und tiefer. *Ich kann ihn noch erreichen! Ich lasse ihn nicht im Stich und warte, dass irgendein Polizeitaucher sich erbarmt und ihn vom Grunde dieses dreckigen Tanks hochholt*, dachte sie. Cecilia griff nach ihrem Bruder. Er musste es fast geschafft haben. Sie war nun etwa drei Meter tief getaucht und er war schon ein Stück gesunken. Wieder an der Wasseroberfläche sah sie sich um. Wie konnte sie sich hochziehen, ohne dass ihr Bruder wieder versank? Sie versuchte, ihn hochzudrücken. Doch dafür war sein schlaffer Körper zu schwer. Schließlich hielt sie ihn mit einer Hand am Handgelenk fest, während sie sich mit der anderen Hand am Rand festklammerte und erst ein Bein und dann das zweite Bein über den Rand zog. Sie griff nun auch nach Lennards zweitem Handgelenk, zog seine Arme so weit hoch, dass sie sich setzen konnte. Der Wassertank ragte ein Stück über den Boden hinaus. Cecilia stemmte ihre Fersen gegen diesen Absatz. Wie auf dem Rudergerät im Fitness-Studio versuchte sie, sich nach hinten zu drückten, um so Lennards Körper aus dem Tank zu ziehen, doch der Gitterboden machte das unmöglich. Cecilia sah sich um. Ganz in ihrer Nähe lag eine quadratische Metallplatte. Wenn sie sich diese als Sitz unterlegen würde, könnte es klappen. Sie ließ mit einer Hand Lennard los und streckte sich. Nur noch ein paar Zentimeter, dann hatte sie die Platte erreicht. Cecilia zog mit aller Kraft an Lennards Körper, bis sie die Platte mit den Fingerspitzen erreichte und näher an sich heranziehen konnte. Jetzt war sie nah genug, um sie zu greifen. Cecilia legte sie sich unter, setzte sich darauf und griff wieder nach Lennards zweitem Arm. Die Fersen drückte sie gegen den Vorsprung und drückte mit der Kraft aus den Beinen heraus. Es funktionierte. Die Platte glitt nach hinten. Jetzt lag der leblose Körper ihres Bruders bis zur Hüfte aus dem Wassertank. Den letzten Rest konnte sie ihn ziehen, indem sie ihn umdrehte und unter den Achseln griff.

„Lennard. Lennard!"

Seine Augen, aus denen sämtliches Leben verschwunden war, starrten zur Decke. Cecilia suchte den Puls. Ihre Finger tasteten Lennard Hals ab. Nichts. Er war tot. Ihr kleiner Bruder war tot. Er, das kleine Monster, wie ihr Vater und sie ihn immer heimlich genannt hatten, war für sie gestorben. Um sie zu retten.

Cecilia schluchzte auf. „Das lass ich nicht zu, Lennard! Du kannst nicht mein ganzes Weltbild auf den Kopf stellen und dich dann einfach so davonstehlen."

Cecilia legte die Metallplatte neben Lennard und drehte ihn auf den Bauch, so dass sein Brustkorb auf der Platte ruhte. Dann begann sie mit Druck, das Wasser aus seinen Lungen zu pumpen. Als bei ihrem Druck auf seinen Brustkorb kein Wasser mehr herauskam, drehte sie ihn wieder um, schob die Platte unter seinen Rücken und begann mit der Herzmassage, die sie nur unterbrach, um ihn zu beatmen. Schon nach kurzer Zeit war ihr von der Anstrengung und der Aufgabe, für zwei zu atmen, schwindelig.

„Komm schon, Lennard! Du weißt doch: Ich bin ein genauso großer Sturkopf wie du. Ich gebe nicht auf. Also komm zurück!"

Sie hörte Sirenen. Zuerst ganz leise, dann immer lauter.

„Hilfe ist unterwegs, Lennard. Du musst nur zurückkommen. Bitte!"

Wieder drückte sie seine Nasenlöcher zu, verschloss seinen Mund mit dem ihren und blies ihren Atem in seine Lungen. Sein Körper zuckte. Erschrocken richtete Cecilia ihren Oberkörper auf. Nichts. Lennard lag wieder still.

„Gleich ist Hilfe da. Du kannst es schaffen. Wir schaffen es. Jetzt gib nicht auf!"

Sie begann aufs Neue mit den Wiederbelebungsmaßnahmen.

„Ich gebe nicht auf, hörst du. Und du wirst das auch nicht! Nicht aufgeben … nicht aufgeben … nicht aufgeben …"

Jemand packte sie von hinten, zog sie von ihrem Bruder weg. Cecilia schrie und schlug um sich.

„Nein! Ich muss ihm doch helfen! Nein …"

„Es ist alles in Ordnung, Frau von Falkenstein. Alles ist gut. Sehen Sie: Die Sanitäter übernehmen. Ihr Bruder ist in besten Händen. Sie müssen jetzt nicht mehr um sein Leben kämpfen."

Cecilia drehte sich um, sah Kommissarin Dana Lange, die auf sie einsprach. Cecilia brach weinend zusammen.

„Er wusste, dass er es nicht schafft. Lennard wusste, dass der Tank zu tief war, um wieder aufzutauchen. Und trotzdem ist er dort hineingesprungen und hat mich gerettet. Er darf nicht sterben. Bitte!"

Die Kommissarin wechselte einen verwunderten Blick mit ihrem Kollegen Potrowski, der nun ebenfalls an Cecilias Seite stand.

„Ihr Bruder ist also nicht unser Mörder?", fragte er.

„Nein. Das ist so ein rothaariges Muskelpaket. Er hat einen kurzen Bart, und der Kopf ist bis auf ein paar Stoppeln kahlgeschoren. Ich weiß nicht, wer er ist. Aber er hat eine Scheißwut auf Lennard. Er hat das nur gemacht, um ihm alles zu nehmen, um ihn zu vernichten."

„Charlie, gib die Fahndung raus. Können Sie uns

den Täter noch weiter beschreiben? Welche Kleidung trug er? War er eher klein oder groß?", fragte Lange, während ihr Kollege sich schon mit dem Präsidium in Verbindung setzte.

„Der Kerl war eher groß. Etwa so wie Lennard, nur breiter. Aber nicht dick, sondern muskulös. Er trug … er trug eine schwarze Jeans und ein T-Shirt mit einem aufgedruckten blauen Schriftzug. Irgendwas mit Energie oder so. Ich konnte es nicht genau sehen, weil er eine dünne Kapuzenweste offen darüber trug. Sie war dunkelgrün. Er hatte … er hatte hellbraune Augen und Sommersprossen im Gesicht. Er roch nach altem Zigarettenqualm."

Cecilia kniff die Augen zusammen. Suchte in ihren Erinnerungen nach einem weiteren Hinweis, den sie den Polizisten weitergeben konnte.

Oberkommissarin Lange strich ihr über den Rücken.

„Das hilft uns sehr weiter. Danke, Frau von Falkenstein. Mein Kollege hat alles durchgegeben. Die Suche nach dem Täter ist im Gange. Sie und ihre Familie stehen unter Polizeischutz. Ihnen wird nichts mehr geschehen."

Cecilia öffnete wieder die Augen. Sie sah zu ihrem Bruder hinüber. Noch immer kämpften die Sanitäter um sein Leben. Vollkommen durchnässt lag er auf dem Boden. Der Notarzt hatte ihn intubiert, noch immer wurde die Herzmassage durchgeführt.

Cecilia suchte nach einem Zeichen von Leben in seiner blassen Gestalt. Ein Zittern der Augenlider, ein Zucken der Finger, doch da war nichts. Cecilia krümmte sich weinend zusammen.

„Kommen Sie, Frau von Falkenstein. Wir bringen Sie runter", hörte sie die Stimme der Oberkommissarin.

„Nein, ich möchte bei ihm bleiben."

„Hier ist es zu gefährlich. Wir müssen runter! Je weniger Menschen auf diesem maroden Gerüst sind, umso besser. Wenn hier alles zusammenstürzt, ist ihr Bruder verloren. Kommen Sie. Damit helfen Sie ihm im Moment am meisten."

Lange reichte der zusammengekauerten Cecilia eine Hand. Diese sah noch einmal zu ihrem Bruder. Die Polizistin hatte recht. Das Gerüst ächzte unter der Last der vielen Personen. Die Rettungssanitäter und der Notarzt sahen sich immer wieder nervös um. Cecilia bemerkte ihre Sicherungen mit Hüftgurten, die an einer Deckenschiene befestigt waren. Wann hatten sie das gemacht? Cecilia konnte sich nicht daran erinnern. Sie musste sich geistig in einem Tunnel befunden haben, in dem es nur darum ging, ihren Bruder ins Leben zurückzuholen. Alles andere um sie herum hatte sie anscheinend gar nicht mehr registriert. Sie sah Lennards abgelegte Sachen und hob seine Brille und sein Handy vom Boden auf.

Die zwei Polizisten hatten ebenfalls diese Sicherungsgurte und auch Cecilia musste in einen steigen, bevor sie zu der Stelle geführt wurde, an der Lennard das Geländer herausgetreten hatte. Dort lehnte eine lange Leiter. Cecilia schluckte. „Warum nehmen wir nicht die Treppen? Mir wird ganz schwindelig bei dem Gedanken, dort hinuntersteigen zu wollen."

„Die Leiter ist gesichert. Sehen Sie: Hier ist sie eingehängt und unten ist sie auch extra gesichert. Die Treppen sind zu gefährlich. Sie würden unser Gewicht vielleicht nicht mehr tragen", versuchte Lange, sie zu beruhigen.

Cecilia trat einen Schritt näher an die Leiter heran und warf einen Blick in die Tiefe. Der Boden unter ihr schien sich zu drehen. Sie hatte das Gefühl, ihre Beine würden einfach nachgeben. Wie sollte sie unter diesen Umständen den Abstieg bewältigen?

„Ich schaffe das nicht! Sehen Sie, wie meine Hände zittern? Meinen Beinen geht es nicht besser. Ich kann nicht klettern. Ich weiß noch nicht einmal, ob ich noch die Kraft habe, um drei Meter zu gehen." Cecilia sank erneut zu Boden. Die Polizistin ging neben ihr in die Hocke.

„Doch, Sie schaffen es! Geben Sie mir die Sachen Ihres Bruders. Ich stecke sie in meine Jackentasche, dann haben sie die Hände frei. Es kann gar nichts passieren. Sie sind gesichert. Falls Sie abrutschen, wird der Sicherungsgurt sie halten. Ich gehe vor, ok? Dann kann ich Sie von unten stützen."

Cecilia überlegte. Sie wollte stark sein und den Rettungskräften keine Scherereien machen, aber sie hatte all ihre Kraftreserven aufgebraucht. Sie schaute die Leiter hinab. Dana Lange machte sich bereit, vor ihr hinunter zu klettern. Doch Cecilia schüttelte den Kopf.

„Wenn ich es wirklich nicht schaffe, reiße ich Sie auch noch von der Leiter. Lassen Sie mich zuerst gehen, Frau Lange."

Die Oberkommissarin nickte und half ihr auf die Beine.

„Sie schaffen das!", sprach sie Cecilia erneut Mut zu.

Die größte Überwindung kostete es Cecilia, die Plattform zu verlassen und auf die Leiter zu klettern. Als sie erst einmal mit beiden Händen und Füßen darauf stand, fühlte sie sich sicherer. Wenn sich ihre Gliedmaßen nur nicht so anfühlen würden, als beständen sie aus Gummi!

Cecilia atmete noch einmal mit geschlossenen Augen durch, dann begann sie den Abstieg. Sie achtete darauf, nicht in die Tiefe zu sehen, und konzentrierte sich stattdessen auf jede einzelne Leiterstufe. Erschrocken zuckte sie zusammen, als plötzlich Arme nach ihr griffen. Sie hatte es geschafft. Sie war unten angekommen und wurde von zwei Rettungssanitätern in Empfang genommen.

„Das war sehr gut, Frau von Falkenstein. Diese

zwei Herren bringen Sie jetzt ins Krankenhaus", sagte die Oberkommissarin, die nun auch am Ende der Leiter angelangt war.

„Nein! Bitte nicht. Ich muss bei meinem Bruder bleiben!"

„Sie können ihm jetzt nicht helfen. Er ist in guten Händen", beruhigte sie Frau Lange.

„Das sind vielleicht seine letzten Minuten. Er hat sich für mich geopfert. Ich lass ihn nicht alleine. Das bin ich ihm schuldig."

Dana Lange sah nach oben, wo die Sanitäter und der Rettungsarzt noch immer um das Leben von Lennard von Falkenstein kämpften.

„Also gut. Aber wir gehen hier zum Ausgang, damit wir nicht von einem herabfallenden Teil erschlagen werden", sagte sie schließlich.

Cecilia nickte. Sie ließ sich unter dem Türrahmen der großen Halle nieder und blickte nach oben.

Vor ihrem inneren Auge erschien ihr Bruder als kleines Kind. Die goldbraunen Locken, die klaren Augen … und ein dämonisches Lächeln. Ein kleiner Engel mit der Seele eines Monsters. So war es ihr immer vorgekommen. Doch er hatte wohl auch eine andere Seite. Nicht erst jetzt, sondern auch schon früher. Max und Lennard waren die besten Freunde. Ihm hatte er diese andere Seite gezeigt. Warum nicht ihr? Oder hatten sich ihre Fronten mit der Zeit so verhärtet, dass sie für diesen anderen, diesen guten Lennard, blind geworden war?

„Es war nicht einfach, mit ihm aufzuwachsen. Ich fürchtete ihn", flüsterte sie.

„Ja, Psychopathie ist etwas Schreckliches", sagte Dana Lange.

„Er war krank. Und ich habe ihn dafür gehasst, was er war. Wie er war. Das war nicht gerade fair."

„Aber was blieb Ihnen denn anderes übrig? Mit einem Psychopathen aufzuwachsen und eine Kindheit zu erleben, die statt Sicherheit und Geborgenheit nur Angst und Terror bereithielt, war wohl auch nicht gerade fair", erwiderte die Polizistin.

„Nein, das war es nicht. Wie oft habe ich mir gewünscht, sie würden ihn einfach wegsperren oder dass er sich in einem seiner leichtsinnigen Abenteuer selbst umbringt. Wäre ich dann erleichtert gewesen? Ich fürchte ja. Doch jetzt möchte ich einfach nur die Möglichkeit haben, ihn besser kennenzulernen. Er hat sein Leben in den Griff bekommen. Jedenfalls, bevor dieser Mörder ihm alles genommen hat. Als Kind dachte ich, wenn Lennard erst erwachsen ist, dann ist er erst recht unglaublich gefährlich. Seine Bösartigkeit hat dann keine Grenzen mehr. Keiner kann ihn dann mehr kontrollieren oder aufhalten. Aber, er scheint sein Wesen ja selber unter Kontrolle gebracht zu haben. Mit Hilfe von Dr. Magaret Pabst und ihrem Sohn Max. Vor den Taten dieses Irren war er erfolgreich und beliebt. Diesen Lennard möchte ich auch kennenlernen. Einen kleinen Eindruck habe ich bekommen, als er zu mir kam und mich um Hilfe in diesem Fall bat. Wir hatten uns an diesem Tag zum ersten Mal richtig unterhalten. Ich möchte so eine Unterhaltung mit ihm, ohne den Schrecken eines Mörders im Nacken. Einfach so. Über ganz normale Dinge."

Aber war das überhaupt noch möglich? Der Mörder hatte an Lennards Selbstwertgefühl gerüttelt, hatte ihm eingeredet, er sei nur noch das dressierte Schoßhündchen der Normalen. Hatte der rothaarige Mistkerl in ein paar Minuten alles zerstört, was Dr. Magaret Pabst und ihre Eltern mit Lennard aufgebaut hatten? Lennard hatte angefangen, an sich zu zweifeln. Das hatte sie ihm deutlich angesehen. Würde er überhaupt noch einmal zu diesem kontrollierten Selbst zurückfinden?

Aber er hatte sie gerettet. Hatte ihr Leben über das seine gestellt. Wie konnte sie es wagen, jetzt noch an ihm zu zweifeln?

Es wurde eine Liege an der Deckenschiene hochgezogen und die Sanitäter legten Lennard darauf. Langsam wurde er heruntergelassen. Ein Sanitäter hockte wie eine Spinne über ihm. Ein weiterer eilte mit einer fahrbaren Krankenliege auf ihn zu und legten ihn darauf. Cecilia sprang auf die Füße.

„Er lebt noch!" Cecilia lief der Gruppe hinterher. Sie lachte und weinte zur gleichen Zeit. Er war wieder da! Ihr Bruder, ihr geliebtes kleines Monster hatte sich ins Leben zurückgekämpft.

„Ich möchte bitte mitfahren. Er ist mein Bruder, bitte."

„Sein Zustand ist kritisch. Wir brauchen den Platz", sagte der Notarzt. Cecilia nickte. Sie konnte nichts erwidern. Ihre Kehle war wie zugeschnürt. Sie sah zu ihrem Bruder, wollte so lange wie möglich in seiner Nähe sein. Für einen kurzen Moment öffnete er die Augen und sah sie an, bevor er sie wieder vor Erschöpfung schloss.

„Kommen Sie, wir fahren hinter ihnen her", sagte Dana Lange und gab ihrem Kollegen ein Zeichen zum Aufbruch.

Kapitel 31

Lennard erwachte mit dröhnenden Schädel. Seine Lunge brannte wie Feuer. Durch einen Schlauch in seiner Nase strömte Sauerstoff, half ihm beim Atmen. Ein metallisches Bettgestell, weiße Bettwäsche … wo war er? Das war nicht mehr die Fabrikhalle und es passte auch nicht zu seiner Vorstellung von einem Leben nach dem Tod. Nein, wenn er seinen schmerzenden Körper in Betracht zog, war er noch eindeutig am Leben. Seltsam. Das widersprach sämtlichen Berechnungen, die er angestellt hatte.

Eine Hand strich über seine Wangen. Lennard blinzelte verblüfft. Neben ihm saß seine Mutter in einem Rollstuhl. Der Kopf war von einer weißen Binde umwickelt. Ihr Gesicht war beinahe ebenso weiß. Nur die Augen waren rot gerändert. Das konnte er sogar ohne Brille erkennen.

„Trägst du neuerdings Turban?", scherzte er. Seine krächzende Stimme war selbst in seinen Ohren kaum zu verstehen. Lennard räusperte sich. Er entdeckte seine Brille und sein Handy auf dem Nachttisch. Jemand hatte sie aus der alten Fabrikhalle mitgenommen und dort für ihn hingelegt.

Ein Lächeln glitt über das Gesicht seiner Mutter.

„Ja, ich dachte, es sei an der Zeit, einen neuen Trend zu setzen. Glaubst du, es wird der neue Modehit?"

Lennard blinzelte bei dem Versuch, die Augen offen zu halten. Wie konnte er nur so müde sein? Er war doch eben erst erwacht.

„Ich weiß nicht. Versuche es doch mal mit einer anderen Farbe."

Er spürte, wie sie seine Hand in die ihre nahm.

„Sie sagten mir, du würdest auch sterben", flüsterte er und zwang seine Augen erneut auf.

Tränen füllten die Augen seiner Mutter.

„Ich bin zäh und immer für eine Überraschung gut. Gestern Abend bin ich aus dem Koma erwacht. Ich solle in meinem Bett bleiben, sagten die Ärzte. Sie mussten jedoch einsehen, wie extrem wichtig es für meine Genesung ist, dass ich meinen kleinen Helden besuchen darf."

Lennard verzog das Gesicht.

„Dein kleiner Held ist erwachsen und ein Meter fünfundachtzig groß, Mutter."

„Das ist das Schicksal aller Nesthäkchen. Dass sie in den Augen ihrer Mütter immer ihre Kleinen sein werden." Sie drückte seine Hand. „Danke, Lennard. Danke, dass du deine Schwester gerettet hast, und danke, dass du überlebt hast. Ich hätte es nicht ertragen können, noch einen geliebten Menschen zu verlieren." Sie schniefte, ihre Hand zitterte in der seinen.

„Wie geht es Cecilia?", fragte Lennard.

„Sie schläft im Moment. In jeder wachen Minute

sitzt sie an deinem Bett oder kümmert sich um mich. Sie haben sie in mein Zimmer verlegt. Morgen wird sie aus dem Krankenhaus entlassen."

Ein Krankenpfleger und eine Ärztin betraten den Raum. Klara von Falkenstein wurde in ihr Zimmer zurückgebracht und Lennard musste sich einigen Tests unterziehen, bis er die Ärztin entnervt wegschickte. Er wollte nur noch schlafen.

Gedämpfte Stimmen drangen an Lennards Bewusstsein. Eine Stimme gehörte seiner Schwester und die andere …

„Max!" Lennard riss die Augen auf. „Du lebst!"

„Ja, was dachtest du denn?"

„Als ich bei meiner Flucht in den Rückspiegel schaute … du lagst am Boden. Ich dachte schon …" Lennard setzte sich langsam auf, versuchte, seine Gedanken zu ordnen.

„Jedenfalls, schön zu sehen, dass dir kein Loch in den Kopf geschossen wurde. Es wäre echt lästig, sich einen neuen Therapeuten suchen zu müssen."

Max grinste. „Schön, dass ich dir diese Mühe ersparen konnte. Die Polizistin hatte mir nur die Beine weggetreten."

Cecilia verdrehte kopfschüttelnd die Augen.

„Oh, Lennard", stöhnte sie. Dann umarmte sie ihn plötzlich. „Du hast mir mein Leben gerettet, Lennard. Und du warst bereit, deines für mich zu opfern.

Das vergesse ich dir nie!"

Seine Schwester hatte also das Gefühl, in seiner Schuld zu stehen. Das war eine sehr interessante Information. Er öffnete seinen Mund zu einer Erwiderung, doch sein Blick fiel auf Max, der ihm hinter Cecilias Rücken wild fuchtelnd bedeutete, den Mund zu halten. Lennard klappte diesen wieder zu. Ja, vielleicht war es besser, einige Dinge unausgesprochen zu lassen.

„Ist der Mörder gefasst?", fragte er stattdessen.

Cecilia schüttelte den Kopf. „Nein, sie haben uns Polizeischutz gewährt. Dieser Mistkerl soll keine Möglichkeit mehr haben, an uns heranzukommen."

„Auch Max? Er steht auch auf der Todesliste", fragte Lennard und sah zu seinem Freund. Dieser leckte sich nervös mit der Zunge über die Lippen und nickte. „Ja, Cecilia hat es der Polizei erzählt. Dieser Gedanke jagt mir ehrlich gesagt eine Scheißangst ein."

Und zu Recht. Lennard bezweifelte, dass der Polizeischutz einen gut geplanten Angriff des Mörders wirklich aufhalten konnte. Der Mörder war nicht nur skrupellos, sondern auch sehr intelligent. Eine gefährliche Mischung.

„Weiß man denn wenigstens, wer der Kerl ist?", fragte Lennard.

„Nein. Die Polizei hat sich dazu entschlossen, das Profil und ein Phantombild des Täters in den Medien zu veröffentlichen, in der Hoffnung, so an den entscheidenden Hinweis zu gelangen", sagte Max.

Cecilia sah sich nervös um. Fast so, als erwarte sie, dass der Mörder jederzeit durch die Krankenzimmertür spaziert käme. Die Normalen und ihre Angst.

Wobei diese Möglichkeit zugegebenermaßen durchaus bestand. Dazu musste der Täter wahrscheinlich nur einen Polizeibeamten vor seiner Tür ausschalten. Lennard überlegte. Um den Mörder zu fassen, musste man so denken wie dieser Psychopath. Und wer könnte das besser als er? Lennard schloss die Augen und rief sich die Worte des Rothaarigen in Erinnerung:

Sie sind ein Homo psychopathos. Ein Übermensch. Sie sollten an der Spitze der Gesellschaft stehen und all die niederen Wesen, die gewöhnlichen Homo sapiens, weit unter Ihnen. Stattdessen haben Sie sich ihren Regeln unterworfen. Sie haben sich selbst verleugnet, bis Sie nicht mehr waren als ihr gut dressiertes Schoßhündchen. Und noch immer betteln Sie nach ihren Anweisungen, gehen regelmäßig zu diesem Psychologen, Dr. Pabst, damit er Ihnen sagt, was Sie zu tun und zu lassen haben. Es ist zu erbärmlich.

Lennard öffnete die Augen und fixierte Max. Die Wut, die er beim ersten Mal empfunden hatte, als der Mörder diese Worte zu ihm sprach, war wieder voll da.

„Habt ihr mich wie einen Hund dressiert? Hat es

Spaß gemacht, aus einem stolzen Raubtier ein artiges Schoßhündchen zu machen?", fragte er mit zornbebender Stimme.

Max blinzelte verwirrt. „Was? Wovon sprichst du?"

„Deine Mutter hat mir Regeln auferlegt, hat mich mit Süßigkeiten belohnt, wenn ich in ihrem Sinne handelte, bis ich gar nicht mehr bemerkte, dass sie mir ihren Willen, den Willen der Normalen, aufdrängte, damit ich in ihre Welt passe. Sie hat mich so geschickt an die Leine gelegt, dass ich gar nicht mehr merkte, dass ich nur noch brav bei Fuß ging, statt unabhängig und frei zu sein. Ja, sie hat mich sogar so verblendet, dass ich dir nach ihrem Tod freiwillig die Führung über mich übergeben habe."

Max starrte ihn mit offenem Mund an. „Was soll das, Lennard? Das ist doch Unsinn!"

„Ach, tatsächlich? Bist du überhaupt mein Freund, oder ist das nur eine Möglichkeit, mich besser zu lenken?"

Max bewegte den Mund wie ein Fisch auf dem Trockenen. Dann brach es aus ihm heraus: „Wo kommt das denn jetzt her, Lennard? Ich verstehe das nicht!"

„Das sind seine Worte. Die Worte des Mörders. Er hat sie Lennard in den Kopf gesetzt", sagte Cecilia mit leiser, bebender Stimme.

Max sah von ihr zu Lennard.

„Hör zu, Lennard. Ich bin dein Freund. War es schon seit unserer ersten Begegnung. Ich fasse es nicht, dass du das in Frage stellst! Du kommst zu mir. Freiwillig. Und ich gebe dir meinen unverbindlichen Rat, nichts weiter. Glaubst du wirklich, du würdest dir von irgendjemandem den Willen aufzwingen lassen? Noch dazu, ohne dass du es bemerkst? Dafür bist du viel zu intelligent. Lass dir von diesem Psycho-Mörder nicht dein Leben kaputtreden! Lass nicht zu, dass er mit seinen giftigen Worten zerstört, was du dir so mühsam aufgebaut hast. Ja, du hast gelernt, dich anzupassen. Und die Regeln meiner Mutter waren das Grundgerüst dazu. Aber das hat dich nicht schwächer gemacht. Nur so konntest du dein volles Potential entfalten, ohne dir ständig all deine Mühen durch deine Psychopathie wieder zu zerschlagen. Es hat dich stärker gemacht."

Cecilia nahm seine Hand und sah ihm direkt in die Augen. „Weil du diese Dinge gelernt hast, wurde aus dir ein geachteter Uni-Professor, und aus dem Rothaarigen ein arbeitsloser Mörder ohne persönliches Umfeld. Er wollte so sein wie du, aber hatte die Grundlagen dazu nicht. Diese Regeln, die du von Dr. Magaret Pabst mitbekommen hast. Darum ist er gescheitert."

„Und wo suchen Psychopathen die Schuld, wenn sie scheitern?", fragte Max.

„Niemals bei sich. Immer bei anderen", flüsterte

Lennard.

„Und sie können sehr überzeugend ihre eigene Schuld auf andere abwälzen. Ich möchte hier nur die Zerstörung meiner Spielekonsole erwähnen", sagte Max.

Lennard riss die Augen auf. „Wie kannst du jetzt mit so einer alten Kamelle hervorkommen? Da waren wir gerade mal zwölf Jahre alt. Und im Übrigen war das auch gar nicht meine Schuld. Du hast mich durch dein Rumgealbere so abgelenkt, dass ich gar nichts dafür konnte, dass ich das Glas umgeworfen und die Konsole damit ertränkt habe."

Max winkte ab. „Jaja. Du schüttest Wasser über meine Konsole, was diese zerstört, und ich bin daran schuld. Siehst du, was ich meine? Dieser Mörder setzt sein Leben in den Sand, und du bist schuld. Eine ganz typische Strategie von Psychopathen. Nur, dass dieser Kerl dazu noch gewaltbereit und sadistisch ist. Er hat die Lust am Morden entdeckt und die Intelligenz für perfide Pläne und Psychospielchen. Die schlimmste aller Kombinationen."

Max hatte Recht. Auch wenn er das niemals zugeben würde. Er hatte sich von dem Rothaarigen manipulieren lassen. Hatte zugelassen, dass dieser sein Leben und seine Erfolge kaputtredete, nur um sein eigenes Scheitern zu vertuschen. Wie konnte Lennard auf so etwas hereinfallen? Er war doch der Meister der Manipulation!

Lennard blickte in die Runde. „Der Mörder ist intelligent. Er möchte töten. Aber nicht irgendwen, sondern einen von uns. Mutter und Cecilias Familie mit eingeschlossen. Was macht ein Raubtier, wenn es Beute schlagen will?"

Max und Cecilia sahen sich fragend an.

„Es lauert darauf, dass sich ein Tier von der Herde trennt. Und dann schlägt es zu", beantwortete Lennard seine Frage selbst. „Wir sollten uns also möglichst nirgends alleine bewegen. Ein Polizeibeamter reicht als Schutz nicht aus. Wir müssen in der Gruppe bleiben."

„Und wie lange soll das so gehen? Wir haben alle unser Leben, das wir leben müssen", sagte Cecilia. „Ich habe Termine bei Gericht, Treffen mit Mandanten, die Schulaufführung meiner Tochter. Max hat Termine mit Patienten, mein Mann muss in die Firma. Wir können gar nicht immer zusammenbleiben. Das ist organisatorisch gar nicht möglich."

Lennard ließ sich zurück ins Kissen fallen. Sein Schädel brummte und machte jeden Gedanken zu einer Qual. Wie sollte das gehen? Es war frustrierend, genau zu wissen, wie der Mörder vorgehen würde und es dennoch nicht verhindern zu können. Sie konnten einfach nicht für unbestimmte Zeit in Schockstarre verharren und hoffen, dass die Polizei den Mörder zu fassen bekäme. Das würde nicht passieren. Nein, sie mussten ihr eigenes Leben fortsetzen. Es ging gar nicht anders. Aber damit war es nur eine Frage der Zeit, bis es das nächste Opfer geben würde. Wen würde es diesmal treffen? Mutter, Cecilia, ihre kleine Tochter Hellen, ihren Mann, Max oder ihn selber? Die Welt begann sich zu drehen. Wie auf einem Karussell. Lennard schloss stöhnend die Augen, versuchte, seinen Magen zu beruhigen, der gegen diesen Drehschwindel protestierte. Als er sie wieder öffnete, war es um ihn herum dunkel. Unter der Tür schien Licht zu ihm durch. Lennard schrie erschrocken auf, tastete nach dem Lichtschalter. Das Neonlicht brannte in seinen Augen. Lennard sah sich verwirrt um. Er war alleine.

Mit einem Ruck ging die Tür auf. Eine untersetzte Schwester trat in den Raum. „Alles in Ordnung, Professor von Falkenstein?"

„Wo sind meine Schwester und Dr. Pabst? Sie waren doch eben noch hier!"

Die Schwester kam näher. „Sie sind schon lange weg, Professor. Es ist zehn Uhr abends. Versuchen Sie weiterzuschlafen."

Sie klopfte gegen seine Infusion und holte eine Spritze aus ihrer Kitteltasche. Mit einem leichten Lächeln setzte sie dazu an, den Inhalt der Spritze in die Infusion einzuleiten. War das ein beruhigendes Lächeln, ein hämisches, ein boshaftes …? Hatte er die Frau zuvor schon gesehen? Was, wenn sie die Handlangerin des Rothaarigen war?

„Moment!" Lennard griff nach der Hand der Frau, bevor sie den Inhalt der Spritze injizieren konnte.

„Was ist das?"

„Nur ein Antibiotikum." Die Frau wollte fortfahren.

„Ich brauche das nicht. Mir geht es gut!"

Die Frau sah ihn genervt an. „Bitte lassen Sie mich meine Arbeit tun. Sie hatten Wasser in der Lunge. Es haben sich Bakterien festgesetzt. Wenn Sie keine ausgewachsene Lungenentzündung haben möchten, lassen Sie mich meine Arbeit tun."

Lennard zögerte. Hatte er jetzt schon Wahnvorstellungen? Sah er überall Gefahr, wo gar keine bestand? Wenn die Frau die Wahrheit sprach, machte er sich gerade lächerlich. Er ließ ihre Hand los. Wenn nicht, war er gleich tot. Der Inhalt der Spritze entleerte sich in den Beutel, vermischte sich mit der Kochsalzlösung, die tröpfchenweise in seine Adern floss. Die Schwester bedachte ihn mit einem weiteren Blick, den er nicht zu deuten wusste, und verließ das Zimmer. Lennard sank in sein Kissen. Sein Herz hämmerte überlaut, während er die Infusion beobachtete. Er lauschte in sich hinein. War sein stark schlagendes Herz normal? Kam der Druck auf seinen Lungen durch ein Gift, oder war es die Nachwirkung des Ertrinkens? Das Kribbeln in seinem Bauch: Waren das seine geliebten Schmetterlinge oder waren das die

Auswirkungen von etwas anderem?

Lennard zwang sich, ruhig durchzuatmen. Er spürte, wie der Schlaf seine Finger nach ihm ausstreckte.

Nein, er durfte jetzt nicht schlafen! Er musste wachsam bleiben, auf seinen Körper hören, damit er rechtzeitig erkannte, falls er vergiftet worden war.

Aus der Traumwelt erklang Cecilias Stimme: *Ich möchte bitte mitfahren. Er ist mein Bruder, bitte.*

Er hatte diese Worte in der Fabrik gehört. Kurz bevor er von den Sanitätern in den Krankenwagen geschoben worden war. Seltsam, dass sie ihm so wichtig waren, dass er sie immer wieder hörte.

Jetzt bin ich doch eingeschlafen, realisierte der letzte verbleibende Rest seines rationalen Denkens, bevor auch dieser in der Traumwelt versank.

Kapitel 32

Stimmen drangen an sein Ohr. Viele gedämpfte Stimmen außerhalb seines Zimmers. Sein Zimmer? Im Krankenhaus! Die Erinnerung kam zurück. Er hörte Schritte auf dem Flur. Etwas wurde geschoben. Ein Bett oder ein Getränkewagen. Das Frühstück! Sie teilen bestimmt das Frühstück aus. Und ein Rascheln. Direkt neben ihm. Er zwang die Augen auf. Blinzelte. Eine weibliche Gestalt stand neben ihm. Keine Krankenschwester. Es war jemand in ziviler Kleidung.

„Cecilia", murmelte er und versuchte ganz zu sich zu kommen. Verschlafen tastete er nach seiner Brille und setzte sie sich auf.

„Nein, ich bin es: Dana Lange."

Lennards Blick klärte sich. Er erkannte die Kriminaloberkommissarin. Im Hintergrund stand ihr Kollege Potrowski.

„Verzeihung. Ich wette, das war nicht nur ein Antibiotikum, was die Krankenschwester mir gestern in meine Infusion gespritzt hat."

Um richtig zu sich zu kommen, schüttelte Lennard den Kopf und bereute es sogleich, als ein heftiger Schmerz ihn durchzuckte. Mit einem Stöhnen presste er einen Handballen gegen seine Schläfe.

„Fühlen Sie sich in der Lage, uns einige Fragen zu beantworten?", fragte Lange.

„Ja, natürlich. Was möchten Sie wissen?"

„Warum sind Sie aus unserem Gewahrsam geflohen?"

Lennard sah die Kommissarin ungläubig an. „Um meine Schwester zu retten, natürlich!"

„Sie haben eine Nachricht auf Ihrem Handy erhalten. War das der Mörder?", fragte die Frau unbeeindruckt weiter.

„Ja. Er gab mir per WhatsApp genaue Anweisungen. Wenn ich sie nicht zu einhundert Prozent befolgte, würde meine Schwester sterben."

„Sie hätten uns darüber informieren können. Wir hätten gemeinsam einen Plan erarbeiten können", beharrte die Polizistin.

„Nein, das Risiko war zu groß. Wie sich herausstellte, überwachte er mein Handy. Er hatte sich dort hineingehackt, hatte Zugriff auf das Mikrofon und die Kamera. Jede Abweichung von seinen Vorgaben hätte Cecilias Tod bedeutet."

Die Kriminaloberkommissarin nickte nachdenklich.

„Ja, das deckt sich soweit mit unseren Ermittlungen. Wir haben Ihr Handy gefunden und überprüft. Wir haben schon Ihre Schwester befragt. Außerdem haben wir auf der gegenüberliegenden Plattform in der Fabrikhalle die Videokamera mit dem Bekennervideo gefunden. Sein Thema war dieses Mal die Fischzucht. Können Sie mir noch einmal berichten, was sich in der Fabrik zugetragen hat? Versuchen Sie, sich möglichst genau an alles zu erinnern, was der Mörder gesagt oder getan hat, auch wenn ich weiß, dass das sehr schwer ist."

Warum sollte das schwer sein, fragte sich Lennard. Er hatte ein ausgezeichnetes Gedächtnis. Aber wahrscheinlich meinte die Kommissarin die emotionale Komponente. Damit hatte Lennard jedoch keine Probleme. Diese Ereignisse lagen in der Vergangenheit. Es war unsinnig, darüber in Hysterie zu verfallen. Es war vorbei.

Mit ruhiger, monotoner Stimme berichtete er, was sich in der Fabrik zugetragen hatte. Er versuchte, an jede Kleinigkeit zu denken, um den Beamten ein möglichst klares Bild zu verschaffen. Nur an einer Stelle ließ er etwas aus. Die beiden Polizisten mussten nicht wissen, dass er dem Rothaarigen damit gedroht hatte, ihn umzubringen. Wobei das keine Drohung gewesen war. Mehr eine Absichtserklärung, die er immer noch vorhatte umzusetzen, falls er die Möglichkeit dazu bekommen würde. Nein, so etwas musste die Polizei nun wirklich nicht wissen. Das durfte noch nicht einmal Max wissen. Er wäre wohl zutiefst entsetzt, wenn er erfahren würde, dass Lennard vorhatte, gegen den wichtigsten Leitsatz seiner Mutter zu verstoßen.

Als er seinen Bericht geendet hatte, zeigte Lange ihm ein Phantombild des Rothaarigen.

„Dieses Bild ist anhand der Beschreibung Ihrer

Schwester entstanden. Ist das der Mann?"

Lennard betrachtete es. „Ja, das trifft ihn ziemlich gut. Was man auf dem Bild nicht sieht: Er hat zwar dieses Spießergesicht, aber sein Körper ist sehr muskulös."

„Ja, das hat Ihre Schwester auch erwähnt. Ich danke Ihnen. Wir werden den Mistkerl hoffentlich bald zu fassen bekommen."

„Haben Sie denn schon eine Spur?", fragte Lennard.

Lange schüttelte den Kopf. „Aber machen Sie sich keine Sorgen. Sie, Ihre Familie und Dr. Pabst stehen unter Polizeischutz. Ihnen wird nichts geschehen."

Lennard starrte sie wütend an. „Hören Sie auf mit dem Unsinn! Wenn Sie nicht völlig inkompetent sind, wissen Sie ganz genau, dass das unseren Täter nicht abschrecken wird und es nur eine Frage der Zeit ist, bis er das nächste Mal zuschlägt. Ob da jetzt ein Polizeibeamter daneben steht oder nicht."

Lennard sah die Kiefermuskulatur der Kommissarin mahlen. Er erwartete schon eine scharfe Erwiderung, doch die Frau drehte sich lediglich auf dem Absatz um und verließ wortlos das Zimmer. Potrowski warf Lennard noch einen wütenden Blick zu, bevor er seiner Kollegin folgte.

Lennard stieß seine Luft wie ein wütender Stier durch die Nase. Es war genauso, wie er es befürchtet hatte. Die Polizei tappte vollkommen im Dunkeln, was die Identität des Mörders betraf. Es wurde Zeit, dass er dieses Krankenhaus verlassen konnte, um selber aktiv zu werden. Zuerst würde er einmal damit beginnen, aus diesem Bett aufzustehen. Er blickte zu seinem Handrücken. Im Moment war keine Infusion angeschlossen. Sehr gut. Lennard schwang die Beine aus dem Bett. Die Welt begann sich zu drehen. Er blieb still sitzen, bis sich alles wieder beruhigt hatte. Dann stand er langsam auf und öffnete den Schrank neben seinem Bett. Irgendjemand hatte ihm Sachen von Zuhause mitgebracht. Wahrscheinlich Max. Lennard griff nach seinem Morgenmantel und zog ihn über. Dann ging er vorsichtig durch den Raum. Er durfte keine schnellen Bewegungen machen, sonst kam der Schwindel wieder. Von Cecilia wusste er, dass seine Mutter in das Zimmer neben ihm verlegt worden war. Dadurch war es der Polizei leichter, beide im Auge zu behalten. Er nickte den beiden Beamten auf dem Flur zu und klopfte an die Tür, bevor er eintrat.

Kapitel 33

Klara von Falkenstein unterdrückte ein Schluchzen. Noch nie in ihrem Leben hatte sie sich so leer und einsam gefühlt. Egal welche Katastrophen über sie hereinbrachen, sie konnte sich immer sicher sein, dass Roman an ihrer Seite war. Und nun war ihr geliebter Mann plötzlich tot. Es kam ihr so unwirklich vor. So etwas Grausames konnte doch nicht real sein? Und doch war es so. Roman würde sie niemals mehr trösten, sie niemals mehr in den Arm nehmen oder ihr Kraft geben. Er hatte immer sie als den starken Part in ihrer Ehe bezeichnet. Aber sie hatte nur so stark sein können, weil sie ihn an ihrer Seite wusste. Was nun? Nun war er für immer fort und sie hatte sich nicht einmal von ihm verabschieden können.

Es klopfte und Lennard trat ein. Der Junge war noch immer furchtbar blass. Aber zumindest war er wieder auf den Beinen. Klara wischte sich schnell die Tränen aus dem Gesicht. Vielleicht bemerkte Lennard nichts von ihrer Stimmung. Was das betraf, war er manchmal furchtbar blind. Besonders, wenn ihn eigene Probleme beschäftigten. Aber ein Blick in sein Gesicht zeigte, dass er es sehr wohl bemerkt hatte. Er sah auf das Bild in ihren Händen. Schnell legte Klara es verdeckt auf den Nachttisch. Sie wollte jetzt nicht mit Lennard über seinen Vater sprechen. Das Verhältnis der beiden war zerrüttet gewesen. Sie konnte im

Moment keinen gefühllosen Kommentar zu dem Tod ihres geliebten Mannes ertragen. Und Lennard konnte furchtbar gefühllos sein. Klara wusste, dass das nicht unbedingt seine Schuld war. Es war diese Krankheit, die in solchen Momenten aus ihm sprach. Immer wieder hatte sie sich das im Laufe von Lennards Leben sagen müssen. Nur so konnte sie ihm immer wieder verzeihen.

„Du trägst ja immer noch diesen langweiligen weißen Turban. Wolltest du nicht etwas Farbe in dein Outfit bringen?", scherzte er mit Blick auf ihren Kopfverband.

Klara zwang sich zu einem Lächeln. „Ich wollte ja, aber die Ärzte sind da etwas konservativ. Ich muss mich wohl mit dem Weißen begnügen."

Lennard setzte sich auf den Stuhl neben ihrem Bett und blickte eine Weile schweigend zu Boden.

„Es sind sehr viele Menschen gestorben", begann er leise.

Klara schluckte. Ein heiseres „Ja" war alles, was sie herausbringen konnte. Lennard sah sie forschend an.

„Eigentlich bin nur ich das Ziel des Mörders. Diese anderen Menschen, die gestorben sind, dienten nur dem Zweck, mein Leben zu zerstören. Damit bin ich irgendwie für ihren Tod verantwortlich."

„Nein, Lennard. Das bist du nicht!"

„Mutter, auch Menschen die dir nahe standen,

sind betroffen. Vater ist tot, Cecilia wäre beinahe gestorben und wir alle schweben noch in höchster Gefahr, solange die Polizei den Mörder nicht fasst."

„Dennoch bist du nicht für die Taten eines anderen Menschen verantwortlich. Nur für deine eigenen. Und wenn ich auf dein Leben zurückblicke, was du alles erreicht hast, dann bin ich sehr stolz auf dich, mein Sohn. Du warst bereit, dein Leben für Cecilia zu opfern! Du hast sie gerettet. Das ist es, was ich dir nie vergessen werde."

Lennard nahm das umgedrehte Foto seines Vaters von ihrem Nachttisch und betrachtete es nachdenklich. Klara wappnete sich. Sie spürte, wie sich ihre Muskeln verhärteten und hatte Angst vor seinen nächsten Worten. Lennard hatte eine Begabung, den wunden Punkt zu finden, und den Finger voll in die Wunde zu legen, nur um seine Überlegenheit zu demonstrieren. Nur dass sich Klara im Moment nicht dazu in der Lage fand, damit umzugehen. Am liebsten hätte sie Lennard einfach des Zimmers verwiesen. Umso mehr überraschten sie seine nächsten Worte.

„Ich habe nicht das Gefühl, krank zu sein. Die Psychopathie gibt mir das Gefühl, überlegen zu sein, Superkräfte zu besitzen. Und doch bin ich nun selber Spielball einer solchen Macht geworden. Und Vater musste sterben. Ich wünschte, ich hätte tatsächlich Superkräfte. Dann hätte ich das verhindern können."

Klara wischte sich eine Träne aus den Augen und

schniefte. „Weißt du, auch Superhelden können manchmal nicht verhindern, dass geliebte Menschen sterben. Superman verliert so seinen Ziehvater, Spiderman seinen Onkel. Wichtig ist, weiter für die gute Seite zu kämpfen."

Lennard legte das Bild zurück auf den Nachttisch.

„Ich bin des Kämpfens müde. Eigentlich möchte ich nur noch in meinen gemütlichen Hörsaal zurück, wo die Studenten gebannt an meinen Lippen hängen. Aber ich habe keine Studenten mehr. Nach diesem ganzen Fiasko wird sich wohl kaum jemand von ihnen in meiner Vorlesung blicken lassen. Wahrscheinlich bekomme ich trotz erwiesener Unschuld auch keine Forschungsgelder mehr. Wer finanziert schon die Arbeit eines Psychopathen, der unter Mordverdacht stand. Das war's dann mit meinem großen wissenschaftlichen Durchbruch und meinem beruflichen Ansehen. Aber das Schlimmste ist, dass ich die Polizei, ehrlich gesagt, für unfähig halte, uns zu beschützen. Da bleibt mir wohl keine Wahl, als die Sache selber zu klären."

Klara griff nach Lennards Hand. „Bitte tu nichts Dummes, Lennard. Sei vorsichtig!"

Lennard setzte sein schiefes Grinsen auf. „Ich tue grundsätzlich nichts Dummes, Mutter."

„Von wegen", stöhnte Klara. „Du bringst dich ständig unnötig in Gefahr. Sei so gut und lass es diesmal."

Lennard nickte, doch Klara glaubte keinen Moment, dass er wirklich von diesem irrsinnigen Vorhaben ablassen würde. Und sie kannte Lennard gut genug, um zu wissen, dass sie nichts sagen oder tun konnte, um das zu ändern. Sie seufzte ergeben und nahm wieder Romans Foto in die Hand.

„Wir haben über dich gesprochen, Lennard. Kurz bevor wir uns auf den Weg zur Polizei gemacht haben. Kurz bevor er … starb. Weißt du, was er mir sagte?"

Lennard schüttelte stumm den Kopf.

„Er sagte mir, wie stolz er auf dich ist. Darauf, wie du dich entwickelt hast und was du aus deinem Leben gemacht hast. Er wollte dir das noch unbedingt sagen." Klara schluchzte auf, zwang sich aber dazu, weiterzusprechen. „Er hat dich wirklich geliebt, mein Sohn. Das darfst du nie vergessen!"

Lennard senkte den Kopf, sodass Klara nicht in sein Gesicht sehen konnte. Eine Weile saß er nur da. Stumm und regungslos. Dann stand er auf und verließ ohne ein weiteres Wort oder auch nur einem Blick das Zimmer.

Kapitel 34

„Das ist jetzt das Probetraining im fünften Fitness-Studio innerhalb von zwei Tagen. Sie können kaum mehr krabbeln. Wann entscheiden Sie sich endlich für eines?", fragte der Polizist Lennard. Er hieß Lars Werner und war als sein persönlicher Wachhund abkommandiert worden. Die Begeisterung darüber hielt sich bei beiden Parteien in Grenzen. Aber Lennard musste gestehen, dass es schlimmer hätte laufen können. Werner war recht umgänglich. Er mischte sich so wenig wie möglich in sein Leben ein und war ein Gesprächspartner mit der nötigen Intelligenz.

„Die Mitgliedschaft in einem Fitness-Studio muss gut durchdacht sein. Möglicherweise ist das eine Entscheidung, die ein Leben lang hält. Da nimmt man nicht das erst Beste", sagte Lennard und ließ seinen Blick über den Parkplatz schweifen. Wenn der Mörder ein weiteres Mal zuschlagen wollte, und davon war Lennard überzeugt, dann musste er sich in ihrer Nähe aufhalten. Er musste sie im Auge behalten, um den geeigneten Zeitpunkt nicht zu verpassen. Aber ein Mann, der so durchtrainiert war wie der Rothaarige, würde sein Training nicht für Tage, Wochen oder sogar Monate schleifen lassen. Nein, Muskeln bauten sich sehr viel schneller ab als auf. *Use it or lose it*, hieß es unter den Sportlern. Es war also nur logisch, in den umliegenden Studios nach dem Rothaarigen zu suchen. Kaum zu glauben, dass Kommissar Lars Werner diesen Schluss noch nicht selbst gezogen hatte. Wenn er den Täter fassen wollte, musste er daran arbeiten. Sich auf die Polizei zu verlassen, brachte nichts.

Lennard quälte sich aus dem Auto. Werner hatte Recht. Er konnte kaum mehr krabbeln. Es schmerzten ihn Muskeln, von deren Existenz er nicht einmal gewusst hatte.

„Ich denke, es wird höchste Zeit, dass ich mit dem Sport anfange. Also, auf zur nächsten Runde."

Lennard ging zur Theke des Fitness-Studios und wurde von einem jungen Mann begrüßt.

„Hi, mein Name ist Professor Dr. Lennard von Falkenstein. Ich habe wegen eines Probetrainings angerufen."

Der andere schaute in seinem Computer nach. „Ja, schön dass Sie hier sind, Lennard. Mein Name ist Ole. Ist es in Ordnung, wenn ich Lennard sage? Wir Sportler nennen uns hier alle beim Vornamen."

„Klar, kein Problem, Ole." Lennard lächelte schief. Er wusste, dass ihn das sympathisch wirken ließ und er benötigte eine gute Plauder-Stimmung, um an seine Informationen heranzukommen.

„Und Ihr Freund?", fragte Ole.

„Oh, das ist nicht mein Freund. Wir sind nur zufällig gemeinsam hier angekommen", sagte Lennard. Werner warf ihm einen bösen Blick zu.

„Ich, äh, wollte auch nach einem Probetraining fragen", sagte er missmutig.

„Haben Sie schon einen Termin?", fragte Ole.

„Nein. Kann ich den heute ausmachen und mich schon mal ein wenig umschauen?"

„Ziehen Sie sich einfach auch schon mal um. Ich bekomme Sie schon noch unter. Ihr Name ist?"

„Lars Werner."

„Wenn Sie sich umgezogen haben, machen Sie sich auf einem der Cardio-Geräte warm. Also zehn Minuten auf dem Laufband, dem Fahrrad, dem Stepper oder dem Crosstrainer. Falls Sie Fragen zu der Bedienung haben, einfach rufen."

Lennard entschied sich für das Laufband. Dabei konnte er zumindest seine Arme schonen. Er stellte die Geschwindigkeit des Bandes so ein, dass er locker laufen konnte, ohne sich allzu sehr anstrengen zu müssen. Oder zumindest wäre das der Fall gewesen, wenn ihm seine Muskeln nicht noch so sehr von den vorherigen Trainingseinheiten geschmerzt hätten. Die Auswirkungen des Sturzes von der Felswand hingen ihm auch noch deutlich in den Knochen. So quälte er sich durch zehn endlos lange Minuten. Er rief sich sein Ziel vor Augen und versuchte seinen schmerzenden Körper auszublenden.

Werner neben ihm hatte da weitaus weniger Probleme. Lennard erhaschte einen schadenfrohen Blick des Polizisten.

Als die zehn Minuten endlich vorüber waren, kam Ole wieder auf sie zu.

„Gut gemacht, Lars. Lennard, bei Ihnen ist mir aufgefallen, dass Sie nicht ganz rund laufen. Haben Sie Schmerzen oder irgendwelche Beeinträchtigungen, von denen ich wissen sollte?"

„Ich möchte ganz ehrlich sein, Ole", sagte Lennard. „Ich hatte gestern schon ein Probetraining in einem anderen Studio und bin jetzt mit einem gehörigen Muskelkater gesegnet. Aber mir ist wichtig, dass ich das richtige Studio für mich finde, in dem ich mich wohl fühle und das am besten zu meinen Bedürfnissen passt."

„Das ist die richtige Einstellung", sagte Ole. „Aber Ihre Muskeln benötigen zwischen den Trainingseinheiten mindestens achtundvierzig Stunden Regenerationszeit. Große Muskelgruppen sogar noch länger. Die sollten Sie unbedingt einhalten. Nur so erreichen Sie die optimalen Trainingserfolge, denn die Muskeln wachsen nicht beim Training, sondern in der Regenerationszeit."

Lennard nickte und ließ sich in das erste Gerät einweisen. Er verwickelte Ole in ein lockeres Gespräch, achtete auf eine charmante Außenwirkung und eine gelöste Stimmung. So etwas war wichtig, wenn man an Informationen kommen wollte. Er musste Ole dahingehend manipulieren, dass er sich in ihrem Gespräch wohl fühlte und so vielleicht mehr verriet, als er es normalerweise tun würde. Lennard hatte ein gutes Gespür dafür entwickelt, wann der ideale Zeitpunkt erreicht war, um die wirklich wichtigen Fragen zu stellen. Zu dumm, dass sich dieser Polizist die ganze Zeit in Hörweite befand. Er würde unweigerlich mitbekommen, wenn Lennard den Trainer darüber ausquetschte, ob vielleicht ein Kunde bei ihnen trainierte, auf den die Beschreibung des Mörders passte. Bei den vorherigen Gesprächen hatte sich immer eine Gelegenheit für ein vertrauliches Gespräch ergeben. Heute anscheinend nicht. Es half nichts. Wenn er von Ole noch diesbezügliche Infos wollte, musste er jetzt fragen.

„Ich bin letztens auf einem Dorffest mit jemandem ins Gespräch gekommen … ach wie hieß der noch gleich … ich kann mir Namen so schlecht merken. Jedenfalls hat der sein Studio gewechselt und war von dem Neuen so richtig begeistert. Ich glaube, er hat von Ihrem Studio gesprochen. Kennen Sie ihn? Rote, kurzgeschorene Haare, Dreitagebart, blasses Strebergesicht mit Sommersprossen, aber einen Bodybuilderkörper, auf den man neidisch werden kann."

Werner warf ihm von seinem Gerät aus einen scharfen Blick zu und schüttelte unauffällig den Kopf. Lennard ignorierte ihn. Er würde sich nicht von seinen Nachforschungen abbringen lassen.

„Hm … meinen Sie Lorenz? Lorenz Schuster?"

„Lorenz? Ja, ich glaube, so hieß er! Er kannte sich

wirklich super aus. Ich wette, der trainiert immer korrekt, also jeden zweiten Tag, um den Muskeln ihre Regenerationszeit zu lassen", bohrte Lennard weiter.

„Der trainiert sogar fünf Tage die Woche. Aber er teilt das Training in die verschiedenen Muskelgruppen ein. Das sogenannte Split-Training. Er macht ein fünfer Split. Also zum Beispiel: Montag Brust und Bauch, Dienstag Beine und Waden, Mittwoch frei, Donnerstag Rücken und Bauch, Freitag Schultern und Nacken, Samstag Arme und Waden und Sonntag wieder ein Regenerationstag. So werden nur spezielle Muskelgruppen trainiert, während sich die anderen erholen können."

„Das hört sich richtig effektiv an, aber ich fürchte, da fehlt mir ein bisschen der nötige Ehrgeiz. So jeden zweiten Tag wäre für mich machbar. Vielleicht treffe ich ihn hier. Wenn er so oft trainiert, wird man sich ja mal über den Weg laufen."

„Da müssen Sie aber Frühaufsteher sein. Der steht schon immer um 6:00 Uhr auf der Matte."

Lennard lächelte. Wie einfach es doch war, an die gewünschten Informationen zu gelangen.

„Wow, Sie machen schon um 6:00 Uhr auf? Das ist beeindruckend. Lohnt sich das denn?"

„Aber klar, schon wegen der Schichtarbeiter, die vor oder nach der Arbeit gerne trainieren möchten. Es gibt immer mehr Studios, die vierundzwanzig Stunden auf haben. Da muss man sich anstrengen, um nicht abgehängt zu werden."

„Ganz schön stressig. Da lob ich mir meinen Professoren-Job. Hut ab für so viel Engagement."

Ole lächelte geschmeichelt. Menschen liebten es, gelobt und bewundert zu werden. Sie fühlten sich dann gut und dieses Gefühl übertrug sich auf denjenigen, der das Lob ausgesprochen hatte.

Kapitel 35

„Was – sollte – das? Sind Sie deshalb die letzten Tage von Fitness-Studio zu Fitness-Studio gepilgert? Um den Mörder zu finden? Sind Sie lebensmüde?", zischte Werner, als sie das Studio verließen.

„Ein Kerl wie der, wird nicht so lange sein Training unterbrechen. Ich habe nur logische Schlüsse gezogen und ihn dadurch möglicherweise gefunden. Er heißt Lorenz Schuster. Morgen früh um sechs Uhr können Sie ihn mit Ihren Kollegen genau hier verhaften." Lennard grinste den Mann provokativ an.

Werner rang sichtbar nach Worten, bevor er herauspresste: „Sie sollten hier nicht Amateur-Polizisten spielen. Das ist verdammt gefährlich. Genau solche Aktionen bringen Sie direkt ins Fadenkreuz des Killers."

Lennard trat ganz nah an Werner heran, bis ihre Nasenspitzen sich fast berührten. Alles Leichte und Freundliche war mit einem Mal aus seinem Wesen verschwunden.

„Ich befinde mich schon längst in dessen Fadenkreuz. Er hat mir beinahe alles genommen, was mich und mein Leben ausmachte. Ich sitze nicht rum und warte, bis er mir auch noch den letzten kümmerlichen Rest zerstört. Ich präsentiere Ihnen den Täter auf dem Silbertablett. Seien Sie gefälligst dankbar und versauen Sie die Festnahme nicht."

Werner trat einen Schritt zurück, hielt aber Lennards Blick gelassen stand. Dann zückte er sein Handy. „Lars hier. Hallo Dana. Du kannst dem Chef sagen, du hast die Wette gewonnen. Unser Professor hier hat möglicherweise den Fall vor uns gelöst. Ich komme jetzt mit ihm aufs Präsidium gefahren, da erklär ich euch alles. – Ja, bis gleich." Er beendete die Verbindung.

Lennard lachte. „So, Kriminaloberkommissarin Dana Lange hat also auf mich gewettet. Interessant!"

„Bilden Sie sich nur nichts darauf ein", erwiderte Werner, aber sein Gesicht wirkte gelöst. „Los, einsteigen! Ich schlage echt drei Kreuze, wenn ich nicht mehr Ihren Chauffeur und Bodyguard spielen muss."

„Ah, kommen Sie! Sie werden mich schrecklich vermissen! Das weiß ich genau."

Werner lachte. „Wenn Sie meinen. Aber ich muss gestehen, Sie sind gar nicht so furchtbar, wie ich angenommen habe."

„Sie meinen, für einen Psychopathen?", fragte Lennard.

Werner nickte.

„Nun, Sie waren auch gar nicht so furchtbar, wie ich angenommen habe", erwiderte Lennard.

„Sie meinen, für einen Polizisten?", konterte Werner.

Lennard grinste. „Ganz genau!"

Kapitel 36

Lars Werner nahm nicht die Autobahn, sondern fuhr über Land. Lennard war das nur recht. Das Wetter war herrlich. Ein warmer Fahrtwind wehte durch die offenen Fenster und er genoss, wie gut die Luft roch. Die Obstbäume warfen ihre Blüten ab, die wie Schneeflocken zu Boden schwebten oder durch die fahrenden Autos wieder von der Straße in die Luft gewirbelt wurden.

Lennard atmete tief ein und aus, entspannte seine verkrampften Muskeln. War das möglich? War es nun endlich vorbei? Die Polizei konnte bestimmt relativ schnell ein Foto zu dem Namen Lorenz Schuster beschaffen. Jeder Bürger hatte ein Foto auf dem Ausweis. Ein Anruf bei der Stadt, in der dieser Schuster gemeldet war, sollte genügen. Und da der Kerl so ein Gewohnheitstier war, das immer zur gleichen Zeit trainierte, dürfte eine Verhaftung dann nur noch Formalität sein.

Sie fuhren durch ein Waldstück. Die Bäume zogen an seinem Fenster vorbei.

Wenn der Täter denn wirklich dieser Schuster war.

Lennard schloss seine Augen. Nein, er wollte gar nicht über diese Möglichkeit nachdenken, dass ihm vielleicht gleich ein fremdes Gesicht von diesem Foto entgegenschauen könnte. Jemand, auf den nur zufällig auch diese Beschreibung passte.

„Was? Scheiße!", hörte er Werners Schreie.

Lennard riss die Augen auf. In diesem Moment hörte er es auch schon krachen. Das Auto wurde getroffen, bäumte sich auf, stand einen kurzen Moment auf den Rädern der rechten Seite, bevor es kippte und die steile Böschung hinunterstürzte. Immer wieder überschlug sich der Wagen. Lennard verlor die Orientierung. Der weiße Airback knallte gegen sein Gesicht, drückte seine Brille schmerzhaft ins Fleisch und nahm ihm die Sicht. Es fühlte sich an, als würden von allen Seiten Schläge auf ihn eindreschen. Dann wurde es still. Nur Werners unregelmäßiges Keuchen drang an seine Ohren.

„Falkenstein?", krächzte der andere.

Lennard nickte, bevor ihm bewusst wurde, dass Werner ihn gar nicht sehen konnte.

„Ja, ich lebe. Was ist passiert?"

„Wir müssen hier raus. Schnell", keuchte der Polizist.

Lennard schnallte sich ab. Fiel aus dem Sitz, als der Gurt ihm im auf der Seite liegenden Auto keinen Halt mehr gab. Seine Brille viel beinahe herunter. Der linke Bügel war gebrochen. Werners Füße traten ihm auf den Brustkorb, als der Polizist sich durch das zersplitterte Seitenfenster nach oben hievte. Lennard stand auf. Er nutzte die Mittelkonsole, um sich ebenso durch das Fenster zu zwängen. Er hatte gerade seinen

Oberkörper ins Freie gestemmt, als er eine Bewegung aus den Augenwinkel sah. Werner, der noch keuchend auf Händen und Knien kauerte, wurde vom Rothaarigen attackiert, der zwischen den Bäumen auf sie zugestürmt kam. Er klemmte sich den Hals des Polizisten in seine Armbeuge, drückte mit dem anderen Arm von hinten dagegen und vollführte eine ruckhafte Drehung seitlich nach oben. Es knackte, Werner schrie. Seine Finger tasteten nach der Dienstwaffe. Der Angreifer drehte sich mit dem untergeklemmten Werner in einer schnellen Bewegung in die entgegengesetzte Richtung. Es knackte erneut. Dieses Mal lauter. Werners Gestalt erschlaffte wie eine Marionette, der man die Fäden durchtrennt hatte. Blut lief aus seiner Nase. Die Dienstwaffe glitt zu Boden.

Lennard stemmte sich mit den Armen hoch, fiel kopfüber aus dem oben liegenden Seitenfenster. Schnell richtete er wieder seine Brille, deren gebrochener Bügel keinen Halt mehr bot. Als er sich aufsetzte, fiel neben ihm etwas Schweres zu Boden. Es war Werner, dessen lebloser Körper von dem Rothaarigen achtlos zu Boden geschleudert worden war. Sein Hals war auf unnatürliche Weise verdreht, seine toten Augen sahen durch Lennard hindurch. Dieser robbte rückwärts von dem Angreifer fort, bis er den Wagen in seinem Rücken spürte. Die Augen des Rothaarigen durchbohrten ihn, ein spöttisches Lächeln glitt über die Züge des Mannes.

„Erbärmlich. Los, stehen Sie auf! Das macht ja sonst gar keinen Spaß, Falkenstein."

Lennard stemmte sich mit wackeligen Knien auf die Beine. Die Hände an das hinter ihm liegende Autodach gepresst. Seine Augen suchten nach einem Weg, einer Möglichkeit, die ihm zumindest noch eine Chance bot, das Ganze hier zu überleben. Aber er musste sich eingestehen, dass es verdammt schlecht aussah.

Hatte Werner den Namen des Täters durchgegeben? Hatte er gesagt, dass sie vermuteten, dass der Mann Lorenz Schuster hieß? Nein. Der Name war in dem Telefonat nie gefallen. Genauso wenig der Name des Fitnessstudios, aus dem sie ihre Infos hatten. Verdammt! Das hieß, Schuster konnte ungehindert weiter morden, bis niemand mehr aus seiner Familie am Leben war. Es war alles umsonst gewesen.

„Wobei …", fuhr der Rothaarige fort. „Als Sie und Ihr Bodyguard in das erste Fitness-Studio gingen, dachte ich noch, Sie wollten sich für den Endkampf wappnen. Beim zweiten Studio wusste ich, dass Sie mir auf der Spur waren und beim fünften … na ja. Da konnte ich Sie nicht mehr gehen lassen. Darf ich raten? Es war Ihre Idee, dort mit der Suche nach mir zu beginnen, richtig?"

Lennard nickte. „Sie haben uns die ganze Zeit beobachtet?"

„Aber natürlich! Ein erfolgreiches Raubtier lässt

das Beutetier, welches es sich herausgesucht hat, niemals aus den Augen. Niemals! Bis es von ihm erlegt wurde."

Lennard schluckte. Er sah über seine Schulter an dem Wagen vorbei. Sie waren eine Böschung hinuntergestürzt. Lennard bezweifelte, dass man sie von der Straße überhaupt sehen konnte. Um Hilfe zu rufen, hatte auch keinen Zweck. Sie befanden sich mitten in der Pampa. Das nächste Dorf war kilometerweit entfernt. Etwas lief sein Gesicht hinunter. Lennard wischte es mit dem Handrücken fort. Es war Blut, stellte er fest.

„Dann haben wir also einen Volltreffer gelandet. Sie sind Lorenz Schuster!"

„Nicht schlecht, Professor. Gar nicht schlecht. Nur dass Ihnen dieses Wissen jetzt nicht mehr helfen wird."

„Vielleicht nicht. Aber die Polizei kennt jetzt Ihren Namen. Von jetzt an sind Sie auf der Flucht", bluffte Lennard. Er bezweifelte, dass Schuster nah genug gewesen war, um zu verstehen, was genau in dem Telefonat gesprochen worden war. Möglicherweise konnte er seine Familie doch noch schützen. Der Mörder musste nur annehmen, enttarnt worden zu sein, und sich lieber in Sicherheit bringen, als seine Opfer weiter zu jagen. Schuster starrte ihn aus zusammengekniffenen Augen an. Seine Lippen bildeten einen dünnen Strich.

„So ist das also. Sie haben meinen Namen schon weitergegeben. Na, das hätten Sie jetzt aber für sich behalten sollen. Jetzt bin ich wütend. Und je wütender ich bin, desto schmerzhafter wird Ihr Tod ausfallen."

Er kam einige Schritte auf ihn zu. Jetzt befand er sich neben Werners Leiche. Zwischen dem Laub sah Lennard den schwarzen Knauf der Polizeiwaffe. Der Rothaarige folgte seinem Blick und lachte. Er hob die Waffe auf, wiegte sie in der Hand und betrachtete sie von allen Seiten. Dann richtete er sie auf sein Gegenüber. Lennard starrte in den Lauf. Es gab keine Fluchtmöglichkeit mehr. Egal wie schnell er jetzt laufen würde, die Kugel aus dieser Waffe wäre schneller. Schuster lachte. Er holte weit aus und warf die Waffe in die Büsche.

„Das wäre doch ein viel zu einfaches Ende für Sie, Professor. Ich möchte doch noch meinen Spaß haben."

Er kam mit großen Schritten auf ihn zu. Lennard versuchte, seitlich zu entkommen, doch der Rothaarige packte ihn am Kragen seines Mantels und warf ihn durch die Luft. Lennards unkontrollierter Flug endete mit dem Rücken gegen den Stamm einer großen Tanne. Lennard krümmte sich im trockenen Laub. Seine Brille hatte er irgendwo im Flug verloren. Die Schmerzen in seinem Rücken brannten wie flüssiges Eisen. Wieder war der Rothaarige neben ihm. Tritte und Schläge prasselten auf Lennard hinab.

Dann hielt Schuster inne.

„Kommen Sie, Falkenstein. Sie machen es mir viel zu einfach. Spielen Sie mit mir!"

Er zog Lennard auf die Füße. Dieser nutzte seine Chance und sprintete los. Rein kräftemäßig hatte er gegen dieses Monster keine Chance, aber Lennard war schmaler und leichter. Er konnte schneller rennen. Ein Blick über die Schulter zeigte, dass er einen kleinen Vorsprung herausgeholt hatte. Er sah wieder nach vorne und entdeckte im letzten Moment einen kleinen, umgestürzten Baum vor seinen Füßen. Lennard sprang darüber. Schuster machte sich nicht die Mühe. Er hob den armdicken Baumstamm an und schlug damit Lennard die Füße weg. Unsanft klatschte Lennard auf den Boden. Bevor er sich wieder aufrappeln konnte, kniete der andere auf seiner Brust, so dass es für ihn unmöglich war, sich zu befreien.

„Sie haben mich aus der Puste gebracht, Falkenstein. Nicht schlecht. Dann bringe ich Sie mal aus der Puste."

Mit diesen Worten legten sich seine großen Prankenhände um Lennards Hals und drückten zu. Lennard versuchte, sich unter dem Mann aufzubäumen, ihn von seiner Brust zu werfen, doch Schuster lachte nur höhnisch über seine Versuche. Das Blut rauschte immer lauter in Lennards Ohren, seine Lungen schrien nach Sauerstoff – schon wieder. Langsam und unaufhaltsam zog sich sein Sichtfeld zusammen.

Der Rothaarige gab seinen Hals frei. Gierig zog Lennard die Luft ein. Sein Blick klärte sich wieder, zeigte ihm die grinsende Fratze des Mannes über ihm.

„Wir wollen es doch genießen, nicht wahr, Professor? Wäre doch schade, wenn es so schnell vorbei wäre. Haben Sie meine anderen Kunstwerke gesehen? Was ich mit der kleinen Studentin und mit dem Dekan getan habe? Wahre Meisterwerke der Planung und Durchführung. Zeichen meiner Genialität."

„Zeichen Ihres durchgeknallten Sadismus, meinen Sie wohl", keuchte Lennard.

Der Rothaarige hob ein Knie an und platzierte es zwischen Lennards Beine, genau auf seine Weichteile. Dann verlagerte er sein Körpergewicht auf diese Stelle. Lennard schrie laut auf. Sein Körper wollte sich unter diesen unmenschlichen Schmerzen zusammenkrümmen und konnte es nicht. Lennard versuchte, mit einem Ruck den anderen von ihm abzuwerfen. Der Rothaarige schwankte kurz. Durch seine jetzige Position konnte er Lennard zwar unglaubliche Schmerzen verursachen, aber er hatte nicht mehr die Stabilität wie zuvor. Hoffnung keimte in Lennard auf. Wenn es ihm gelang, den Mann abzuschütteln …

„Tut das weh, Falkenstein?" Schuster lachte, umfasste wieder Lennards Hals und drückte zu. Jetzt war Lennard wieder am Boden fixiert. Keine ruckartigen Bewegungen, die den Mörder aus dem Gleichgewicht bringen konnten, waren mehr möglich. Tränen des Schmerzes und der Wut schossen in seine Augen. Er war dem anderen hilflos ausgeliefert. Konnte nur abwarten, wann dessen Sadismus befriedigt war und er ihm zu Sterben gestattete.

Nein, du bist ein Psychopath, Lennard. Deine Lungen schreien nach Luft, dein Köper schmerzt wie die Hölle, aber du verfällst nicht in Panik. Du behältst einen klaren Kopf und denkst nach. Wenn es noch eine Option gibt, dann finde sie jetzt, schrie eine Stimme in seinem Inneren.

Was für eine Option sollte er in seiner Position noch haben? Er konnte sich nicht bewegen, nicht einmal zusammenkrümmen, obwohl er nichts lieber gemacht hätte als das. Moment! Das war nicht ganz richtig. Er konnte noch seine Arme bewegen. Aber er konnte den anderen nicht von sich stoßen. Jetzt, wo nicht nur sein Unterleib, sondern auch sein Hals am Boden festgepinnt war, konnte er mit seinen Armen den anderen keinen Millimeter bewegen. Er hatte es schon probiert. Über seinen Versuch, den Rothaarigen von sich wegzudrücken, hatte dieser nur müde gelächelt. Lennard ließ die Arme ins Laub fallen. Seine Hände suchten den Boden unter dem Laub ab. Ein Stein. Er war faustgroß und befand sich halb unter der Erde. Lennard versuchte, ihn herauszuziehen. Er steckte fest. Seine Finger wühlten sich in die Erde. Er hatte nicht mehr viel Zeit. Seine Gedanken waren

schon wieder ganz benebelt durch den Sauerstoffmangel. Endlich hatte er ihn frei. Ihm war ganz
schwarz vor Augen, aber er wusste, wo sich der
andere befand. Mit Schwung zog er den Stein über
den Kopf des Rothaarigen. Er hörte ihn brüllen. Sein
Angreifer ließ seinen Hals frei, schwankte. Lennard
bäumte sich auf und stieß gleichzeitig mit beiden
Händen gegen den Brustkorb von Schuster. Dieser fiel
zur Seite. Schnell rappelte sie Lennard auf und wollte
rennen. Doch die Hand des Rothaarigen umklammerte sein Fußgelenk. Mit einem wütenden Schrei
schlug Lennard den Stein ein weiteres Mal gegen
Schusters Kopf. Und noch ein drittes Mal. Der andere
ließ sein Fußgelenk los.

*Denk nach, Lennard. Denk nach. In welche Richtung
rennst du am besten? Zu dem Gestrüpp, in dem Werners
Dienstwaffe gelandet ist oder zur Straße?,* dachte er. Das
Gestrüpp war so dicht und unübersichtlich. Wer
wusste schon, wo genau dort die Waffe zu finden war.
Es würde Ewigkeiten dauern, und diese Zeit hatte er
nicht. Also zur Straße. Vielleicht hatte er Glück und es
fuhr ein Auto vorbei, das ihn mitnehmen konnte oder
dessen Fahrer ihm helfen konnte. Lennard rannte zur
Böschung. Er konnte Schuster hinter sich hören. Der
Mörder holte auf, doch Lennard sah schon die
Böschung vor sich. Er musste es nur noch nach oben
schaffen. Auf allen vieren begann er den Aufstieg.
Sein Bein wurde geschnappt und Lennard nach unten

gezogen. Schnell drehte er sich auf den Rücken und sah in das wutverzerrte Gesicht des Rothaarigen über ihm. Auf dessen Kopf befand sich eine große Platzwunde, die heftig blutete. Das Blut lief Schuster über das Gesicht und hinterließ eine gruselige Kriegsbemalung.

„Das werden Sie mir büßen! Ich werde Sie auseinandernehmen, Stück für Stück, bis Sie mich anflehen werden, dass ich Sie endlich töte", zischte der Rothaarige.

Er schien solche Bilder zu lieben. Sie gaben ihm das Gefühl von absoluter Macht. Und das war seine Schwäche. Wenn der Rothaarige nicht so versessen darauf aus wäre, diesen Moment, da er Lennard tötete, so lange wie nur möglich hinauszuzögern und auszukosten, dann wäre Lennard schon lange tot. Aber der Mann wollte seine Spielchen treiben, seine Allmachtsphantasien befriedigen. Erst dann durfte sein Opfer sterben. Wenn Lennard Zeit gewinnen wollte, durfte er diesen Trieb nicht befriedigen. Lennards analytischer Verstand überprüfte seine Optionen. Der Rothaarige war wieder über ihm, hatte sich auf Lennards Arme gekniet, so dass er seinen Stein nicht mehr einsetzen konnte und keine Chance zur Flucht mehr besaß. Schuster prügelte auf ihn ein und Lennard hatte keine Möglichkeit sich vor den Schlägen zu schützen. Er spürte, wie sich sein Mund mit Blut füllte.

Ich darf seine Phantasien nicht befriedigen, dachte Lennard.

Der nächste Schritt würde verdammt schwer werden und all seine Selbstdisziplin erfordern. Lennard verdrehte die Augen, schloss sie und entspannte bewusst jeden Muskel in seinem Körper. Eine schier unlösbare Aufgabe, während ein weiterer Schlag auf ihn traf. Dann hielt Schuster inne. Lennard wurde am Kragen gepackt und geschüttelt.

„Falkenstein! Sie werden mir jetzt doch nicht schlapp machen? Der Spaß fängt doch gerade wieder an."

Lennard richtete seine ganze Konzentration darauf, nicht mit den Augenlidern zu zucken und gleichmäßig flach zu atmen. Der Rothaarige fluchte und ließ ihn zu Boden fallen. Er saß noch auf ihm, schien zu überlegen, was er jetzt tun sollte. Dann lachte der Mann.

„Ja, da ergeben sich ganz neue Möglichkeiten. Ich werde Sie an einen der Bäume binden und wenn Sie wieder zu sich kommen, haben wir alle Zeit der Welt. Ich lasse mir das Finale nicht von Ihnen verderben, hören Sie? Dafür habe ich es mir zu lange ausgemalt. Ich werde es genießen."

Lennard spürte, wie ihm unter die Arme gegriffen wurde und er immer weiter zurück in den Wald geschleift wurde. Am liebsten hätte er frustriert aufgeheult. Er hatte es schon fast bis zur Straße geschafft. Schlaff hing Lennard in den Armen des Angreifers.

Auch seinen Stein hatte er loslassen müssen. Eine harte Entscheidung, aber ein Bewusstloser konnte nun mal nicht an einem Stein festhalten. Das hätte ihn verraten. Er spürte, wie er gegen einen Baum gelehnt wurde. Die Schritte des Rothaarigen entfernten sich. Lennard wagte es, zwischen seinen Wimpern hindurch einen Blick zu riskieren. Die verschwommene Gestalt von Schuster suchte im Autowrack nach etwas, mit dem er Lennard an den Baum fesseln konnte. Er kramte erst ein Überbrückungskabel hervor, bevor er einen Spanngurt zum Sichern von Ladung fand. Er holte ihn aus dem Kofferraum.

„Perfekt!"

Lennard durfte keine Sekunde länger warten. Er stand auf und sprintete los. Er hörte den Rothaarigen fluchen und die Verfolgung aufnehmen.

Ich bin schneller, dachte er im verzweifelten Bemühen, sich Mut zuzusprechen. Aber er war am Ende seiner Kräfte, während sein Angreifer noch energiegeladen war. Immer wieder stolperte Lennard über seine eigenen Füße, fing sich im letzten Moment und rannte weiter. Sein Körper wollte nur noch aufgeben, Zusammenklappen und sich dem Schicksal ergeben, doch er wusste, was ihn dann erwarten würde. Lennards Beine bewegten sich nur noch durch die Kraft seines Willens. Er wollte nicht auf diese Weise sterben. Er hatte die Böschung zur Straße erreicht, versuchte, dort hinaufzulaufen. Wenn er hinfiel, krabbelte er auf allen vieren weiter. Schuster hatte schon viel aufgeholt, war schon so nah. Endlich, den letzten Meter bis zur Straße und er konnte ein Auto sehen, das auf ihn zu fuhr. Am liebsten hätte er laut gejubelt. Das war seine Rettung!

Er hatte die Straße erreicht, winkte dem Fahrer mit beiden Armen zu, damit dieser stehenblieb. Ihre Blicke begegneten sich. Dann beschleunigte der Mann und fuhr an Lennard vorbei. Fassungslos starrte Lennard seiner sicher geglaubten Rettung nach.

„Mistkerl!", schrie er, nahm einen Stein vom Straßenrand und warf ihn dem Wagen hinterher. Doch das Auto war schon hinter der nächsten Kurve verschwunden. Der Mann musste gesehen haben, dass er verletzt war, dass er dringend Hilfe brauchte und war dennoch einfach weiter gefahren!

Er drehte sich um, entkam mit einem Sprung zur Seite gerade noch Schusters Griff, der ebenfalls die Straße erreicht hatte. Lennard rannte auf die Biegung zu. Doch die Erschöpfung forderte ihren Tribut ein. Er hatte das Gefühl, sich nur noch in Zeitlupe zu bewegen. Lennard hatte die Kurve kaum hinter sich gelassen, da bekam der Rothaarige ihn an den Schultern zu fassen und stieß ihn gegen die Felswand auf der anderen Straßenseite. Diese war mit dicken Metallnetzen gesichert, die die Fahrbahn vor Steinschlag schützten. Lennard hörte, wie ein großes Auto, wahrscheinlich ein LKW oder Transporter auf der

Straße auf sie zu fuhr. Er konnte ihn nicht sehen, da er sich hinter der Biegung befand, aber er kam auf sie zu. Ein leiser Hoffnungsschimmer regte sich in ihm. Er musste nur an der Straße bleiben, bis der Wagen ihre Stelle passierte. Der Fahrer erkannte bestimmt, dass Lennard in Schwierigkeiten war und hielt an. – Vielleicht!

Der Rothaarige hatte das herannahende Gefährt ebenfalls gehört. Er wollte Lennard noch über die Straße und die Böschung hinabziehen, doch Lennard presste seinen Rücken gegen die Felsen und krallte die Finger über dem Kopf in das Metallnetz. Sein Angreifer ballte die Hand zur Faust und versetzte dem Professor einen Schlag ins Gesicht. Sein Kopf krachte in die Steinwand hinter ihm. Lennard wurde schwarz vor Augen, doch er schaffte es irgendwie, seine Finger in das Netz gekrallt zu lassen. Vor sich sah er schemenhaft den Rothaarigen, wie er zu einem neuen Faustschlag ausholte, der ihm mit Sicherheit vollkommen das Bewusstsein rauben würde. Und dann wäre alles verloren. Schuster würde ihn zu dem Baum neben dem Autowrack tragen, ihn dort festbinden und langsam zu Tode foltern. In einer letzten Verzweiflungstat festigte er seinen Griff in das Stahlnetz, hing sich mit seinem Körpergewicht daran, und zog seine Beine zu seiner Brust. Dann, in einer explosionsartigen Bewegung, brachte er die Beine nach vorne und stieß dabei seine Füße in die Brust seines

Angreifers. Der Rothaarige schrie überrascht auf und wurde nach hinten geschleudert. Lennards Blick klärte sich langsam wieder. Es hatte den schweren Mann nur etwa zwei Meter von ihm weggeschleudert. Wütend stand er auf der Straße, bereit für den nächsten Angriff.

Und plötzlich war er weg.

Lennard realisierte erst nicht, was passiert war. Ein starker Luftzug, der Lärm eines mächtigen Motors, ein dunkler Schatten, der an ihm vorbeizog und den Rothaarigen auf irreale Weise von der Stelle wischte, wo er eben noch gestanden hatte.

Bremsen quietschten. Er hörte eine Stimme:

„Oh, mein Gott! Ich habe ihn nicht gesehen. Ich bin um die Kurve gefahren und da stand er plötzlich auf der Fahrbahn. Ich konnte nichts mehr tun!"

Lennard hatte das Gefühl eines Déjà-vus. Das waren fast die Worte des Fahrers, an dem Tag, an dem die Katze starb. Der Tag, an dem seine Mutter einsah, dass er anders war, dass er ein Psychopath war.

Er sah die Straße entlang. Da stand ein großer LKW, die Warnblinkanlage an und hinter dem LKW lag der Rothaarige. Dieser eine Blick genügte Lennard, um zu wissen, dass sein Angreifer tot war.

Es war vorbei. Es war vorbei und er lebte noch. Lennard löste seine Finger von dem Stahlnetz und taumelte zu dem Grasstreifen auf der anderen Straßenseite. Dort brach er auf allen vieren zusammen.

Sein Atem ging stoßweise. Kraftlos fiel er auf den Rücken. Sein Blick in den Himmel. Strahlend blau mit einigen feinen Wölkchen. Unbeeindrucktes Vogelgezwitscher in seinen Ohren. Er konnte jetzt loslassen. Er musste nicht weiter kämpfen. Lennard schloss die Augen. Sein Bewusstsein driftete ab. Es war ihm recht.

„Falkenstein!"

Lennard öffnete die Augen und sah die Oberkommissarin Dana Lange über sich gebeugt stehen.

„Ich lebe noch", krächzte er.

Ein trauriges Lächeln huschte über ihre blassen Züge.

„Gut gemacht!"

„Ihr Kollege … Werner … er ist … er ist tot."

„Ich weiß", sagte Lange und schluckte schwer. „Wir haben ihn gefunden. Das ist furchtbar. Vor allem für seine Frau und seine zwei Kinder."

Lennard schloss die Augen. Das war wieder etwas, was er bei den Normalen nicht verstand. Anscheinend wiegte für sie ein Leben umso schwerer, je mehr Menschen man hinterließ, die um einen trauerten. Dabei gab es doch wichtigere Kriterien. Intelligenz, Nutzen für die Gesellschaft oder Wissenschaft. So etwas wären viel logischere Kriterien, um zu ermessen, wie schwer der Verlust eines Lebens wiegte. Doch man folgte wieder dem Gefühlsprinzip.

Dann wäre mein Leben mit Sicherheit sehr wenig wert, dachte er. Wer würde schon um mich trauern? Meine Mutter – bestimmt, Max – wahrscheinlich, meine Schwester – vielleicht. Aber das war es dann auch.

„Sie werden jetzt in ein Krankenhaus gebracht. Wir sprechen uns, sobald es Ihnen etwas besser geht", sagte Lange.

„Warten Sie!" Lennard riss erneut die Augen auf. „Der Mörder. Er hieß Lorenz Schuster."

Lange nickte. „Ok. Ist notiert und jetzt versuchen Sie, sich zu erholen, damit Sie bald wieder auf den Beinen sind. Sie sehen, ehrlich gesagt, gerade sehr beschissen aus."

„So fühle ich mich auch", murmelte Lennard, während er in einen erschöpften Schlaf versank.

Kapitel 37

Dr. Maximilian Pabst klopfte an der Krankenzimmertür und trat ein.

„Hallo Lennard", grüßte er.

Sein Freund warf ihm einen kurzen Blick zu und starrte dann wieder auf den Fernsehbildschirm, der an der Decke hing. Max folgte seinem Blick.

„Du weißt schon, dass das Ding aus ist? Soll ich dir zeigen, wie man ihn einschaltet?"

Lennard schürzte die Lippen in Missbilligung.

„Ich bin Uniprofessor und hoch geachteter Forscher auf dem Gebiet der Humangenetik. Ich weiß durchaus, wie man einen Fernseher einschaltet." Er zögerte, sank in sein Kissen zurück.

„Ich meine, ich war ein hoch geachteter Forscher. Jetzt bin ich … jetzt bin ich … was?"

„Ein Held, der einen psychopathischen Serienmörder unschädlich gemacht hat und damit nicht nur sich, sondern auch sein ganzes Umfeld vor einem schrecklichen Tod bewahrt hat?" Max grinste und fügte augenzwinkernd hinzu: „Und jemand, der anscheinend vor hat, seinen Erstwohnsitz hier ins Krankenhaus zu verlegen."

Lennard sah ihn aus stumpfen Augen an.

„Ja, genau. Ein allseits bekannter und nun arbeitsloser Psychopath, der lange Zeit in Verdacht stand, ein Seienmörder zu sein, der alle in seinem

Umfeld grausam ermordet."

„Das waren nicht meine Worte. Das war so ziemlich das Gegenteil von meinen Worten! Außerdem bist du nicht arbeitslos. Du bist als Professor ein Beamter. Die müssen dich wieder einstellen", stellte Max klar.

„Klar müssen die das! Aber sie müssen mir keine Forschungsgelder mehr zur Verfügung stellen. Und sie können keine Studenten zwingen, in meine Vorlesungen zu gehen. Das war es dann mit meinem beruflichen Erfolg. Dann bin ich in der Hackordnung auf der Uni ganz unten. Glaubst du ernsthaft, ich stelle mich in meinen leeren Hörsaal, drehe Däumchen und ruhe mich auf meinem Beamtenstatus aus?"

Max schwieg einen Moment. Er konnte Lennards Befürchtungen nicht einfach so abtun. Das stellte ein echtes Problem dar. Es kleinzureden, brachte nichts.

„Ich verstehe deine Bedenken gut", sagte er darum. „Aber warum gehst du die Probleme nicht erst dann an, wenn sie auftreten. Du bist bisher nur beurlaubt. Noch kannst du weiterforschen. Sprich mit dem neuen Dekan, sobald du aus dem Krankenhaus entlassen wirst. Der Mordverdacht hat sich als falsch herausgestellt. Damit steht einer Wiederaufnahme deiner Tätigkeit eigentlich nichts im Wege."

„Ja, wenn Dekan Sanders noch leben würde, hätte ich da auch weniger Bedenken. Aber ob sich ein neuer Dekan darauf einlassen wird, wage ich zu bezweifeln. Erst recht nicht, wenn man bedenkt, was mit seinem Vorgänger geschehen ist."

„Lass deinen Charme spielen, erwähne die gestiegenen Studentenzahlen seit dem Outing und die übervollen Vorlesungen in deinen Fächern."

„Ich weiß nicht, ob das so bleiben wird. Ich weiß, du als Psychologe hältst mein Selbstwertgefühl für übersteigert, aber hey: Ich halte geniale Vorlesungen. Sie sind nicht nur fachlich vom Feinsten, sondern auch ungemein unterhaltsam. Aber ich stand in Verdacht, eine meiner Studentinnen umgebracht zu haben und den Dekan. Erwiesene Unschuld hin oder her. Aus einem angenehmen Nervenkribbeln ist eine gefühlte reale Bedrohung geworden. Ich befürchte, die Studentenzahlen werden einbrechen."

„Ein Problem nach dem anderen, Lennard. Zuerst werde wieder gesund und komme aus dem Krankenhaus raus, dann bittest du den neuen Dekan um ein Gespräch. Danach sehen wir weiter."

Sein Freund nickte und sah auf seine Hände hinab, die er über seiner Decke ineinander faltete. Er sah noch immer sehr niedergeschlagen aus. Eine Gefühlsverfassung, die recht untypisch für Lennard war.

„Das nimmt dich alles sehr mit, nicht wahr? Aber das ist ganz normal. So etwas steckt eben auch ein Lennard von Falkenstein nicht so leicht weg", sagte Max.

„Da bin ich endlich mal ganz normal und wie

fühlt sich das an? Scheiße! Ganz ehrlich, da bleibe ich lieber bei meinem psychopathischen Selbst."

Max lachte, doch Lennard blieb ernst.

„Er hat mein ganzes Leben zerstört. Nichts ist übrig und ich stehe inmitten des Scherbenhaufens und weiß nicht, wie ich das wieder zusammensetzen soll. Eine Unmöglichkeit, wenn du mich fragst. Vor allem, weil nun Teile davon fehlen. Teile, die mir vielleicht vorher unwichtig vorgekommen sind, aber ohne die das Puzzle nicht mehr vollständig sein kann." Lennard schloss seine Augen. „Ich bin müde, Max. Danke, für deinen Besuch, aber ich möchte jetzt schlafen."

Max wollte schon gehen, drehte sich aber noch einmal um.

„Ich habe ein paar Nachforschungen angestellt. Bei Lorenz Schuster wurde die Psychopathie ungefähr im selben Alter diagnostiziert wie bei dir. Aber seine Eltern hatten nicht die Kraft, damit umzugehen. Sie gaben ihr Kind in ein Heim und sagten sich vollkommen von ihm los. Keine Besuche, keine Briefe – nichts. Der Junge wurde von Pflegefamilie zu Pflegefamilie weitergereicht. Bestimmt wuchs dort seine Wut auf die normalen Menschen ins Unermessliche. Eine Weile war er auch in der Psychiatrie untergebracht. Ohne Erfolg. Aber mit Volljährigkeit mussten sie ihn entlassen. Er hatte noch nichts verbrochen, was eine dauerhafte Zwangseinweisung rechtfertigen würde. Er war intelligent und arbeitete sich hoch. Aber er hatte nicht gelernt, sich anzupassen. Hatte nicht den Halt im Leben gehabt, um das zu lernen. So machte er sich mit seiner Psychopathie immer wieder alles kaputt, was er sich erarbeitet hatte. Ich will seine Taten nicht entschuldigen oder rechtfertigen. Was er getan hat, ist unverzeihlich. Letztlich hat er seine ganze Wut an dir abreagiert. Doch dein Tod hätte ihn nicht gestoppt. Er hätte immer weiter gemordet, bis zu seinem Ende und keine psychologische Behandlung der Welt hätte daran noch etwas ändern können. Ich bin froh, dass dieses Monster tot ist. Aber ich bedaure auch den kleinen Jungen, der er einmal war. Verrückt, nicht wahr?"

Als Max die Tür des Krankenzimmers hinter sich schloss, war er tief in Gedanken. Es war immer wieder erstaunlich, wie viel Schaden ein einzelnes Individuum anrichten konnte. Es war nicht nur Lennards Leben, das er zerstört hatte, es war auch das Leben von Lennards Vater und der gesamten Familie, von der toten Studentin und deren Familie, von Dekan Sanders und seiner Familie und von dem toten Polizisten und dessen Familie und wer wusste schon, von wie vielen noch. Ein unüberschaubares Netz aus Zerstörung und Leid.

Wie gut, dass Lennard sich nicht zu einem solchen Monster entwickelt hatte. Seine Eltern waren stark genug gewesen, um ihm den nötigen Halt und die Unterstützung zu geben, die er so dringend gebraucht hatte und seine Psychopathie hatte einen Grad, der eine positive Beeinflussung von außen noch möglich machte. Das war leider auch nicht bei allen der Fall.

Max trat ins Freie. Er wollte noch nicht direkt in sein Auto einsteigen, sondern nahm sich Zeit für einen kleinen Spaziergang. An einem Weiher setzte er sich auf einen Stein, schloss die Augen und reckte sein Gesicht der Sonne entgegen. Ihre Wärme vertrieb langsam das kalte Grauen der letzten Tage aus seinem Geist.

Kapitel 38

„Lennard?"

Er drehte sich herum. Cecilia kam auf ihn zu.

„Ich habe gleich einen Termin bei Gericht und wollte dir zuvor noch Glück wünschen. Ich hoffe wirklich, du kannst dein Leben wieder dort aufnehmen, wo es dir durch diesen Psychopathen ... ich meine, diesen Mörder ... kaputt gemacht wurde. Ich hoffe, deine Studenten nehmen dich gut auf", sagte seine Schwester.

„Danke! Das hoffe ich auch. Immerhin haben sie es mit der schlimmsten Sorte eines Psychopathen zu tun bekommen. Sie haben erfahren, was es bedeuten kann, ins Visier eines solchen Menschen zu gelangen. Schwer zu sagen, ob sie mir noch ihr Vertrauen entgegenbringen können und wie sie jetzt auf mich reagieren werden. Wenn sie denn überhaupt erschienen sind. Ich weiß ehrlich gesagt nicht, wie viele Studenten sich heute noch in meine Vorlesung wagen. Ich bin quasi auf Bewährung. Wenn die Studentenzahlen einbrechen, wird mein Forschungsetat im nächsten Jahr gestrichen." Lennard zuckte mit den Achseln. „Aber es ist mühselig, sich darüber Gedanken zu machen. Was kommt, das kommt. Was ist mit dir? Nun bist du bestimmt überglücklich, mich wieder los zu sein. Was wirst du tun? Umziehen, damit ich deinen Wohnort nicht mehr kenne?"

Cecilia überlegte. Sie waren in dieser Zeit mehr Bruder und Schwester gewesen, als ihre ganze Kindheit hindurch. Es war ihr gelungen, ein besseres Verständnis für Lennards Krankheit zu erlangen.

„Ich denke, das wird nicht nötig sein. Was meinst du?"

Über Lennards Züge huschte ein fast scheues Lächeln. Er schüttelte den Kopf.

„Nein, das ist nicht nötig." Er senkte kurz den Kopf. Als er den Blick wieder hob, lag dieses diabolische Grinsen auf seinen Zügen. „Außerdem könnte ich innerhalb weniger Minuten deinen neuen Wohnort ermitteln. Du kannst gar nicht so schnell umziehen, wie ich es nachverfolgen kann."

Cecilia lachte herzhaft. Früher, vor dieser Geschichte, hätte dieser Ausdruck in seinem Gesicht ihr das Blut in den Adern gefrieren lassen und seine Worte sie in Panik versetzt. Doch etwas hatte sich geändert. Sie umarmte Lennard, der sich unter ihrer Berührung kurz versteifte, bevor er sie erwiderte.

„Alles Gute, Lennard", verabschiedete sie sich.

„Wir werden uns wohl nicht mehr wiedersehen, oder?", fragte er.

„Warum nicht? Du weißt jetzt, wo ich wohne. Außerdem haben wir noch eine Beerdigung zu planen."

„Du möchtest, dass ich euch bei den Vorbereitungen zu Vaters Beerdigung helfe?", fragte Lennard erstaunt.

„Na ja. Wir sind eine Familie, nicht wahr? Es wird Zeit, sich auch so zu benehmen."

Lennard nickte und drehte sich zur Tür des Hörsaals. „Ich muss zu meinen Studenten."

Die Hand verharrte auf dem Griff. Als er den Kopf nochmals zu Cecilia wandt, erkannte sie die Unsicherheit in seinem Blick. Mit einem Mal wurde ihr bewusst, wie schwer ihm die Krankheit das Leben manchmal machte. Er hatte mit Vorurteilen und Unverständnis für sein Verhalten zu kämpfen. Wie würden die Studenten reagieren? Der Fall war geklärt. Der wahre Mörder tot, doch was würde haften bleiben? Nun musste jedem klar sein, zu was er fähig war. Zumindest theoretisch. Da war es nur natürlich, wenn man ihm mit Furcht und Misstrauen begegnete. War sein größter Sieg dennoch das Ende seiner Karriere?

„Du hast Angst, was jetzt kommen wird", sagte sie.

„Weißt du, wir Psychopathen nehmen Angst anders wahr, als ihr normalen Menschen. Sie ist wie ein angenehmes Kribbeln im Magen, etwas Aufregendes."

„Du spürst jetzt ein angenehmes Kribbeln?"

Lennard seufzte. „Nein, ich würde lieber in viertausend Metern mit einem Fallschirm aus einem Flugzeug springen. Das wäre ein angenehmes Kribbeln! Das hier ist jetzt einfach nur unangenehm."

Cecilia nickte verstehend.

„Viel Glück", flüsterte sie.

Lennard hob eine Braue. „Glück hat damit rein gar nichts zu tun. Was soll's. Ich kann die Situation nicht ändern. Warum sich also Gedanken machen?" Er riss die Tür auf und trat sicheren Schrittes in den Hörsaal.

Ein Sturm brach los. Cecilia sah, wie die Studenten sich von ihren Plätzen erhoben und ihrem Professor tosenden Beifall zollten. Die Sitzreihen waren übervoll. Sie standen geschlossen hinter ihm. Jedenfalls für den Moment.

Lennard hatte sein Pult erreicht, vollführte eine theatralische Drehung und verbeugte sich vor seinem Publikum.

„Danke, danke, meine Damen und Herren. Ich freue mich auch, sie wieder unterrichten zu dürfen. So sehr ich das Abenteuer liebe, so ist es doch wenig lukrativ, von der Polizei gejagt zu werden, und es bleibt einem dabei so wenig Zeit für sinnvolle Forschung."

Während die Studenten über den Witz ihres Professors lachten, schloss Cecilia schmunzelnd die schwere Tür zum Hörsaal.

Worüber machte sie sich Gedanken? Lennard würde klarkommen. Lennard kam immer klar! Nur die Menschen in seinem Umfeld hatten mit seiner Krankheit zu kämpfen.

Isabell Valentin

Der Fährmann

Ein Damian Johannsson-Krimi
Band 1

Als sich Damian Johannsson nach Saarbrücken in die Mord-kommission versetzen lässt, geht er damit ein großes Risiko ein. Denn sein neuer Vorgesetzter, Kriminalhauptkommissar Aaron Breuer, kennt sein dunkelstes Geheimnis. Ein Geheimnis, welches seiner Karriere bei der Polizei ein jähes Ende bereiten könnte und nur darauf wartet, ihn erneut in den Abgrund zu ziehen.

Schon der erste gemeinsame Fall verlangt Damian und Breuer einiges ab: Beim Staatstheater wird ein älterer Mann ermordet. Seine Leiche liegt in einem aufgemalten Fragezeichen, die Augen sind mit Münzen bedeckt und in die Brust ist eine römische Eins eingeritzte. Der Fährmann hat mit dem Morden erst angefangen.

Als Taschenbuch und E-Book erhältlich.
Ulrich Burger-Verlag, ISBN: **978-3-943378-79-5**

Isabell Valentin

Die Zeit des Erwachens

EIN DAMIAN JOHANNSSON-KRIMI
Band 2

Der Insolvenzverwalter Richard Roth liegt erschlagen in seinem Haus. Wurde ihm die Macht über das Schicksal seiner Mandanten zum Verhängnis oder wurde er das Opfer der rumänischen Einbrecherbande, die in dieser Gegend gerade agiert?

Damian Johannsson, Aaron Breuer und sein Team begeben sich auf die Suche nach dem Mörder. Doch schon bald stellt sich die Frage, wer hier wen jagt.

Als Taschenbuch und E-Book erhältlich.
Ulrich Burger-Verlag, ISBN: **978-3-943378-41-2**